FLORIDA

DUMONT REISE-TASCHENBUCH

Axel Pinck
FLORIDA

LAND UND LEUTE

Sunshine State

Kultur und Leben

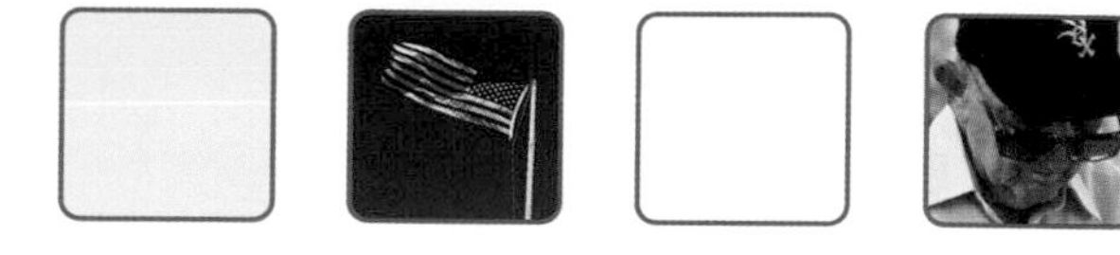

Tipps für Ihren Urlaub

UNTERWEGS IN FLORIDA

Der Südosten – Miami und die Florida Keys

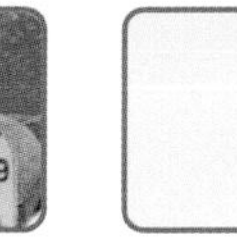

»Sieh Dir den Flamingo in Florida an, seine Farbe zeigt Leidenschaft, aber sein Hals ist ein Fragezeichen.«

Robert Penn Warren, amerikanischer Schriftsteller (1905–89)

Ranger mit ›Alligatorkontakt‹ im Everglades National Park

Sunshine State

Bowman's Beach auf Sanibel Island

IM ZEICHEN DER SONNE

Vorwitzig streckt sich vom nordamerikanischen Festland eine wie ein Finger geformte Halbinsel nach Süden in die Karibik. Dieses recht flache, von der Sonne verwöhnte Land hat viele Gesichter. Im Norden, zwischen der Hauptstadt Tallahassee und Jacksonville, werden Baumwolle und Erdnüsse angebaut. Hier scheinen die Südstaaten näher als der Rest des eigenen Bundesstaates. Die tropische Südspitze, die Everglades und die Inselkette der Florida Keys gehören schon zur Karibik. In den von Zivilisation und Umweltveränderungen gebeutelten Everglades sind viele bedrohte Tierarten zu Hause, leben Tausende von Alligatoren, Flamingos, die seltenen rosafarbenen Löffelreiher und sogar noch einige Exemplare des fast ausgestorbenen Florida-Panthers.

Die ersten europäischen Besucher hatten keine schlechte Jahreszeit für ihren Florida-Aufenthalt gewählt: warme, sommerliche Temperaturen, kaum Niederschläge. Ponce de Leon, Offizier seiner spanischen Majestät, war schon seit einigen Wochen durch das Archipel der Bahamas gesegelt. Die vermeintliche weitere Insel, der sie am 2. April 1513 gewahr wurden, tauften die Spanier auf die Bezeichnung für die bevorstehenden Osterfeierlichkeiten, das Fest der Blumen, Pascua Florida. Ein Name, wie ihn sich Marketingexperten von heute nicht besser hätten ausdenken können. Für Ponce de Leon gingen die Träume von einem Jungbrunnen und nach Reichtum nicht in Erfüllung. Er verstarb, getroffen von einem Pfeil der Calusa-Indianer. Doch der Traum von einem angenehmen Leben in warmem Klima wird noch heute geträumt.

Mehr als 40 Mio. Besucher kommen alljährlich an die Sonnenstrände im Süden. Die Küstenlinie mit Inseln und Buchten erstreckt sich über eine Länge von 8400 km. Hochsaison herrscht zwischen Weihnachten und Ostern, wenn die warme Sonne über Florida Urlauber aus den kalten Städten im Nordosten wie ein Magnet anzieht. Doch auch der heiße, schwüle Sommer, in dem es häufiger einmal bedeckt ist und ein nachmittäglicher Regenguss für kurze Abkühlung sorgt, wird als Reisezeit beliebter. Eine Zeitung in St. Petersburg kann ohne Problem damit werben, dass sie an den Tagen, an denen die Sonne nicht scheint, kostenlos verteilt wird.

Obwohl die Strände zu den Hauptattraktionen zählen, hat der Sunshine State noch erheblich mehr zu bieten – Feuchtgebiete, Marschen, Mangrovendickichte und subtropische Wälder mit einem erstaunlichen Reichtum an Pflanzen und Tieren. Vor der südlichen Atlantikküste zwischen Palm Beach und Key West zieht sich das einzige lebende Korallenriff Nordamerikas entlang. Sport-Fans können in Florida Top-Wettkämpfe beobachten: Beim Tennis, Baseball, Football, Jai Alai, beim Golf, Polo, Pferderennen und Motorsport treten die besten Profis gegeneinander an.

STECKBRIEF FLORIDA

Fläche: 151 939 km^2

Bevölkerung: Die Einwohnerzahl von Florida ist auf über 174 Mio. geklettert. Der Anteil von Schwarzen beträgt 15 %, die Zahl der Hispanics ist etwa gleich hoch. Im Raum Miami-Fort Lauderdale leben über 3 Mio., im Großraum Orlando mehr als 1 Mio., um Tampa/St. Petersburg etwa 1,7 Mio. Menschen. Der Anteil der über 65 Jahre alten Floridianer beträgt knapp 18 % und ist damit 5 % höher als im Bundesdurchschnitt.

Geographie: Florida reicht von allen US-Bundesstaaten am weitesten nach Süden. Im Nordwesten läuft ein schmaler Landstreifen als Inselkette an der Golfküste entlang. Im Norden grenzt Florida an Alabama und Georgia. Hier erhebt sich der Walton County Hill, mit 105 m höchster Hügel des Bundesstaates. Die Vegetation wechselt von Nadel- und Mischwäldern im Norden zu tropischem Wald und Sümpfen im Süden. An den Küsten erstrecken sich ausgedehnte Strände. Von der Südspitze zieht sich die Inselkette der Florida Keys 180 km in den Golf von Mexiko.

Politik: Im Jahre 1845 trat Florida als 27. Bundesstaat den USA bei. Der Gouverneur und sein Stellvertreter werden für 4 Jahre gewählt. Florida besitzt eine eigene Verfassung sowie ein aus zwei Kammern (Senat und Repräsentantenhaus) bestehendes Parlament. Hauptstadt ist seit 1824 Tallahassee (125 000 Einw.) im Norden.

Wirtschaft: Zwei Drittel der Floridianer arbeiten im Dienstleistungsbereich, meist in Betrieben, die vom Tourismus profitieren. Die Landwirtschaft, mit Zitrus-, Gemüse- und Zuckerrohrplantagen, mit Rinder- und Pferde-Ranches in Zentral-Florida und die Fischerei tragen zur Ökonomie des Landes bei, ebenso wie der industrielle Bereich mit Betrieben der Elektronik sowie der Flugtechnik. Pensionszahlungen älterer Bürger, die sich in Florida niedergelassen haben, stützen inzwischen viele Bereiche der Wirtschaft.

Klima und Reisezeit: Florida hat sich zu einem ganzjährigen Reiseziel entwickelt. Ein Schwerpunkt liegt im angenehm warmen und trockenen Frühjahr. Im Norden des Bundesstaates herrscht gemäßigt subtropisches Klima, die Südspitze von Florida gehört bereits zum Einflussbereich der Tropen. Hier kommt es im heißen Sommer mit hoher Luftfeuchtigkeit zu regelmäßigen Regenschauern. Im Spätsommer und Herbst können stürmische Perioden auftreten, die sich vereinzelt bis zu Hurrikans steigern.

Besucher im Vergnügungspark Walt Disney World

Einige hervorragende **Kunstsammlungen** stellen auch kulturell interessierte Besucher zufrieden. In St. Petersburg befindet sich das nach Figueras größte Museum mit Gemälden von Salvador Dali, in Winter Park bei Orlando wurde die weltweit größte Ausstellung mit Glasarbeiten des Jugendstilkünstlers Louis Comfort Tiffany zusammengetragen, in South Miami Beach gibt es ein Ensemble mehrerer Hundert Art-déco-Gebäude.

Die **Vergnügungsparks** von Zentral-Florida, Walt Disney World, Sea World, Busch Gardens und Universal Studios haben sich zu Zuschauermagneten entwickelt, die viele Kurzbesucher sogar aufsuchen, ohne andere Regionen von Florida zu erkunden. Nicht weit entfernt fasziniert der Raketenbahnhof von Cape Canaveral nicht nur an neuester Technik interessierte Besucher.

Wer **schöne Strände** sucht, findet in Florida mit Sicherheit seinen Traumstrand – sei es den lebhaften Lummus Park Beach am Rande des Art-déco-Viertels von Miami Beach, den malerischen, von Palmen gesäumten Strand von Bahia Honda auf den Florida Keys, die Muschelstrände von Sanibel Island oder die herrlichen weißen Quarzsand-Strände von Santa Rosa Island am Panhandle.

LANDSCHAFTEN UND NATURRAUM

Eine Halbinsel taucht auf

Florida lag die meiste Zeit unter dem Wasser frühzeitlicher Meere. Aus deren Ablagerungen entstand ein bis zu 6000 m dicker Kalksteinrücken, der erst vor 20 Mio. Jahren langsam aus dem Meer auftauchte. Während der Eiszeiten, in denen der Meeresspiegel bis zu 120 m tiefer lag als heute, war Florida doppelt so groß. Mit dem Ende der letzten Eiszeit, nachdem der bis zu mehrere Tausend Meter dicke Eispanzer abzuschmelzen begann, wurde Florida auf seine gegenwärtige Ausdehnung reduziert.

Etwa 1600 km der Küsten sind von Sandstränden gesäumt. An der Atlantikküste überwiegen festere Strände aus Korallenkalk. An der südlichen Golfküste findet man breite Strände aus lockerem Muschel- und Korallenkalksand, am Panhandle feinkörnige Quarzsände. Eine Kette von Kalk- und Koralleninseln, die Florida Keys, erstreckt sich mit kühnem Schwung nach Südwesten etwa 180 km in den Golf von Mexiko.

Die Hügelregion zwischen Tallahassee, der Hauptstadt von Florida, und der Grenze nach Georgia ist mit sanften Hängen durchzogen. Der zentrale Höhenzug und die Seen-Region reicht bis zum Lake Okeechobee. Tausende Seen verteilen sich über das größtenteils wellige Hügelland. Die Everglades bilden das ausgedehnte Sumpfgebiet im Süden von Florida. Ein 80 km breiter und nur wenige Zentimeter tiefer Strom fließt bis in den Golf von Mexiko.

Florida und das Wasser

Kein Punkt in Florida ist mehr als 100 km vom Atlantischen Ozean oder dem Golf von Mexiko entfernt. Dazu befinden sich im Untergrund der Halbinsel ausgedehnte Süßwasserreservoire. Regenwasser, das durch die oberen Erdschichten sickert, sammelt sich in den Hohlräumen des Kalksteins. Zufließendes Wasser aus höher gelegenen Regionen im Norden treibt das Wasser in artesischen Quellen an die Oberfläche. Zwei Dutzend dieser Quellen stoßen pro Sekunde mehr als 2500 l kristallklaren Wassers aus. Der Lake Okeechobee, mit knapp 1900 km^2 zweitgrößter Frischwassersee in den USA, ist im Durchschnitt nur etwas mehr als 6 m tief.

Die unterirdischen Kalkhöhlensysteme sind bislang nur zu einem Bruchteil erforscht. Knochenfunde eiszeitlicher Tiere, menschliche Siedlungsspuren oder die Entdeckung unbekannter Krebsarten in den lichtlosen Tiefen beflügeln immer wieder Tauchunternehmungen, weiter in die geheimnisvollen Höhlenlabyrinthe vorzudringen.

Die Wasserstraße, die Florida von der Antilleninsel Kuba trennt, heißt Strait of Florida. Als Teil der warmen karibischen Strömung strebt sie als Teil des Golfstroms nach Norden.

FLORIDA AQUIFER – DER WASSERTANK IM UNTERGRUND

Wasser ist der wichtigste Rohstoff und Bodenschatz von Florida. Riesige Süßwasserreservoire liegen tief unter der Erde. An vielen Stellen tritt das Wasser an die Oberfläche, Hunderte von Quellen speisen die Flüsse, die nach meist nur kurzem Lauf überwiegend in den Golf von Mexiko münden. Allein der St. Johns River fließt mehr als 400 km lang nach Norden, bevor er bei Jacksonville in den Atlantik mündet. Die meisten der knapp 8000 Seen und Teiche des Bundesstaates konzentrieren sich in Mittel-Florida zwischen dem Lake Okeechobee, der mit fast 1900 km^2 etwa viermal so groß ist wie der Bodensee, und der Universitätsstadt Gainesville.

Als *Aquifer* bezeichnet man ein System von Hohlräumen in Felsen oder Sedimentgestein, das große Mengen von Grundwasser aufnehmen kann. Dieser Wasservorrat wird durch Regenfälle ergänzt. Bei einem artesischen *Aquifer* quillt das Wasser an unterschiedlichen Stellen zur Oberfläche. Deren Reservoire in der Tiefe werden meist durch Niederschläge in höheren Regionen aufgefüllt und stehen somit unter Druck.

Vor etwa 60 Mio. Jahren lag im Gebiet von Florida ein Meer. Rückstände von Kleinlebewesen, Muscheln, Sand und Ton lagerten sich in Schichten ab. Dieser an einigen Stellen bis zu 6000 m starke Kalksteinrücken begann sich vor etwa 20 Mio. Jahren langsam aus dem Meer zu erheben. Die Niederschläge, die aus der Atmosphäre Kohlendioxyd aufnehmen und sich in eine schwache Säure wandeln, haben im Laufe der Jahrtausende ein Labyrinth von Höhlen, Tunneln und Kavernen geschaffen. Seit dem Ende der letzten Eiszeit, als vor etwa 12 000 Jahren die riesigen Gletscher abschmolzen und der Meeresspiegel um etwa 120 m anstieg, befindet sich dieses Höhlensystem überwiegend unterhalb des Grundwasserspiegels und wirkt so wie ein riesiges Süßwasserreservoir.

Unter der Erdoberfläche von Florida liegen *Aquifer* unterschiedlicher Art und Tiefe. Der Florida Aquifer dehnt sich unter zwei Dritteln des Bundesstaates, etwa von der Linie Fort Pierce – Punta Gorda, nach Norden aus. Der kleinere Biscayne Aquifer erstreckt sich von Palm Beach unter dem Südosten der Halbinsel. Der Wasserreichtum in der Tiefe unter Florida sucht sich in 320 bekannten Quellen einen Weg an die Erdoberfläche.

In zwei Dutzend dieser artesischen Quellen strömen pro Sekunde mehr als 2500 l Wasser von 20 bis 22 °C mit gewaltigem Druck aus bis zu 30 m Tiefe nach oben. Silver Springs (s. S. 171) bei Ocala gehört mit einem Ausstoß von etwa 2 Mrd. l pro Tag zu den kräftigsten Quellgebieten der Welt und ist auch als Badeplatz und Touristenattraktion beliebt. Die Pferdekoppeln bei Ocala und die ausgedehnten Rinder-Ranches südlich von Kissimmee profitieren ebenso wie die Zi-

Juniper Springs im Ocala National Forest

trusplantagen und die Gemüse- und Zuckerrohrfelder nördlich und südlich des Lake Okeechobee vom mineralreichen Wasser aus den Aquifern von Florida. Der nichtartesische Biscayne Aquifer versorgt darüber hinaus mehrere Millionen Menschen im Ballungsgebiet von Miami und Fort Lauderdale mit Brauch- und Trinkwasser.

In einer übermäßigen Nutzung der natürlichen Ressourcen liegen große Gefahren. Die chemischen Rückstände von stark gedüngten Feldern werden vom Regen in das Grundwasser transportiert und verunreinigen bereits messbar dessen Qualität. Die Tiefbrunnen im Südosten von Florida entnehmen dem Biscayne Aquifer so viel Wasser, dass dessen Druck spürbar nachlässt und die Gefahr besteht, dass der *Aquifer* von Salzwasser führenden Gesteinsschichten unter dem Atlantik verunreinigt und als Trinkwasserquelle unbrauchbar wird. Das wachsende Bewusstsein von den zunehmenden Risiken hat in Florida zu Auseinandersetzungen mit jenen geführt, denen nicht an zusätzlichen Auflagen und Ausgaben für die Nutzung des Wassers gelegen ist. Obwohl gesetzliche Regelungen inzwischen den Bau von Klär- und Wiederaufbereitungsanlagen fördern, sind grundlegende Probleme nicht beseitigt. Die öffentliche Diskussion über den Umgang mit dem kostbarsten Naturreichtum von Florida wird weitergehen.

Pflanzen- und Tierwelt

Die etwa 1 Mio. **Alligatoren** sind wie Botschafter aus einer anderen, längst versunkenen Welt. Sie scheinen dennoch wie geschaffen für das Überleben in den Sümpfen und Feuchtgebieten des heutigen Florida. Ihre einstigen Beutetiere und Jagdkonkurrenten – Kamele, Säbelzahntiger oder Mammut – sind längst ausgestorben. Die Weibchen legen ihre Eier in die warme Junisonne; bei Temperaturen über 32 °Celsius schlüpfen Männchen daraus, und bei weniger als 30 °Celsius werden es Weibchen.

Naturschutzgebiete und Nationalparks wie die Everglades, die Canaveral National Seashore, der Ocala National Forest oder Wakulla Springs geben einen Eindruck davon, wie Florida ausgesehen haben könnte, bevor die massive Besiedlung einsetzte. In den Everglades gedeihen etwa 2000 verschiedene Pflanzenarten, Riedgräser, Schilfe, aber auch Kiefern, Pinien, Mahagonibäume und immergrüne Eichen.

Das dekorative Spanish Moss ist weder spanisch noch Moos

An westlichen und südlichen Küstenabschnitten von Florida findet man drei Arten der erstaunlichen **Mangroven,** die auf bleistiftdicken Wurzeln wie auf Stelzen im Salzwasser stehen und in der Lage sind, daraus Süßwasser zu gewinnen. In den Feuchtgebieten gedeihen verschiedene Zypressenarten, einige Bestände von 700 bis 800 Jahre alten hohen **Sumpfzypressen** kann man im Gebiet von Big Cypress und dem Corkscrew Swamp nordöstlich von Naples finden. In den tiefen Wäldern des Ocala National Forest wachsen Farne, Lilien und wilde Orchideen.

Spanish Moss hängt dekorativ von den Ästen der Eichen und anderer Hartholzbäume in Zentral- und Nord-Florida. Es ist weder spanischen Ursprungs noch ein Moos, sondern mit der Ananaspflanze verwandt. Die zotteligen Bärten gleichenden Luftwurzeln können große Feuchtigkeitsmengen speichern und Mineralien aufnehmen.

Wer nicht die Zeit hat, eine Reise zu den verschiedenen Landschaftstypen zu unternehmen, kann einen der hervorragenden Botanischen Gärten wie Leu Botanical Gardens in Orlando oder Fairchild Tropical Gardens in Miami aufsuchen. Dort sieht man auch den heimischen **Gumbo-Limbo-Baum,** der regelmäßig seine Rinde erneuert, ein Umstand, der ihm zu dem Spitznamen *peeling tourist tree* verholfen hat.

Nachdem die Spanier im 16. Jh. die **Orange** in Florida eingeführt haben, sind die Bäume mit den wohlschmeckenden Früchten aus dem Landschaftsbild nicht mehr wegzudenken. Die den Everglades abgetrotzten fruchtbaren Felder südlich des Okeechobee-Sees haben sich zu einem der wichtigsten Anbaugebiete der USA für Obst und Gemüse entwickelt.

Nach der kubanischen Revolution, als die USA einen Wirtschaftsboykott über das unbotmäßige Castro-Regime verhängten, wurden in Süd-Florida Sumpfgebiete in **Zuckerrohrfelder** umgewandelt. Seither macht Clewiston am Ufer des Lake Okeechobee der traditionellen ›Zuckerschüssel‹ im Mississippi-Delta bei New Orleans die Bezeichnung als ›süßeste Region der USA‹ streitig.

Im Norden des Bundesstaates, zwischen Jacksonville und Marianna, wird **Baumwolle** angebaut, deren Felder sich mit **Pecan- und Erdnussäckern** abwechseln.

Von den in Florida existierenden **Schlangenarten** sind nur sechs giftig, die Wasser-Mokkassin ist die gefährlichste von ihnen. Die riesigen, bis zu 1 m großen **Wasserschildkröten** legen zwischen Mai und August ihre Eier an den Stränden ab, um sie von der Sonne ausbrüten zu lassen. Dann werden Strandabschnitte gesperrt, aus sicherer Entfernung können die Tiere beobachtet werden.

Schon James Audubon, der Vogelkundler und Verfasser des Standardwerks »Birds of America«, war bei seinen Reisen nach Florida vor 170 Jahren von der **Vogelwelt** des Staates begeistert. Waldibisse, Silberreiher, Seiden- und blaugefiederte Reiher, Waldstörche und Kraniche, Rosa Löffler und Flamingos gehören zu den größeren Stelzvögeln, die in flachen Gewässern reiche Nahrung finden.

Waschbären stöbern gern in Mülltonnen nach Essbarem

In sumpfigen Gewässern lebt der Anhinga oder Schlangenhalsvogel. Der geschickte Taucher spießt unter Wasser Fische mit dem Schnabel auf, wirft seine Beute in die Luft und fängt sie mit geöffnetem Schnabel auf, um sie dann herunterzuschlingen. Da sein Gefieder nicht gefettet ist, muss er seine Flügel nach den Tauchgängen von Sonne und Luft wieder trocknen lassen.

Vom Strand kann man häufig braune **Pelikane** beobachten, wenn sie in einer Reihe hintereinander dicht über der Wasseroberfläche fliegen, um bisweilen mit einem Platschen ins Wasser zu stoßen und mit einem gefangenen Fisch wieder aufzutauchen.

In den Wäldern der Halbinsel leben einige Nager. Das nicht sehr anmutige **Gürteltier** ist wie der **Waschbär** und der **Luchs** fast über den gesamten Bundesstaat verbreitet. Das kann man heute vom **Florida-Panther** nicht mehr behaupten. Etwa 30 bis 50 Exemplare der goldbraunen Großkatze leben noch in den Everglades und dem Gebiet von Big Cypress, sorgsam gehegt und über Funksignale an den angelegten Halsbändern von Wildhütern verfolgt. Es besteht die Gefahr, dass der zunehmend eingeschränkte Lebensraum ihre Existenz gefährdet.

Eine ähnliche Gefahr besteht für die **Manatees.** Die bis zu 1600 kg schweren Seekühe sind Vegetarier und weiden am Tag bis zu 50 kg Wasserpflanzen in den Buchten und Flussmündungen ab. Die zutraulichen, sanften Riesen werden immer wieder Opfer von Schiffsschrauben rücksichtsloser Freizeitkapitäne, sodass drastische Maßnahmen zum Schutze der knuffigen Riesensäuger beschlossen werden mussten. Schneller und behender sind **Delphine,** die in den Gewässern um Florida manches Ausflugsboot mit spektakulären Sprüngen umspielen.

Die etwa 60 cm kleinen **Key Deer-Rehe,** die nur in den Florida Keys auf Big Pine Key existieren, wurden gegen Ende der letzten Eiszeit mit dem ansteigenden Wasser vom Rest der Halbinsel abgeschnitten. Unachtsame Autofahrer gefährden ihren gegenwärtig 300-köpfigen Bestand.

Es verwundert beim Wasserreichtum von Florida nicht, dass seine Gewässer als Eldorado für Angler gelten. Mehr als 200 verschiedene **Fischarten** leben allein in den Binnengewässern, darunter Hechte, diverse Süßwasserbarsche und Welse. Barrakuda, Marlin, Hai, Schnapper und Stachelrochen tummeln sich in den nährstoffreichen, warmen Wassern des Atlantik. Daneben gibt es Krebse, Krabben, Austern und andere Muscheln.

Einer anderen Tierart dient nun auch der Mensch als Nahrungsquelle. »Ich spendete Blut in den Everglades« lautet ein Aufkleber, den man im General Store von Flamingo erwerben kann. Wer im Sommer einmal in eine Wolke blutrünstiger **Moskitoweibchen** geraten ist, kann darüber nur gequält lächeln.

In Florida leben Tiere nicht nur in freier Wildbahn. In der Apalachicola Bay, in die sich der wasserreiche Apalachicola River ergießt, finden **Austern** die Mischung aus nährstoffreichem Salz- und Süßwasser, die schnelles Wachstum und eine schmackhafte Qualität garantieren.

Besuchern des Sunshine State kaum bekannt sind die ausgedehnten **Rinder-Ranches** zwischen Kissimmee, dem Lake Okeechobee und Fort Myers, die das größte Rinderzuchtgebiet östlich des Mississippi bilden. Nördlich von Orlando, zwischen Ocala und Gainesville, gibt es für **Vollblüter** und **Araberpferde** beste klimatische Bedingungen, die Florida neben Kentucky, Virginia und Kalifornien zu einem der bedeutendsten Pferdezuchtgebiete der Vereinigten Staaten haben werden lassen.

National- und Naturparks

Florida hat drei Nationalparks (Everglades, Biscayne und Dry Tortugas), dazu mit Canaveral und den Gulf Islands zwei National Seashores sowie diverse National Monuments und andere von der Nationalpark-Verwaltung betreute Einrichtungen. Da Eintritte zwischen 3 und 20 $ pro Wagen fällig sind, lohnt sich die Überlegung, einen National Parks Pass anzuschaffen, der für 50 $ für ein Jahr unbegrenzten Zugang für alle Mitfahrer eines Autos erlaubt.

FLORIDAS UNGEWÖHNLICHE SÄUGETIERE

Mäuse und Ratten, Maulwürfe, Fledermäuse, Eichhörnchen, Kaninchen und Hasen sind nicht ungewöhnlich, auch der Delphin Flipper und seine Kollegen, welche die Gewässer um die floridianische Halbinsel sowie einige Schwimmbassins in Meereszoos bevölkern, sind den meisten Urlaubern schon lange vor der Reise bekannt. Doch Florida ist auch Lebensraum seltener Säugetiere, die mitteleuropäische Reisende selbst in Tierparks kaum zu Gesicht bekommen werden.

Nur etwa 30 bis 50 Exemplare des **Florida-Panther** (lat. *Felis concolor coryi)* leben noch frei im Süden der Halbinsel, überwiegend in der Big Cypress National Preserve und den Everglades. Vor nicht allzu langer Zeit noch schossen Rancher die Tiere ab, weil sie ihre Rinderherden gefährdet sahen, war das sandfarbene, dichte Fell der Großkatzen begehrte Beute von Jägern. Ein Gesetz von 1978 stellt die Jagd auf die vom Aussterben bedrohte Wildkatze unter strenge Strafe.

Die größte und nachhaltigste Bedrohung für den Bestand der Raubtiere ist jedoch die Einengung ihres Lebensraums durch zunehmende Besiedlung und die landwirtschaftliche Nutzung ehemaliger Wälder. Ein einzelner Panther benötigt ein bis zu 1000 km^2 großes Jagdrevier; er legt am Tag etwa 20 bis 30 km auf der Suche nach Nahrung zurück.

Ein aufwendiges Programm versucht inzwischen zu retten, was noch zu retten ist. Die Tiere werden von Wildhütern aufgespürt, betäubt, untersucht und bei Krankheiten versorgt. Ein *radio collar,* ein Halsband mit Sender, das den Tieren angelegt wird, gibt Auskunft über Standort und Gewohnheiten, verkehrsreiche Straßen wurden mit Wildschutzzäunen versehen, in Abständen von wenigen Kilometern unterqueren zudem Tunnel autobahnähnliche Highways, auf denen früher viele Tiere Opfer von Verkehrsunfällen wurden. Ein Programm, die Zahl der Tiere durch ›Einfuhr‹ von Panthern aus dem Südwesten der USA zu ergänzen, ist wegen deren leicht unterschiedlichen Genpools umstritten. Wenige Tiere werden in Zoos von Tampa, Miami oder Palm Beach gehalten.

Weißwedelhirsche sind in ganz Amerika verbreitet, von den Ufern der Hudson Bay bis nach Südamerika. Sechzehn Arten unterscheiden sich in Größe und Lebensweise. Die weiße Unterseite ihres kurzen Schwanzes, die wie ein Wedel absteht, wenn sie mit schnellen, anmutigen Sprüngen davoneilen, hat den Hirschen zu ihrem Namen verholfen.

Bis zu vier Zentner wiegen Weißwedelhirsche in den Wäldern Kanadas, der winzige floridianische Puppenhirsch (lat. *odocoileus virginianus clavium)* besser bekannt als **Key Deer,** bringt es nur auf ein Zehntel dieses Körpergewichtes. Heute leben etwa 250 bis 300 der nur etwa 60 bis 75 cm großen Mini-Hirsche im National Key Deer Refuge überwiegend auf Big Pine Key (s. S. 108), der nach Key Largo zweitgrößten Insel der Florida Keys, sowie auf dem Nachbareiland No Name Key. Bevor das Wildschutzgebiet 1957 eingerichtet wurde, war der Bestand bereits auf 26 Hirsche gesunken. Das Überleben des Rotwilds ist nach wie vor nicht gesichert, da der Verkehr auf dem Overseas Highway alljährlich etwa 50 Opfer unter den Tieren fordert. Und weil sie ja so niedlich sind, werden die Zwerghirsche trotz Verbots häufig von Urlaubern am Straßenrand gefüttert. Auf den angelegten Wegen durch das Wildschutzgebiet kann man die Tiere jedoch auch in ihrer natürlichen Umgebung beobachten, am besten frühmorgens oder am späten Nachmittag.

Klein sind die **Manatees** eigentlich nicht. Die massigen Meeressäuger (lat. *trichechus manatus),* die in floridianischen Gewässern, an den Küsten von Karibikinseln und im Norden des südamerikanischen Kontinents zu finden sind, erreichen ein Gewicht von 1600 kg und werden bis zu 4,5 m lang. Die putzig anzuschauenden Tiere haben eine graubraune Lederhaut, ihre vorderen Gliedmaße ähneln zwei Paddeln, der breite und flache, ähnlich wie beim Biber geformte Schwanz dient als Antrieb und Ruder zugleich.

Meereskühe ernähren sich von allerlei Wasserpflanzen, zwischen 30 und 40 kg sind es am Tag, die sie mit ihrer beweglichen Oberlippe und ihren Zähnen abgrasen und sich mit daranhängenden Muscheln und Schnecken einverleiben. Im Winter, wenn die Wassertemperatur der Küstengewässer sinkt, suchen sie gern wärmere Plätzchen, etwa die Quelltöpfe der artesischen Quellen in Florida, auf.

In Blue Springs (s. S. 175) nordöstlich von Orlando findet man jeden Winter 50 bis 100 Tiere, in Crystal River (s. S. 146) an der Golfküste wurden schon weit über 200 der sanften Riesen gezählt. Auch in Marinas kann man dann häufiger Manatees sehen, die regungslos wie ein Baumstamm im Wassern dümpeln, um sich plötzlich mit einem leichten Schnauben bemerkbar zu machen und abzutauchen.

Westindische Manatees, die etwa 30 Jahre alt werden können, sind in ihrem Bestand gefährdet. Weniger als 2000 Tiere wurden insgesamt gezählt, davon etwas mehr als die Hälfte in Florida. Nahezu jedes von ihnen weist tiefe Narben auf, die von Bootsrümpfen und den scharfen Klingen der Schiffsschrauben herrühren. Kein Wunder, in den floridianischen Gewässern befindet sich die weltweit größte Ansammlung von privaten Motorbooten. Die gutmütigen Seekühe, die sogar Menschen mit sich schwimmen lassen, kennen keine Furcht, auch nicht vor den für sie oft tödlichen Begegnungen mit unvorsichtigen Freizeitkapitänen. Drastische Strafen – bis ein Jahr Gefängnis – sollen Bootsführer zu mehr Vorsicht zwingen.

Der Verein der Freunde der Manatees ist in Florida zu einer Massenbewegung geworden, die zusätzliche Gebühr für Autonummernschilder mit der Aufschrift ›Save the Manatees‹ geht in einen Fonds, aus welchem Schutzzonen finanziert werden. Gegenwärtig scheint der Bestand der Meereskühe stabil zu sein. Den Floridianern und vielen Urlaubern sind die drolligen Manatees ans Herz gewachsen. In einigen Meereszoos wie auf Key Biscayne, in Orlando oder im Homosassa Springs Wildlife State Park (s. S. 146) an der Golfküste werden verletzte Tiere wieder aufgepäppelt und können von Besuchern beobachtet werden, wie sie durchs Wasser gleiten.

WIRTSCHAFT UND UMWELT

Floridas rasanter Aufschwung im 20. Jh. hat viele Ursachen. Die wichtigste war die Erschließung des Landes durch Verkehrswege. Der Eisenbahnbau ermöglichte Besiedlung, Wirtschaftsbeziehungen, Tourismus. In Florida wurde 1914 die erste planmäßige Flugverbindung der Welt auf der Strecke St. Petersburg–Tampa eröffnet. Heute besitzt Florida 15 große Verkehrsflughäfen, in denen jährlich mehr als 45 Mio. Passagiere gezählt werden.

Wirtschaftsgigant Tourismusindustrie

Zunächst kamen wohlhabende Vergnügungsreisende, die in den Luxushotels der Eisenbahnkönige Flagler und Plant nächtigten. Mit der Massenproduktion des Automobils in den 1920er Jahren reisten dann auch Amerikaner mit Wohnwagen *(Tin Cans)* nach Florida.

Ein grandioser Bauboom überzog vor allem den Süden des Landes. Selbst während der Weltwirtschaftskrise wurde in Miami Beach gebaut, Apartment- und Hotelanlagen entstanden im zeitgenössisch-modernen Art-déco-Stil. Die Besucher des Sunshine State geben heute jährlich fast 40 Mrd. Dollar für Unterkunft, Essen und Vergnügung aus. Über 750 000 Arbeitsplätze hängen direkt vom Tourismus ab.

Schulferienzeiten und die kühlende Kraft der Klima-Anlage bringen auch in der einstigen Nebensaison im Hochsommer viele Gäste nach Florida. Nachdem 1971 südlich von Orlando das Magic Kingdom der Walt Disney World eröffnete und einen nie dagewesenen Besucherboom auslöste, hat sich Zentral-Florida zu einer Haupttouristenattraktion entwickelt. Die Zahl von mehr als 90 000 Hotelbetten im Raum Greater Orlando wird in den USA nur noch in Las Vegas überboten.

Von der Tourismusindustrie geht für den Naturschutz ein widersprüchlicher Impuls aus. Einerseits ist das Interesse an sauberen Stränden und natürlichen Landschaften, am Erhalt inzwischen gefährdeter Tiere oder am Schutz der Brutgebiete von Meeresschildkröten offensichtlich, andererseits geht es um die beste Verwertung des eingesetzten Kapitals, um mehr Gäste in kürzerer Zeit und um größere Übernachtungskapazitäten.

Landwirtschaft und Fischfang

Die Landwirtschaft spielt die zweitwichtigste Rolle in der Ökonomie. Warme Temperaturen, fruchtbare Böden und ausreichend Wasser haben Florida zum wichtigsten Produzenten für Zitrusfrüchte in den USA werden lassen.

Wintergemüse südlich vom Lake Okeechobee, Hähnchen, Eier, Rind- und Kalbfleisch von den Ranches südlich von Kissimmee, Tabak, Erdnüsse und Baumwolle von den Feldern zwischen Tallahassee und Jacksonville im Norden und Holz aus den ausgedehnten Wäldern gehören zu den wichtigsten landwirtschaftlichen Erzeugnissen. Kommerzieller Fischfang wird an der Küste betrieben, die größten Fischfangflotten liegen in einigen Häfen an der floridianischen Westküste.

Hi-Tech im Schatten der Palmen

Außer dem reichlich vorhandenen Wasser wird aus dem ›Untergrund‹ von Florida nur wenig ans Tageslicht befördert. Verwüstete Mondlandschaften östlich von Tampa sind die Hinterlassenschaft eines fast 100-jährigen Abbaus von Phosphaten, die bei der Herstellung von Kunstdünger Verwendung finden. In Zentral-Florida um Orlando und Cape Canaveral haben sich im Gefolge des Weltraumbahnhofs der NASA diverse Betriebe aus der Elektronik- und Kommunikationsbranche angesiedelt.

Miami hat sich zu einer Drehscheibe des Handels mit den Staaten Lateinamerikas entwickelt. Mittlerweile ist Florida nach Kalifornien und New York zum drittwichtigsten Produktionsort für Filme, Werbespots und Musikvideos in den USA avanciert, mit einem Umsatz von etwa einer halben Mrd. Dollar jährlich.

Da sich nach wie vor viele Einwanderer vor allem aus Lateinamerika und Umsiedler aus anderen Bundesstaaten in Florida niederlassen, wachsen die Einwohnerzahl und die Wirtschaft des Bundesstaates weiter an. Trotzdem schlagen landesweite Konjunkturflauten oder politische Unsicherheiten schnell auf die vom Tourismus dominierte Ökonomie und deren Arbeitsplätze in Florida durch.

Tourismus ist ein wichtiger Wirtschaftszweig Floridas

GESCHICHTE IM ÜBERBLICK

Die ersten Bewohner

Ab 14 000 v. Chr.	Nachkommen der Einwanderer, die während der letzten Eiszeit über eine Landbrücke bei der Behringstraße von Ostasien nach Nordamerika gelangt sind, erreichen Florida.
Um 5000 v. Chr.	Wandernde indianische Gruppen von der Halbinsel Yukatan in Mexiko, von Kuba sowie von den Bahamas setzen von Süden bzw. Westen nach Florida über. Am St. Johns River und anderen Flussläufen sowie an der Bucht von Charlotte Harbor werden feste Niederlassungen gegründet.
Um 2000 v. Chr.	Gehärtete Töpferwaren entstehen. An den fruchtbaren Schwemmufern des St. Johns River werden Nutzpflanzen angebaut.
Um 1000 v. Chr.	Handelsbeziehungen mit indianischen Gruppen am Mississippi bringen neue kulturelle Anregungen.
Bis 1000 n. Chr.	Priesterhäuptlinge koordinieren das Leben größerer Siedlungen indianischer Sprachfamilien. Zeremonienzentren werden auf Erd- und Muschelhügeln errichtet.
Bis 1500 n. Chr.	Vor allem im Norden von Florida entfaltet sich ein reger Austausch mit den entwickelten Mississippi-Kulturen. Die Menschen leben in größeren Siedlungen, betreiben intensive Landwirtschaft und zeigen deutliche kulturelle Vielfalt. Florida hat mindestens 100 000 indianische Einwohner.

Die Europäer kommen

2. April 1513	Der spanische Konquistador Juan Ponce de Leon landet auf einer Erkundungsfahrt durch die Inseln der Bahamas in der Nähe des heutigen St. Augustine und betritt als erster Europäer den Boden des heutigen Florida. In den Folgejahren unternehmen verschiedene spanische Expeditionen unter Panfilo de Narvaez, Hernando de Soto und Tristan de Luna vergebliche Versuche, in Florida Fuß zu fassen oder Edelmetalle zu finden und ins Mutterland zu bringen. Tausende Indianer sterben an anstreckenden Krankheiten, die aus Europa eingeschleppt wurden.
1565	Der spanische Admiral Pedro Menéndez de Aviles zerstört Fort Caroline, eine Siedlung französischer Hugenotten, an der Mündung des St. Johns River und gründet etwas weiter südlich den Militärposten St. Augustine.
1566–1703	Jesuitenmönche und ab 1563 Franziskaner errichten eine Kette von Missionsstationen von St. Augustine bis zum Apalachicola-Fluss im Nordwesten von Florida.

Fort Jefferson, Dry Tortugas

1586 Der englische Freibeuter Sir Francis Drake überfällt und plündert St. Augustine.

17. Jh. Die Spanier errichten Befestigungsanlagen, um sich gegen Aufstände von Indianern sowie Übergriffe von Engländern und Franzosen zu schützen.

1702–40 Englische Expeditionsarmeen versuchen mehrfach vergeblich, St. Augustine zu erobern.

1756–63 Am Ende des Siebenjährigen Krieges in Europa räumen die Spanier Florida im Austausch für das von den Engländern besetzte Kuba. Die Engländer beginnen in Nord-Florida Plantagen zu errichten.

Eroberung durch die USA

1803 Nach dem Verkauf der französischen Besitzungen von Louisiana an die USA erheben diese Ansprüche auf große Gebiete in West-Florida.

1813 Der US-General Andrew Jackson besetzt zeitweise die Stadt Pensacola.

1817–18 Der Druck weißer Plantagenbesitzer, deren entlaufene Sklaven bei den Indianern im spanischen Florida Zuflucht suchen, löst den Ersten Seminolen-Krieg aus. General Jackson dringt in Florida ein und zerstört indianische Siedlungen und spanische Stellungen.

1819 Nach Ende der Auseinandersetzungen kaufen die USA Florida den Spaniern für 5 Mio. Dollar ab. Andrew Jackson wird erster Gouverneur. Florida hat 15 000 Einwohner.

IM LAND DER CALUSA – BEVOR DIE WEISSEN KAMEN

Hernando d'Escalante Fontaneda wusste seinen spanischen Landsleuten nach der Befreiung aus elfjähriger Gefangenschaft bei den Calusa-Indianern viel zu erzählen. Sein Schiff war 1545 vor der Südwestküste von Florida auf Grund gelaufen. Die anderen Überlebenden der Besatzung waren im Laufe der Jahre gestorben, bei zeremoniellen Festen getötet worden oder einfach verschollen.

Fontaneda hatte die Siedlungen der Calusa gesehen, die großen Zeremonien-Gebäude auf den Muschelpyramiden von Mound Key in der Estero Bay und hatte Calos fürchten gelernt, den Herrscher über Leben und Tod. Dem Spanier war der Einfluss der kriegerischen Calusa bekannt, der weit über ihr eigenes Siedlungsgebiet hinausreichte und der ihnen Tributzahlungen noch von indianischen Niederlassungen an der Atlantikküste sicherte. Schon Ponce de Leon, der Florida 1513 für die spanische Krone ›entdeckt‹ hatte, traf bei seinem Versuch, 1521 eine spanische Kolonie im Gebiet des heutigen Port Charlotte zu gründen, auf die wehrhaften Calusa, die seinen Kolonisten sogleich ein Scharmützel lieferten und ihn selbst mit einem Pfeil tödlich verwundeten.

Dieses erstaunliche Volk lebte zwischen den Meeresufern im Südwesten von Florida und dem Lake Okeechobee, den die Calusa Mayaimi nannten. Als Blütezeit der Zivilisation der Calusa gelten die Jahre von 500 bis 1000 n. Chr. Die Menschen ernährten sich von dem, was sich im Meer und in den Küstengewässern fangen und jagen ließ, vor allem von Fischen und Muscheln, ab und an erlegten sie eine Seekuh, Schildkröten oder einen Alligator. Sie betrieben keine Landwirtschaft, der unerschöpfliche Fischreichtum ermöglichte eine dichte Besiedlung.

Die solide materielle Basis der Ernährung fand ihre Entsprechung in einer hierarchischen Sozialordnung. An der Spitze des Volkes lenkte ein *Kazike* die allgemeinen Geschicke der Calusa. Er war als Oberpriester auch für die Verbindung zu den Göttern verantwortlich. Abweichend von anderen indianischen Kulturen auf dem nordamerikanischen Kontinent nahm der Priesterhäuptling seine Schwester zur Hauptfrau, ähnlich wie bei den Inkas von Peru oder den Pharaonen in Ägypten.

In einigen der etwa 50 Siedlungen der Calusa lebten bis zu 1000 Menschen. Sie türmten Hügelplattformen aus Muschelschalen auf, um darauf Zeremonien- und Wohngebäude aus Holz zu errichten, und nutzten Muscheln, um damit Wege, Plätze und Kanäle zu befestigen. Berechnungen der Universität von Florida ergaben, dass allein im Gebiet des heutigen Collier County mehr als 6 Mio. m^3 Muschelschalen verbaut wurden, etwa das Dreifache des Volumens der ägyptischen Cheops-Pyramide.

Die Calusa segelten mit Doppelrumpfkanus in den Golf von Mexiko und unterhielten Handelsverbindungen bis nach Kuba und zur heute mexikanischen Halbinsel Yucatan. Haken und Speere aus Knochen und Muscheln belegen die handwerkliche Qualität ihrer Werkzeuge. Aus Holz geschnitzte Masken, Amulette und Figuren wie ein fein gearbeiteter Rehkopf zeugen nicht nur von ihrer Kunstfertigkeit, sondern auch davon, dass die Beschäftigung mit Kunsthandwerk dank ausreichender Nahrung möglich war.

Die Calusa haben länger überlebt als andere indianische Völker in Florida. Aufgrund ihrer großen Zahl von ursprünglich etwa 20 000 Angehörigen wurden sie zwar durch die aus Europa eingeschleppten, ansteckenden Krankheiten dezimiert, jedoch nicht sofort ausgelöscht. Da die Calusa zudem keine dauerhaften spanischen Missionsstationen auf ihrem Gebiet duldeten, waren sie Krankheitserregern nicht fortwährend ausgesetzt wie andere indianische Gruppen. Das Ende der Calusa begann, als die von den Engländern unterstützten Creek-Indianer seit 1704 regelmäßig das spanische Florida überfielen, die Missionen niederbrannten und die indianischen Bewohner, auch die Calusa, massakrierten. Einige Überlebende wanderten auf die Keys und weiter nach Kuba aus. Mitte des 18. Jh. hatten die Calusa als letztes Volk der ursprünglichen floridianischen Indianer aufgehört zu existieren.

Historische Darstellung floridianischer Indianer aus dem späten 16. Jh.

1823 Tallahassee wird als Kompromiss zwischen St. Augustine und Pensacola zur Hauptstadt des zukünftigen Bundesstaates gekürt.

1835–42 Landhungrige Siedler drängen in die den Seminolen zugewiesenen Gebiete. US-Präsident Jackson verfügt die Umsiedlung aller Indianer östlich des Mississippi nach Oklahoma. Die Seminolen beginnen, bewaffneten Widerstand gegen die US-Armee zu leisten. Der Seminolen-Krieger Osceola wird von der US-Armee bei Friedensverhandlungen gefangengesetzt und stirbt in einem Militärgefängnis. Der Zweite Seminolen-Krieg endet mit der Deportation von 3824 Indianern und Schwarzen nach Oklahoma, 300 Seminolen suchen in den Everglades Zuflucht.

1845 Florida wird als 27. Bundesstaat mit einer Einwohnerzahl von 65 000 in die Union aufgenommen.

1861–65 Im Bürgerkrieg schlägt sich Florida auf die Seite der Südstaaten. Die Union blockiert die Seehäfen. Nach der Niederlage der Südstaaten herrscht drei Jahre lang eine Militärregierung über Florida.

Mit den Eisenbahnen kommt die Neuzeit

1883–85 Die goldene Zeit der Eisenbahnen beginnt mit der Erschließung der Westküste von Florida durch den Industriellen Henry B. Plant und der Ostküste des Bundesstaats durch Henry M. Flagler. Es entstehen luxuriöse Hotelbauten für die ersten Urlauber.

1895 Henry Flaglers Eisenbahnstrecke erreicht Miami und löst dort einen Bauboom aus.

1898 Während des Spanisch-Amerikanischen Krieges richtet die Armee zur Vorbereitung der Invasion von Kuba Militärlager in Tampa, Miami und Jacksonville ein.

1912 Flaglers Eisenbahn erreicht Key West.

1926–29 Der Immobilienmarkt bricht ein, zwei Hurrikane verwüsten das Land, die Börse in New York kollabiert, die Wirtschaft von Florida befindet sich in tiefer Talfahrt.

1935 Der Labor Day-Hurrikan fordert 408 Tote auf den Keys und zerstört die Trasse der Eisenbahnstrecke über die Inseln.

1947 Die Everglades werden zum National Park erklärt.

1958 Der »Explorer«, der erste amerikanische Satellit, wird von Cape Canaveral in eine Erdumlaufbahn geschossen. Die Weltraumbehörde NASA nimmt ihre Arbeit auf.

Weltraumbahnhof und Vergnügungsparks

1959 Nach der erfolgreichen Revolution von Fidel Castro auf Kuba beginnt ein bis heute andauernder Strom von Immigranten von der Karibikinsel nach Florida.

1961	Mit Unterstützung des CIA versuchen Exil-Kubaner Castro zu stürzen. Ihr bewaffnetes Kontingent scheitert in der Schweinebucht auf Kuba.
1961	Der Start einer Rakete von Cape Canaveral mit Alan Shephard in einer Mercury-Raumkapsel ist der Beginn der bemannten Weltraumfahrt der Amerikaner.
1969	Der bemannte Mondflug von Apollo XI mit den Astronauten Neil Armstrong, Edwin Aldrin und Michael Collins startet vom Kennedy Space Center auf Cape Canaveral.
1971	Südlich von Orlando wird Walt Disney World eröffnet.
1980	In Florida leben 9 740 000 Menschen. Rassenunruhen im Wohngebiet Liberty City in Miami nach dem Tod eines Schwarzen können nur durch die Nationalgarde unterdrückt werden. Ein Massenexodus von 140 000 Kubanern erreicht Florida. Mit Ulf Merbold startet der erste Deutsche an Bord eines amerikanischen Raumschiffes vom Kennedy Space Center.
1986	Wenige Sekunden nach dem Start explodiert die Raumfähre »Challenger« mit sieben Astronauten an Bord, die bemannten Raumflüge werden für zweieinhalb Jahre ausgesetzt.
1989	Rassenunruhen in Miami. Der Ex-Präsident von Panama, Noriega, wird in Miami wegen Drogenhandels angeklagt und zu einer langjährigen Gefängnisstrafe verurteilt. Die Universal Studios in Orlando, Vergnügungspark mit Studiobetrieb, öffnen ihre Tore.
1992	Der Hurrikan Andrew fordert in Florida 65 Menschenleben.
1993	Zur Verbesserung der wirtschaftlichen Lage in den Indianer-Reservationen werden auch in Florida Lizenzen zum Glücksspielbetrieb vergeben. Überfälle auch auf europäische Touristen führen zum vorübergehenden Rückgang der internationalen Besucherzahlen.
1994	Fußballweltmeisterschaft in den USA. Auch im Citrus Bowl Stadion von Orlando werden Spiele ausgetragen.
2001	Die umstrittene Auszählung der Stimmen von Florida entscheidet die Präsidentschaftswahlen in den USA zu Gunsten von George W. Bush.
2002	Die Nachwirkungen der Terroranschläge vom 11. Sept. 2001 treffen die Tourismuswirtschaft Floridas massiv.
2004	Langsam erholt sich der Tourismus nach Florida wieder, internationale Besucher freuen sich über den gesunkenen Dollarkurs. Im August und September verwüsten mehrere Hurrikans Teile Floridas. Mit großem Einsatz werden die Schäden beseitigt.

Kultur und Leben

Das Haus des Schriftstellers Ernest Hemingway in Key West

FLORIDIANISCHE LEBENSART

Bevölkerung im Wandel

Noch zu Beginn des 20. Jh. lebten in Florida nur 528 542 Menschen, heute sind es mehr als 14 Mio. Der gigantische Bevölkerungszuwachs erfolgte fast ausschließlich durch Zuwanderung, wobei sich der Siedlungsschwerpunkt im 20. Jh. in den Süden verschob, in dem heute rund 80 % der Bevölkerung leben. Jacksonville hatte 1900 28 000 Einwohner, die Städte Pensacola, Key West und Tampa jeweils 17 000. Miami Beach war eine heruntergewirtschaftete Kokosnussfarm, bis Carl Fisher 1912 das Gelände zum Bau von Häusern und Hotels parzellieren ließ. Heute hat der Ballungsraum mit 3,3 Mio. Menschen ähnliche viele Einwohner wie Berlin.

Hunderttausende kamen aus den Karibikstaaten und aus Mittelamerika, zuerst auf der Suche nach Arbeit und Wohlstand, nach dem Sieg der kubanischen Revolution 1959 auch als politische Emigranten. Bürgerkriege und Wirtschaftsprobleme in vielen mittelamerikanischen und karibischen Staaten haben den Strom der Flüchtlinge seither nicht abreißen lassen. Inzwischen sind über 50 % der Einwohner von Miami lateinamerikanischer Abstammung, landesweit nähert sich ihr Anteil 15 %. Zahlreiche spanischsprachige Zeitungen, Rundfunk- und Fernsehstationen tragen dazu bei, dass in manchen Teilen des Landes Englisch zur Zweitsprache wurde. *Spanglisch* wird das Gemisch aus Spanisch und Englisch genannt, das häufig als Umgangssprache herauskommt.

Weit weniger politischen und wirtschaftlichen Einfluss als die *Hispanics* und unter diesen vor allem die Exil-Kubaner besitzen die Floridianer mit afroamerikanischen Vorfahren, obwohl deren Anteil an der Gesamtbevölkerung fast 2 % höher ist.

So großer Beliebtheit sich Florida als Domizil von Rentnern erfreut, so ist es doch keineswegs ein Seniorenpark. Pensionäre wie Touristen sind auf Dienstleistungen angewiesen, die zumeist von jungen Menschen erbracht werden. Ihr Anteil – 56 % aller Beschäftigten arbeiten im Dienstleistungssektor – und die vielen Studenten an den Hochschulen des Bundesstaates normalisieren die Altersstruktur.

Im Dienstleistungssektor schließlich fanden auch die letzten Indianer ihr Auskommen. Am Tamiami Trail leben rund 360 Miccosukee-Indianer, die wie die Seminolen von den Creek abstammen, aber eine eigene Sprache sprechen und eine eigene Nation bilden. Die wirtschaftliche Grundlage ihres Lebens ist der Tourismus. Die heute knapp 2000 Seminolen, deren Vorfahren in den Everglades überlebt hatten, schlossen sich 1957 zum *Seminole Tribe of Florida* zusammen. Ihr Haupteinkommen erzielen sie vom Tourismus, aus dem Betrieb von Bingo-Hallen und Kasinos. Im Jahre 1990 erhielten die Seminolen von der US-Regierung 50 Mio. Dollar für 120 000 km² Land, die ihnen seit 1823 geraubt worden waren.

Feste und Feiern

Januar

Miami: Orange Bowl – Endspiel der besten College-Footballteams
Miami: Art Deco Weekend, Ausstellungen, Führungen und der Moon over Miami-Ball

Februar

Tampa: Florida State Fair, landwirtschaftliche Messe aller Counties mit buntem Rahmenprogramm
Tampa: Gasparilla Pirate Fest, große Schiffsparade zu Ehren des Freibeuters José Gaspar
Daytona Beach: Speedweeks mit dröhnenden Autos und schnellen Motorrädern
Miami: Film-Festival mit großer Auswahl an internationalen Filmen

März

Sanibel: Shell Fair mit Ausstellungen bunter und bizarrer Muscheln
Miami: Calle Ocho Festival, Fest der Exil-Kubaner, die in Little Havana auf den Straßen tanzen

April

St. Petersburg: Festival of the States, zweiwöchiger Wettbewerb der besten Schul-Bigbands

Mai

Fort Lauderdale: Air & Sea Show, populäre Flugshow Anfang des Monats

Juni

Pensacola: Fiesta of Five Flags, die Geschichte der Stadt seit der ›Entdeckung‹ durch die Spanier
Coconut Grove: Goombay Festival, bahamischer Karneval

Juli

4. Feier des amerikanischen Unabhängigkeitstags in vielen Orten
Key West: Hemingway Days, mit Lesungen, Veranstaltungen und Doppelgänger-Wettbewerb
Kissimmee: Silver Spurs Rodeo und Ausstellung zur Rinderzucht

Oktober

Daytona: Biketoberfest mit Sportwagen- und Motorradwettbewerben
Key West: Fantasy Feast, Kostümfest mit Umzug durch die Duval Street

November

Apalachicola: Seafood Festival – Austern satt
Miami: Miami Bookfair, bedeutendste Buchmesse der USA

Dezember

Orlando: Very Merry Christmas Parade, Weihnachtsparade der Disneyfiguren im Magic Kingdom
Miami: King Orange Jamboree Parade, Auftakt der Sylvesternacht am Biscayne Boulevard
Fort Lauderdale: Winterfest, Parade mit festlich beleuchteten Booten

HISPANICS – LATEINAMERIKANISCHER RHYTHMUS IN FLORIDA

Vorurteile gibt es viele: Sie gestikulieren gekonnt, weinen schnell, geben liebend gern an, stecken ihre Hemden nicht in die Hosen, reden lauter als andere, und sie küssen und umarmen sich bei jeder Gelegenheit. Die temperamentvollen *Hispanics* in Florida sind aber auch erfolgreich. Mehr als 20 000 Unternehmen von der Schreinerei bis zur Großbank werden von spanischsprechenden Amerikanern geleitet. Der Sunshine State und seine Latino-Minderheit gelten als Beispiel für die Integrationskraft der USA.

Das heißt natürlich nicht, dass es keine sozialen Unterschiede zwischen längst arrivierten Kubanern der ersten Einwanderergeneration und ihren armen Vettern von heute gäbe. Diese Spannungen werden jedoch noch deutlich übertroffen von Auseinandersetzungen zwischen hispanischen Einwanderern und alteingesessenen Afro-Amerikanern, die sich von den *Hispanics* an die Wand gedrückt fühlen. In Miami gehören *Hispanics* schon seit geraumer Zeit zur wirtschaftlichen und geistigen Elite. Das englischsprachige Nordamerika wächst in Floridas Zweimillionenstadt mit dem Spanisch sprechenden Süden des Kontinents zusammen. Mehr als die Hälfte der Einwohner stammt ursprünglich aus Mittel- und Südamerika, der größte Teil von ihnen kommt von der sozialistischen Karibikinsel Kuba. Miami teilt sich als Zielort für Immigranten aus dem Süden mit Los Angeles den Rang als Einwandererstadt Nummer eins.

Bereits die Kolonialgeschichte wurde von den Spaniern geprägt. Der kastilische Entdecker und Eroberer Ponce de Leon war 1513 wahrscheinlich der erste *Hispanic* in Florida. 1521 wurde er bei einem zweiten Siedlungsversuch durch einen indianischen Pfeil tödlich verletzt. Auch weitere spanische Expeditionen und Niederlassungen waren nur von kurzer Dauer. Angesiedelt haben sich dann schließlich spanische Jesuiten und später Franziskaner, die vom ausgehenden 16. Jh. an eine Kette von Missionsstationen vor allem im Norden der Halbinsel errichteten, um die Indianer zum Christentum zu bekehren und die Route der schwerbeladenen Schatzschiffe aus den spanischen Kolonien abzusichern.

Richtig wachsen konnte das Land erst seit 1896, nachdem der Eisenbahnmagnat Henry M. Flagler auch den Süden von Florida per Schiene erschlossen hatte. Mit der Infrastruktur kam der wirtschaftliche Aufschwung. Und so strömten ehrgeizige Einwanderer aus dem Norden der USA, aber auch aus Lateinamerika ins Land. Im Landesinnern und im Südwesten der Halbinsel ließen sich vor allem Mexikaner nieder, an der Ostküste Puertoricaner und an der mittleren Westküste Nicaraguaner, Panamesen und Costaricaner.

Der Aufschwung zum zweitwichtigsten Finanzzentrum der USA, zum Verkehrsknotenpunkt, zur Medienstadt und zur Handelsmetropole der Karibik begann für

Fantasievolle Bauherren haben in der kurzen Architekturgeschichte von Florida stets Möglichkeiten gefunden, ihren Vorstellungen Denkmäler zu setzen, wie in Opa-Locka, dem von den Geschichten aus Tausendundeiner Nacht inspirierten Stadtviertel des Glenn Curtiss im Norden von Miami, oder wie Ca'd'Zan, dem schlossartigen Wohnsitz der Zirkusfamilie Ringling in Sarasota, einer Mischung aus venezianischem Dogenpalast und dem alten Turm des Madison Square Garden in New York, wie das Atlantis-Apartmenthaus aus dem Jahre 1982 in Miami, das im elften Stock einen Platz für einen Innenhof in luftiger Höhe ausgespart hat, oder die Disney-Hotels Dolphin und Swan des Architekten Michael Graves mit bis zu 17 m hohen Dekorelementen.

Indianische Traditionen

In der multiethnischen Gesellschaft des Landes trifft man allenthalben auf Volkskunst und Kunsthandwerk, seien es nun Korbflechtereien aus dem ländlichen Nordflorida, naive Malerei hispanischer Einwanderer auf den Keys, geschnitzte, rituelle Masken der Seminolen-Indianer oder musizierende Cowboys aus Kissimmee. Ausstellungen und Festivals wie die International Folk Fair im März in St. Petersburg oder das Florida Folk Festival im Mai in White Springs bringen Künstler und Besucher zusammen.

Hemingway und seine Erben

Ernest Hemingway und der Dramatiker Tennessee Williams sind zwar keine Floridianer, haben aber beide lange auf Key West gelebt. Grund genug, ihnen zumindest im Festivalkalender der Stadt einen Ehrenplatz einzuräumen (s. S. 35). Unter den Autoren, die Menschen und Natur in Florida thematisierten, ragte Marjorie Kinnan Rawlings mit ihren Erzählungen über das ländliche Leben in den 1930er Jahren lange Zeit einsam heraus.

Erst mit der Kriminalliteratur unserer Tage werden wieder stilistisch interessante und ausdrucksstarke Werke über die floridianische Gesellschaft und ihre zum Teil skurrilen Auswüchse publiziert. Auch in der modernen Mediengesellschaft sind die Bücher nicht abgeschafft, alljährlich bezeugen dies die Internationale Buchmesse in Miami ebenso wie die vielen ausgezeichneten Buchhandlungen des Bundesstaates oder die kostenlosen öffentlichen Bibliotheken.

Nachdem 1926 das Coconut Grove Playhouse im Süden von Miami eröffnet hatte, entstanden in Florida mehr als 30 professionelle Theaterbühnen, eine gleiche Anzahl von Balletts, sieben Opernhäuser und knapp 20 Symphonie-Orchester, dazu jeweils eine Vielzahl von halbprofessionellen, Universitäts- und Laienspielgruppen. In Veranstaltungszentren treten zudem Tourneetheater auf.

KRIMIS AUS FLORIDA

Verglichen mit allen anderen Ländern, die Statistiken führen, haben die USA eine der höchsten Raub-, Vergewaltigungs- und Mordraten der Welt. Nirgendwo sonst gibt es so viele Schusswaffen in den Händen von Privatleuten und kaum irgendwo sonst werden so viele legale und illegale Drogen konsumiert. Die USA sind also ein guter Nährboden für Krimi-Autoren. Amerikanische Schriftsteller wissen, wovon sie erzählen, die Themen finden sie vor der eigenen Haustür. Das Leben schreibt bekanntlich die besten Geschichten. Beunruhigend also, dass Florida, verglichen mit anderen US-Bundesstaaten, eine so hohe Dichte an erstklassigen Krimi-Autoren hat.

»Es war ein klarer, heißer Augustmorgen, voller Weite und Unbeschwertheit, einer jener Tage, an denen nichts Schlimmes passieren konnte.« So beginnt der Roman »Abgetaucht« von James W. Hall, und natürlich schwimmt ein paar Seiten später die erste Tote in ihrem Blut. Eine Neuzüchtung von an sich harmlosen Buntbarschen droht die Weltmeere in ökologische Wüsten zu verwandeln. Der Aussteiger und passionierte Angler Thorn nimmt von seinem Boot in den Florida Keys den Kampf gegen einen psychopathischen CIA-Agenten auf. Der Rest ergibt sich und lässt den Krimi lesenden Urlauber am Strand erbleichen.

Hall lehrt Englisch und Creative Writing an der Florida International University. Der viel gelobte Thriller-Autor gehört zur ersten Riege der amerikanischen Hardboiled-Literaten. Helden dieser Krimis kämpfen oft eher gegen das eigene Scheitern als gegen das Verbrechen. Die Sprache ist direkt, häufig sexistisch und brutal wie das Leben. Doch gerade das macht die düstere Faszination dieser Bücher aus. Ein weiterer auf Deutsch erschienener Roman von Hall heißt »Finale in Key West« und ist fast noch besser als »Abgetaucht«. Während der verkrachte Sanitäter Shaw Chandler versucht, den Tod seines Vaters aufzuklären, trifft er auf eine Jugendfreundin, deren bizarres Schicksal mit seinem verwoben ist. Auch hier wird schmutzig gestorben, scharf geschossen und beides zynisch kommentiert: In den USA genießt Hall nach diesem Krimi zu Recht den Ruf eines Autors, von dem man noch einiges erwarten kann.

Bereits durch eine Verfilmung mit Sean Connery geadelt ist der Thriller »Der Sumpf« von John Katzenbach. Darin rettet der Reporter Matthew Cowart durch seine Recherchen und seine Artikel im »Miami Journal« einen Schwarzen aus der Todeszelle und überführt stattdessen einen geisteskranken Serientäter. Doch dann geschieht ein weiterer Mord, Cowart ermittelt weiter und gerät in einen Sumpf aus Korruption und Bestechung. Katzenbach erzählt das actionreiche Geschehen schnörkellos und direkt, ohne raffinierte Brillanz, aber auch ohne unnötige Abschweifungen. Dabei erweist er sich als genauer Kenner Floridas und lässt den Leser an seinem Wissen teilhaben. Ebenfalls im Journalistenmilieu spielt »Miami Psycho« von Edna Buchanan. Die Pulitzer-Preisträgerin berichtete jahrelang als

Polizeireporterin von den gefährlichsten Schauplätzen in Miami. Inzwischen schreibt sie nur noch Thriller. Ihre Hauptfigur Britt Montero jagt als Reporterin gleichzeitig einen Vergewaltiger und einen Serienkiller, der überführte Mörder auf dieselbe Weise umbringt, auf die sie einst gemordet haben. Detailreich und glaubhaft berichtet Buchanan von der Polizeiarbeit. Miami ist in diesem Buch keinesfalls nur Kulisse der Handlung. Aus der Perspektive der Figuren erfährt man Interessantes und Hintergründiges über die Stadt, in der nicht alles so ist, wie es auf den ersten Blick scheint.

Elmore Leonard gehört nach übereinstimmendem Urteil von »Newsweek« und »New York Times« zu den besten Krimi-Autoren der USA. Seine mit scharfzüngigen Dialogen angereicherten Romane spielen in Florida, aber auch an anderen Schauplätzen. Mit der Vorlage zum Hollywood-Kassenschlager »Schnappt Shorty« avancierte der 1925 in New Orleans geborene Leonard zum internationalen Bestseller-Autor. In »Alligator«, in dem sich ein Richter des Palm Beach County in ein unlösbares Gewirr privater, wirtschaftlicher und politischer Probleme verstrickt, erscheinen am Ende nur noch die Alligatoren als berechenbar.

Ein bissiger und amüsanter Öko-Thriller über einen Vergnügungspark auf Key Largo heißt »Große Tiere« und stammt von Carl Hiaasen. Als Kolumnist für den »Miami Herald« wurde aus Hiaasen ein witziger Kritiker des amerikanischen Lifestyle, der inzwischen in einem guten Dutzend Bestsellern die US-amerikanische Gesellschaft und ihre floridianischen Auswüchse aufs Korn nimmt. Hiaasen gehört nach der publicityträchtigen Verfilmung seines Romans »Striptease« mit Demi Moore in der Hauptrolle inzwischen zur ersten Garde amerikanischer Krimi-Autoren.

Bissige Dialoge und die satirische Überhöhung der Realität machen die Lektüre von »Große Tiere« zu einem intelligenten Vergnügen. Die Geschichte um einen ausgebrannten PR-Texter, der seinen Arbeitgeber ruiniert, weil dieser einen Mord begangen hat, nimmt immer neue Wendungen. Schnell, packend und stets überraschend erzählt der Autor von Umweltzerstörung und Immobilienspekulation. Das Schönste dabei ist aber: Es gelingt ihm ohne mahnend erhobenen Zeigefinger und mit viel Humor.

Ein Kultautor für Liebhaber von Krimis aus Florida ist der inzwischen verstorbene Charles Willeford. Seine Texte sind kalt und präzise wie die Trompete von Miles Davis. »Miami Blues« gilt zu Recht als Klassiker des Genres. Seine Hauptfigur Hoke Moseley ermittelt in vier Romanen als kaputter, übergewichtiger und tragisch-komischer Cop. Ein Buch ist besser und vielschichtiger als das andere. Lakonisch und gleichzeitig schockierend beschreibt der ehemalige Soldat und Literaturprofessor Willeford die Jagd auf Psychopathen, mordende Pharmavertreter oder ausgerastete Großgrundbesitzer. Fazit: wahnwitzig und atmosphärisch, brillant und illusionslos – eine gute Ergänzung und höchst unterhaltsame Information zu den abgründigen Seiten des Sunshine State, die man als Urlauber bestenfalls erahnen kann.

Das Ringling Museum in Sarasota besitzt eine bekannte Rubens-Sammlung

Kunst am Bau und Kunstmuseen

Während der Weltwirtschaftskrise in den 1930er Jahren erhielten überall in den USA arbeitslose Künstler vom Staat öffentliche Aufträge. In Florida blieben aus jenen Tagen einige Wandgemälde an Postämtern erhalten, die wie in West Palm Beach, Tallahassee oder Fort Pierce Motive aus dem lokalen Leben oder der Geschichte der Region widerspiegeln. Die Tradition, öffentliche Bauten mit Werken einheimischer Künstler aufzuwerten, wird fortgeführt und gibt Bauten wie der Metrorail Station von Hialeah im Norden von Miami durch ein Lichtkunstwerk von Fernando Garcia oder dem Daytona Regional Service Center durch ein Säulenensemble von Robert Fetty eine besondere Ausstrahlung.

Mit den Glasarbeiten von Louis Comfort Tiffany im Charles Hosmer Morse Museum of American Art (s. S. 169) in Winter Park, der weltbekannten Rubens-Sammlung im Ringling Museum (s. S. 129) in Sarasota und dem hervorragenden Dali Museum (s. S. 137) von St. Petersburg gibt es in Florida großartige Kunstschätze. Das wundervolle Morikami Museum (s. S. 87) in Delray Beach zeigt japanische Kunst, das Wolfsonian (s. S. 79) in Miami Beach widmet sich dem Verhältnis von moderner Kunst und Propaganda.

ESSEN UND TRINKEN

Florida kulinarisch

Florida ist ein Vielvölkerstaat, das wird auch an der Speise- und Getränkekarte deutlich: Die Einwanderer aus aller Herren Länder haben ihre Spezialitäten mitgebracht: Von algerisch bis zypriotisch sind zwischen Pensacola und Key West alle Speisetraditionen vertreten. Vor allem die **Kubaner und andere Lateinamerikaner** haben ihre kulinarischen Spuren hinterlassen. In vielen Restaurants vor allem rund um die Calle Ocho von Miami bieten *tortilla cubana* (Omelett mit Rindswürstchen und Zwiebeln), *picadillo* (Rindfleischeintopf mit Pfeffer, Rosinen und Oliven) oder kubanischen Reispudding wie auf der Karibikinsel an. Hinzu kommen die Einflüsse der **kreolischen und der Cajun-Küche** aus Louisiana mit reichen *gumbos* und *jambalayas,* die kräftige, ländliche Küche der **Südstaaten** sowie einige Rezepte von den Herdfeuern der **Seminolen-Indianer,** Schnitzel vom Gator Tail, dem Schwanz des Alligators, oder gebackene Maniok-Wurzeln.

Natürlich findet man auch in nahezu jeder Straße ein Fast-Food-Restaurant, bessere Kost bieten die so genannten Delis, Delikatessläden in Einkaufsstraßen und auf vielen Märkten. Dort gibt es Fleisch, Käse, Salate und Snacks. Häufig kann man hier sein Sandwich oder einen Salat für einen Mittagsimbiss *(lunch)* selbst zusammenstellen.

Wer es etwas feiner möchte, begibt sich abends in ein Restaurant und lässt sich von der Vielfalt der floridianischen Küche überraschen. Deren Spitzengastronomen müssen sich hinter Kreationen europäischer Gourmet-Tempel nicht verstecken.

Hervorragend schmecken in den Restaurants der Küstenorte **Fische, Hummer, Krabben, Muscheln** und **Austern,** die frisch gefangen sofort zubereitet werden. Zwischen Oktober und April stehen als besondere Delikatesse *stone crabs,* die gekochten Winterscheren der Steinkrebse, auf den Speisekarten vieler besserer Fischrestaurants. Für das zarte, leicht süßliche Fleisch der Scheren, die den Salzwasserkrebsen im Übrigen wieder nachwachsen, lassen Feinschmecker jeden Hummer stehen.

Auch die Voraussetzungen für zarte **Steaks** könnten nicht besser sein. Unter den Palmen nördlich und westlich des Lake Okeechobee grasen vielköpfige Rinderherden, deren Fleisch sich *rare, medium* oder *well done* bald auf

Rauchen in Restaurants

Nachdem die Wähler 2002 darüber abgestimmt haben, gilt auch in Floridas Restaurants und Bars Rauchverbot. Ausnahmen – bitte jeweils nachfragen – gibt es bei freistehenden Bars oder Imbissen mit ausreichend Distanz zu den Tischen.

den Tellern von Steak-Häusern wieder findet. Südlich des Lake Okeechobee gedeihen Avocados, Tomaten, Paprika, Erdbeeren und Zuckerrohr, auf den Feldern zwischen Jacksonville und Tallahassee werden Pekan- und Erdnüsse geerntet. Um Orlando und bis nach Miami wachsen Orangen, Mandarinen, Grapefruit und Limonen in endlosen Plantagen.

Außer den weltweit bekannten **Soft-Drinks** und dem in den südlichen US-Bundestaaten unvermeidlichen **Eistee** als Durstlöscher verfügt Florida mit **Gatorade,** ursprünglich ein von den Chemikern der Universität von Florida in Gainesville für ihre Footballmannschaft Gators entwickelter Powerdrink, über eine populäre heimische Marke. Daneben wird mit den Früchten der ausgedehnten Zitusplantagen der halbe nordamerikanische Kontinent mit **Orangen- und Grapefruitsaft** versorgt. Mit den **Trauben- und Fruchtweinen** der Eden Vineyards östlich von Fort Myers verfügt Florida sogar über das südlichste **Weinanbaugebiet** der USA.

Die amerikanischen **Biersorten** – meist von deutschstämmigen Brauern gegründet – haben sich inzwischen meilenweit von ihrer traditionellen Braukunst entfernt. Doch auch in Florida gibt es inzwischen Micro-Breweries, die häufig sogar nach deutschem Reinheitsgebot süffiges Bier für Restaurants und Bars der näheren Umgebung herstellen.

Obststand auf Amelia Island

KARIBISCHES FLAIR: FLORIDA CUISINE

Das zarte Fleisch der frisch zubereiteten, rosa Scheren des Steinkrebses schmeckt köstlich mit zerlassener Butter und einer pikanten Senfsauce. Gebackener *Grouper,* ein Zackenbarsch, mit Mango Salsa steht als nächster Gang auf der Speisekarte des Menüs, das von einer Mousse von weißer Schokolade und Erdbeeren mit süßen Limonen abgerundet wird.

Jenseits der Fast-Food-Ketten und allgegenwärtiger Diners kann man in Florida vorzüglich speisen. In den Flüssen und im riesigen Lake Okeechobee werden Wels, Barsch und Flusskrebse gefangen. In der Lagune von Apalachicola liegen ergiebige Austernbänke. Auf den Weideflächen der mehr als 1000 Ranches zwischen Kissimmee und Fort Myers grasen die größten Rinderherden östlich des Mississippi.

Fruchtbare Acker, gutes Wasser und das milde Klima lassen südlich des Lake Okeechobee Avocados, Tomaten, Paprika, Erdbeeren und Zuckerrohr gedeihen, von den Feldern zwischen Jacksonville und Tallahassee werden Pekan- und Erdnüsse geerntet. Um Orlando und bis nach Miami wachsen Orangen, Mandarinen, Grapefruit und Limonen in endlosen Plantagen.

Einwanderer aus vielen Ländern haben ihre Rezepte in den südlichsten Bundesstaat der USA mitgebracht, nicht nur die Engländer, sondern Spanier von Menorca und den Kanaren, Griechen von den Inseln des Dodekanes, Italiener aus Venetien und Kampanien, Juden aus vielen Ländern Europas und Immigranten aus den Staaten Mittelamerikas und der Karibik. Früchte der karibischen Inselkette, Gewürze aus Grenada und Jamaika und die Fische aus den reichen Fanggründen der Karibischen See und des Golfstroms mischen sich mit kulinarischen Einflüssen aus der alten Welt.

Die spanisch-karibische, vor allem die kubanische Küche übte in jüngerer Zeit den nachhaltigsten Einfluss aus. Ein Hühnchen mit gelbem Reis, *arroz con pollo,* einen Rindfleischeintopf, *ropa vieja,* wird man kaum besser serviert bekommen als in Miami, und der *café cubano* wird hier genauso stark serviert wie in einer Bar in Havanna. Innovative Köche haben die kulinarischen Traditionen in Florida dem Zeitgeschmack nach leichteren Gerichten angepasst und sich noch stärker karibischen Einflüssen geöffnet. Es entstand eine kulinarische Richtung, die inzwischen als *Floribean Cuisine* oder als *Tropical Fusion* bezeichnet wird. Florida-Hummer mit Artischocken in einer Wermut-Safran-Sauce, *Dolphin* (kein Delphin, sondern eine Goldmakrele) gebacken in einem Mantel aus Gemüse-Bananen, mit Mandarinen-Remoulade oder ein Fischfilet vom *Red Snapper,* mariniert im Saft einer Bitterorange (Pomeranze) mit geröstetem Jamaika-Pfeffer, grünem Chili und Schalotten – wer derlei schmackhafte Gerichte genießen möchte, wird nicht nur in Miami, sondern inzwischen in vielen floridianischen Restaurants fündig werden.

Tipps für Ihren Urlaub

Von Shark Valley, dem nördlichen Zugang, geht es nur mit dem Bus, Rad oder zu Fuß in den Everglades National Park, private Autos sind nicht erlaubt

FLORIDA ALS REISEZIEL

Pauschal oder individuell?

Für Florida ist das **Baukastenprinzip** ideal geeignet. Auch die Kataloge vieler Reiseveranstalter oder Internet-Reisebüros bieten die Möglichkeit, einzelne Hotelübernachtungen zu buchen und mit einer Rundreise oder einem Mietwagen zu kombinieren. So ist schnell eine individuelle Fly-Drive-Pauschalreise arrangiert, die genau den eigenen Vorlieben entspricht und häufig weniger kostet, als wenn Hotels und Mietwagen erst vor Ort reserviert werden.

Vor allem für die **Hochsaison** zwischen Weihnachten und Ostern empfiehlt sich die frühzeitige Buchung von Unterkünften an Golf- und Atlantikküste sowie auf den Keys.

Hotel, Bed & Breakfast, Camping

Florida bietet ein vielfältiges Angebot an Unterkünften jeder Preisklasse. Die meisten Hotels befinden sich an der Küste zwischen Miami und Fort Lauderdale, an den Stränden von St. Petersburg und um Orlando. Im Nordosten und Nordwesten des Bundesstaates gibt es auch zahlreiche, teilweise recht luxuriöse Herbergen. Wer ein Hotel per Telefon oder Internet bucht, benötigt eine **Kreditkarte.** Deren Nummer garantiert die Reservierung. Die Kreditkarte wird auch mit der ersten Nacht belastet, wenn man nicht erscheint.

Preiswerte Alternativen zu teuren Resorthotels sind kleine **Motels** an den Ausfallstraßen, die zu Preisen zwischen 30 und 50 Dollar annehmbare Unterkunft bieten. Fast überall haben Ketten (z. B. Super 8, Days Inn, Comfort Inn, Econo Lodge) die individuellen Motels abgelöst. Die Grundausstattung der Zimmer besteht in der Regel aus zwei Doppelbetten, Telefon, Fernseher und Bad, manche haben noch eine Kochnische *(kitchenette),* Kinderbetten *(cribs)* kosten einen Aufpreis.

Auch in Florida gibt es viele **Bed and Breakfast-Unterkünfte,** anders als in Großbritannien meist im oberen Preissegment. Dafür sind sie oft in schönen viktorianischen Villen untergebracht; man kann eine gepflegte Atmosphäre und oft mit Antiquitäten eingerichtete Zimmer in guter Lage erwarten. Eine Übersicht mit über 100 Herbergen bietet **Florida Bed & Breakfast Inn,** P.O. Box 6187, Palm Harbor, FL 34684, Tel. 281-499-1374, www.florida-inns.com.

Sehr viel günstiger sind die zahlreichen **Campingplätze,** die meisten liegen landschaftlich sehr reizvoll und sind mit Stromanschlüssen und sanitären Einrichtungen versehen. Auskünfte über Lage und Größe von über 300 Campingplätzen gibt das »Camping Directory« der: **Florida Association of RV Parks and Campgrounds,** 1340 Vickers Dr., Tallahassee, Fl 32303, Tel. 850-562-7151, Fax 562-7179, www.gocampingamerica.com.

Zehn Highlights einer Floridareise

Viele Besucher suchen nach Wärme und Sonne im Sunshine State und freuen sich auf den Badespaß an den unendlich langen Stränden, in den Fluten des Atlantik und des Golfes von Mexiko. Darüber hinaus ist in Mittelflorida, südlich von Orlando, in den letzten 30 Jahren der größte Vergnügungskomplex der Welt entstanden, mit einigen Dutzend Themenparks – allen voran Walt Disney World – in die jährlich viele Millionen Besucher strömen. Hinzu kommen Naturparadiese, wie die Everglades, die Korallenriffe vor der Ostküste, dazu die Inselkette der Florida Keys südlich von Miami. Die zehn Highlights einer Florida-Reise sind:

St. Augustine: Mit dem Castillo San Marcos und dem Spanish Quarter. Kostümierte Darsteller lassen hier die spanische Kolonialzeit aufleben (s. S. 190).

Wakulla Springs State Park: In der dichten subtropischen Vegetation des wurden schon Tarzan-Filme mit Johnny Weissmuller gedreht (s. S. 205).

Everglades National Park: In der einmaligen Naturlandschaft an der Südspitze von Florida ist ›Alligatorkontakt‹ nahezu garantiert (s. S. 95).

Sanibel Island: Auf der Insel mit einigen der weltweit schönsten Muschelstrände herrscht entspannte Urlaubsatmosphäre (s. S. 124).

Ocala National Forest: Das mächtige artesische Quellgebiet gilt schon seit der Wende vom 19. zum 20. Jh. als touristische Attraktion (s. S. 170).

Kennedy Space Center: Der Weltraumbahnhof der USA auf Cape Canaveral, von dem heute Space Shuttles in eine Umlaufbahn geschossen werden, kann besichtigt werden (s. S. 177).

Salvador Dali Museum, St. Petersburg: Eine außergewöhnliche Sammlung von Werken aus allen Schaffensperioden des großen katalanischen Surrealisten (s. S. 137).

Walt Disney World, Universal Studios und Sea World: Nur diese bekanntesten Themenparks südlich von Orlando allein locken viele Millionen Besucher nach Florida (s. S. 155).

Florida Keys: Schon die Fahrt über die Inselkette nach Key West ist ein Erlebnis. Die leicht schräge Atmosphäre von Key West, schöne Hotels und gute Restaurants lassen schnell Urlaubsstimmung aufkommen (s. S. 102).

John Pennekamp Coral Reef State Park, Key Largo: Beim Schnorcheln, Tauchen oder vom Glasbodenboot aus kann man das einzige lebende Korallenriff der USA erkunden (s. S. 102).

Reisekasse

Die USA sind kein billiges Reiseland, ein Wechselkurs von etwa 1 $ = 0,95 Euro entspricht grob gleicher Kaufkraft. Mietwagen und Kraftstoff bleiben wie Sportausrüstung und Kleidung häufig dennoch günstiger. Für die Reisekasse empfiehlt sich eine Mischung aus Bargeld in kleineren Scheinen und Traveller Schecks. Mehr als die Hälfte der Ausgaben sind per Kreditkarte möglich. Diese zu besitzen ist nahezu unverzichtbar.

Bei St. Augustine sind die Strände breit und flach

Die schönsten Strände

Da nur noch Alaska eine längere Küstenlinie besitzt, sich jedoch zwischen Eisbergen nur schlecht schwimmen lässt, gilt Florida als das Bade- und Strandparadies der USA. Breite Sandstrände am Atlantik, die zwischen Daytona Beach und St. Augustine im Norden zum Teil mit Autos befahren werden dürfen, schneeweiße Quarzstrände an der Emerald Coast zwischen Panama City und Pensacola und sanft abfallende Familienstrände zwischen Clearwater Beach und Naples an der Golfküste lassen keine Badewünsche unerfüllt. Auch wer einsame, naturbelassene Strandlandschaften ohne Hotels und Promenade liebt, kann etwa an der Canaveral National Seashore am Atlantik oder auf Caladesi Island vor Dunedin am Golf von Mexiko baden, beobachtet nur von Pelikanen und Wasserschildkröten.

Amelia Island: Die Badeurlauber verlieren sich fast an dem 20 km langen, von Dünen gesäumten Sandstrand. Ab und zu begegnet man Reitern, die das Ufer zum Ausritt nutzen (s. S. 200).

Bahia Honda: Wer die ›Seven Miles Bridge‹ auf dem Weg von Miami nach

Key West überquert hat, sollte an dem weißen Sandstrand zum Baden, Windsurfen oder Schnorcheln eine Pause einlegen. Holzstege führen durch die typische Key-Landschaft (s. S. 108).

Caladesi Island: Die Fähre von Honeymoon Island bringt Tagesbesucher zu der unbesiedelten Insel von der Küste von Dunedin, auf der sich Reiher, Ibisse und Kormorane zu Hause fühlen. Der 5 km lange, naturbelassene Strand ist etwas für Romantiker (s. S. 143).

Canaveral National Seashore: Die paradiesische Ruhe von Playalinda-, Apollo- und Klondike Beach wird nur selten durch das Donnern einer startenden Weltraumrakete gestört. Da die Strände im Gebiet der Nationalparkverwaltung liegen und nicht vom örtlichen Sheriff kontrolliert werden, haben FKK-Anhänger hier eine Nische gefunden (s. S. 180).

Clearwater Beach: Der 6 km lange Sandstrand ist bei Studenten der nahen Colleges und der Universitäten von St. Petersburg und Tampa recht beliebt und Zentrum aller möglichen Wasser- und Freizeitsportarten (s. S. 142).

Crescent Beach: Nach wissenschaftlichen Untersuchungen soll auf Siesta Key bei Sarasota der feinste Sandstrand der USA zu finden sein. Das glasklare Wasser hat im Frühling genau die richtige Temperatur für ein erfrischendes Bad.

Hutchinson Island: Die breiten, einsamen Sandstrände besonders im Süden der Insel muss man im Sommer fast nur mit einigen Seeschildkröten teilen. Vorsicht: Die Schildkröten lassen an einigen Stellen ihre Eier im warmen Sand von der Sonne ausbrüten (s. S. 91).

Lover's Key: Nicht nur Liebespaare schätzen die einsamen Strände südlich vom betriebsamen Fort Myers Beach. Vom Parkplatz führt ein Steg durch die Dünen zum Ufer (s. S. 124).

Lummus Park Beach: Das Wasser ist flach, der Strand ist breit und grenzt an den Park. Attraktion ist hier das bunte Treiben im Art-deco-District direkt am Ocean Boulevard von Süd-Miami Beach (s. S. 82).

St. Augustine Beach: Die breiten und flachen Strände sind von einem Dünenstreifen begrenzt, hinter dem Hotels und Pensionen liegen. Man kann mit dem Fahrzeug den Strand entlang fahren und dort parken. An Sommerwochenenden kann es etwas voller werden (s. S. 193).

Sanibel Island: Die Brandung und eine eigenwillige Strömung spülen Zehntausende von Muscheln an den Strand der subtropischen Insel. Nach einem Sturm pirschen ernsthafte Sammler schon bei Sonnenaufgang am Meeresufer entlang (s. S. 124).

Santa Rosa Island: Der feine Quarzsand ist so weiß, dass er die Augen blendet. Einer der schönsten Abschnitte des langen Panhandle-Strands liegt im Landschaftsschutzgebiet der Gulf Islands National Seashore (s. S. 209).

Rauchen

Rauchen ist in öffentlich zugänglichen Räumen weitgehend untersagt. Wenige Bars und Raucherecken in einigen Lokalen bilden noch die Ausnahme.

Nachtleben

Entlang der Küste zwischen Palm Beach und Key West, in Orlando, aber auch in Clearwater und anderen Orten rund um die Tampa Bay beginnt für viele das eigentliche Vergnügen mit der **Happy Hour,** wenn die Sonne untergeht. Zahlreiche Bars, Diskos und Restaurants begrüßen nicht nur jüngere Gäste zu einer Margarita, einer Pina Colada oder einem Cuba Libre. Auf Key West und in anderen Insel- und Küstenorten, vor allem entlang der Golfküste, gehört der Moment, in dem die Sonne zu einem karibischen Cocktail im Meer versinkt, zu den wichtigsten des Tages.

Anstrengend wird das Nachtleben eigentlich nur zu Zeiten des **›Springbreak‹,** der Semesterferien im Frühjahr, wenn Tausende von Studenten für ein paar Tage Florida heimsuchen und mit viel Alkohol ihren Studienfrust ertränken.

Alkohol

Der Verkauf von Alkohol ist streng reguliert. Jugendliche unter 21 Jahren erhalten grundsätzlich keine Spirituosen, ihnen ist auch der Aufenthalt in Bars mit Alkoholausschank verboten. Erwachsene müssen sich – bisweilen nach Vorzeigen eines Passes, der das Geburtsdatum angibt – in *Liquor Stores* versorgen.

Auf der Straße ist der Genuss von Alkohol verboten, manche ›verstecken‹ daher die Flasche oder Bierdose in einer Papiertüte. Die meisten *Liquor Stores* haben rund um die Uhr geöffnet, sonntags allerdings erst ab 13 Uhr – ein Erbe puritanischer Zeiten, denn dann war der Kirchgang erledigt. In den meisten Supermärkten erhält man Bier und Wein.

Aktivurlaub

Angeln

Wer sich auf die Spuren von Ernest Hemingway begeben möchte, sollte sich auf Key West oder anderen Inseln ein Hochseeboot chartern oder auf einem Trip mitfahren und den Kampf mit dem Schwertfisch aufnehmen.

Aber auch entlang der Ostküste, am Golf von Mexiko und auf den Seen im Panhandle ist Angeln Volkssport. Forellen und Barsche gehen in den Süßwasserseen am häufigsten an die Angel, an der Küste kann es schon einmal ein Thunfisch, Schwertfisch oder fliegender Fisch sein. Alle Angler, die älter als 16 Jahre sind, benötigen für Süßwasserseen eine Lizenz, wer Hochseeangeln möchte, muss entweder sechs Monate in Florida gelebt haben oder bei einer organisierten Charter-Tour mitmachen. Auf Piers und Brücken ist das Angeln frei. Lizenzen kann man gegen geringe Gebühren in lokalen Sportgeschäften erhalten. Wegen hoher Schadstoffbelastungen – vor allem mit Quecksilber – ist der Verzehr gefangener Süßwasserfische aus Entwässerungskanälen nicht ohne Risiko.

Neben Seen und Flüssen laden auch die buchtenreichen Küstengewässer zu Kanutouren ein

Radfahren und Inline Skating

Rails to trails, die in den USA populäre Idee, stillgelegte Eisenbahntrassen in Wander- und Fahrradwege zu verwandeln, hat auch in Florida viele Dutzend *bike trails* geschaffen, vor allem rund um die Tampa Bay. Das flache Terrain macht es auch für Ungeübte leichter, Ausflüge per Fahrrad oder Inline Skates zu unternehmen. Selbst die Innenstadt von Orlando lässt sich inzwischen mit Pedalen erobern, auch in die Everglades führt eine Strecke.

Viele Touristenbüros halten Informationen über ihre Orte bereit, hilfreiche Broschüren publiziert der **State Bicycle-Pedestrian Coordinator** des Department of Transportation (DOT), 605 Suwannee St., Tallahassee, FL 32399-0450, Tel. 850-487-1200, www.dot.state.fl.us/publicinformationoffice/traveler.htm.

Golf

In Florida gibt es etwa 1100 Golfplätze, einige davon zählen zu den schönsten der USA. Viele Hotelresorts unterhalten eigene 18-Loch-Plätze oder verfügen über Vereinbarungen mit nahe gelegenen Anlagen. Es ist sinnvoll, bereits vor Anreise über das Hotel *tee times* zu reservieren. Anfänger können oft an dreitägigen Grundkursen zum Erlernen der Sportart teilnehmen und auch die Ausrüstung mieten. Eine ausführliche Liste der Fairways in Florida erhält man bei der **Florida Sports Foundation** (s. S. 55), die auch die Broschüre »Florida Golf« herausgibt.

An der nördlichen Atlantikküste Floridas verlockt eine lang gezogene Dünung zum Wellenreiten

Kanu & Kajak

Mehrere tausend Seen, diverse Flussläufe und die buchtenreichen Küstengewässer laden dazu ein, Touren zu unternehmen. Das **Office of Greenways and Trails** des Florida Department of Environmental Protection (DEP), MS 795, 3900 Commonwealth Blvd., Tallahassee, FL 32399-3000, Tel. 850-245-2052, www.dep.state.fl.us verfügt über Informationen zum ausgedehnten Wasserwegenetz und über einschlägige Anbieter und Verleiher.

Segeln & Windsurfen

Florida hat neben Alaska die längste Küstenlinie aller amerikanischen Bundesstaaten. Diese bietet ungezählte Möglichkeiten, um mit dem Segelboot kleine oder größere Touren zu unternehmen. In den Marinas an der Küste lassen sich Boote mieten, auch große Charterunternehmen wie Moorings oder Sunsail haben in Florida Stationen für seetüchtige Boote. In vielen Orten mit geschützten Lagunen, wie in der Biscayne Bay oder auf Key Largo, werden zudem Windsurfbretter vermietet.

Tauchen & Schnorcheln

Florida ist ein Paradies für Wassersportler, die Boote und Gerätschaften vom Jetboat bis zur Angelrute auch leihen können. Die beliebtesten Sportarten sind Schnorcheln, besonders auf den Keys, Surfen, Windsurfen und Wasserski. Die meisten Besucher möchten allerdings vor allem baden, wobei ›oben ohne‹ fast überall verpönt oder verboten ist.

Die beliebtesten **Tauchreviere** liegen vor den Keys, die von Korallenriffen geschützt sind. Hier eröffnet sich eine bunte Unterwasserflora und -fauna, Tauchveranstalter fahren zum Tauchen zu versunkenen Schiffen. Ausrüstungen zum *snorkling* (Schnorcheln) oder *scuba diving* (Flaschentauchen) verleihen die 300 *dive shops* von Hotels und Tauchschulen. Zu den schönsten Tauchrevieren zählen der John Pennekamp Coral Reef State Park auf Key Largo, der Biscayne National Park und das Looe Key National Marine Sanctuary vor Big Pine Key. Ein besonderes Erlebnis sind Tauchexkursionen in das verzweigte Höhlensystem des Florida Aquifer (s. S. 16). Ohne Anleitung und Erfahrung kann ein solcher Tauchgang allerdings lebensgefährlich werden.

Grapefruit League

Im Februar/März können Fans etwa 20 Mannschaften der *Major Profi League* in ihrem Wintercamp trainieren und spielen sehen, ohne in den USA herumreisen zu müssen. Wer sich über die aktuellen Trainingsorte informieren will und an den günstigen Karten für die **Baseball-Spiele** interessiert ist, sollte beizeiten die Florida Sports Foundation kontaktieren (s. u.).

Als Zuschauersportarten beliebt sind neben Baseball besonders **Football** und **Basketball,** Eintrittskarten für die Spiele der Profimannschaften sind häufig nur schwer erhältlich. Eine ursprünglich baskische, in Deutschland nahezu unbekannte Sportart erfreut sich in Florida großer Beliebtheit: **Jai Alai,** bei dem vier Spieler aus zwei Teams einen harten Ball mit großen Schlägern gegen eine Wand schlagen (s. S. 56).

Umfassende Informationen über Sportmöglichkeiten aller Art bietet die **Florida Sports Foundation,** 2390 Kerry Circle Suite 101, Tallahassee, FL 32309, Tel. 850-488-8347, www.flasports.com.

Tennis

Hunderte von öffentlichen und privaten Anlagen mit fast 8000 Plätzen zeigen die Popularität des ›weißen Sports‹, der in Florida das ganze Jahr über gespielt werden kann. Wer selbst spielen möchte, kann auf vielen privaten Plätzen Court und Schläger mieten. Wer sich für Tennisturniere der Profis interessiert, kann sich bei **USA Tennis Florida,** 1 Deuce Court, Suite, Daytona Beach, FL 32124, Tel. 386-671-8949, www.usta-fl.com über Termine und Turniere informieren.

JAI ALAI – DAS SCHNELLSTE SPIEL DER WELT

Superschnelle Reflexe, Übersicht, Geschicklichkeit und Athletik sind bei diesem Spiel gefragt. Der Ball jagt mit einer Geschwindigkeit von bis zu 290 km/Std. gegen die Stirnwand und über das Feld. Nicht ungefährlich für die Spieler, wenn sie ihn mit ihrem geflochtenen Korbschläger aus der Luft fischen. In den sechs Jai Alai-Hallen *(frontons)* von Florida kämpfen Profis *(pelotari)* um Punkte und Dollars, verfolgen bis zu 6000 Zuschauer die Spiele. Die einfachen Regeln ähneln dem Squash-Spiel.

Der Ball *(pelota)* wird mit einem korbähnlichen Schläger *(cesta),* der über einen Lederhandschuh mit der rechten Hand verbunden ist, an die Stirnwand *(frontis)* geschleudert. Der gegnerische Spieler muss den Ball an die Stirnwand des Spielfeldes *(cancha)* zurückschleudern, spätestens nachdem er einmal auf dem Boden aufgeprallt ist. Gespielt werden Einzel oder Doppel, ein Spiel dauert etwa 15–20 Minuten und ist nach sieben oder neun Punkten gewonnen. An einem Abend spielen zwei achtköpfige Teams gegeneinander. Zuschauer können wie beim Pferde- oder Windhundrennen unterschiedliche Wetten abschließen – auf den Sieg, auf einzelne Punkte oder die Platzierung.

Das Spielfeld ist knapp 54 m lang und etwas mehr als 15 m breit, die Stirnwand ist wegen der ungeheuren Wucht, mit der die kleinen, mit Ziegenleder umnähten Hartgummibälle aufprallen, aus Granitblöcken gefertigt. Eine Seitenwand besteht aus Panzerglas, so dass die Zuschauer ohne Verletzungsgefahr das spannende Spiel wie auf einer Theaterbühne verfolgen können. Wie beim Tennis, Tischtennis oder Squash kommt es nicht nur auf die Geschwindigkeit an, mit welcher der Ball geworfen wird. Angeschnittene Bälle, die in überraschenden Winkeln von den Seitenwänden wegspringen oder im Abstand von wenigen Zentimetern an ihnen entlangschießen, erfordern artistische Sprünge, Drehungen und Schläge der Spieler, die von den fachkundigen Zuschauern mit Begeisterung kommentiert werden.

Ursprünglich stammt Jai Alai aus dem Baskenland nördlich und südlich der Pyrenäen, wurde dort schon vor gut 300 Jahren als *pelota vasca* gespielt. Da Turniere häufig zu kirchlichen Festen ausgetragen wurden, setzte sich die Bezeichnung Jai Alai – fröhliches Festival – durch.

Um 1900 wurden die ersten Spiele auf Kuba ausgetragen, bei der Weltausstellung in St. Louis 1903 sahen die US-Amerikaner erstmals Vorführungen. Im Südosten von Florida mit seinem hohen Anteil spanisch sprechender Bevölkerung wurde 1924 eine Jai Alai-Halle errichtet, der fünf weitere gefolgt sind. Noch immer stellen Spieler baskischer Herkunft mehr als die Hälfte der Profi-Teams; die Begeisterung für das spannende, aktionsreiche Spiel reicht jedoch inzwischen weit über den hispanischen Bevölkerungsteil hinaus.

Adressen der Jai Alai-Hallen:
Dania Jai Alai: 301 E. Dania Beach Blvd., Dania Beach, Tel. 954-920-1511, nahe dem Airport von Fort Lauderdale, Mi, Fr–So, unterschiedliche Spielzeiten
Fort Pierce Jai Alai: 1750 S. King's Hwy., Tel. 772-464-7500, unterschiedliche Spielzeiten
Miami Jai Alai Fronton: 3500 N. W. 37th Ave./N. W. 35th St., Tel. 305-633-6400, Mo und Mi–Sa ab 19, Mo, Mi, Sa Matinee um 12 Uhr
Ocala Jai Alai Fronton: County Road 318, Orange Lake, Tel. 352-591-2345, zwischen Gainesville und Ocala, unterschiedliche Öffnungszeiten
Orlando-Seminole Jai Alai: 6405 S. US 17/92, Fern Park (nördl. von Orlando, an der I-4), Tel. 407-339-6221, unterschiedliche Öffnungszeiten
Tampa Jai Alai Fronton: 5125 S. Dale Mabry Hwy., Tel. 813-831-1411, Mo–Sa ab 19, Mo, Mi, Sa Matinee um 12 Uhr

Kreuzfahrtschiffe im Hafen von Fort Lauderdale

Urlaub mit Kindern

Florida ist ein sehr kinderfreundlicher Staat, fast überall wird aufmerksam für die Kleinen gesorgt. Ob in Hotels oder Restaurants, Kinderbetten *(cribs)* oder Kinderstühle *(booster chairs)* stehen fast immer bereit. Größere Hotelanlagen bieten besondere Programme für Kinder an und organisieren Babysitter, wenn Eltern einmal allein Ausgehen möchten. Viele Hotels verlangen für Kinder bis zu 17 Jahren keinen Aufschlag, solange sie im Zimmer der Eltern übernachten.

Besonders beliebt bei Kindern sind die zahlreichen Vergnügungsparks südlich von Orlando. Dort lassen sich gegen eine geringe Gebühr Buggies *(stroller)* ausleihen. Auch die langen Strände üben als gigantische Sandkisten bei Kindern natürlich eine große Anziehungskraft aus. Eltern sollten unbedingt auf ausreichenden Sonnenschutz achten.

Kinder bis zum Alter von drei Jahren müssen im Auto in speziellen Kindersitzen *(child safety seat)* reisen, ansonsten gilt die allgemeine Gurtpflicht.

Organisierte Rundfahrten

In den Katalogen der hiesigen Reiseveranstalter ist kein Mangel an diversen Rundreiseangeboten. Sie reichen von zweiwöchigen Bustouren bis zum Orlando-Vernügungspark-Paket und zum Tagesausflug auf die Bahamas oder Mini-Kreuzfahrten zu karibischen Inseln. Viele Touren lassen sich auch vor Ort buchen, in den Hotels oder Reisebüros. Da sind jedoch englische Sprachkenntnisse von Nutzen.

Klima, Reisezeit und -kleidung

Florida misst vom Norden bis zur Südspitze 720 km. Während um Tallahassee und Jacksonville eine warme Klimazone mit heißen Sommern und gelegentlich frostigen Wintern überwiegt, herrscht südlich von Fort Myers und Palm Beach bereits eine tropische Witterungslage. In Zentralflorida vermengen sich die beiden klimatischen Einflussbereiche zu einem gemäßigt subtropischen Wettergebiet.

Florida gehört in den USA zu den Regionen mit der höchsten Niederschlagsmenge. Der größte Teil des Regens geht im Sommerhalbjahr zwischen Mai und Oktober nieder. Im mittleren und südlichen Teil des Landes herrscht dann bei Temperaturen bis zu 40 °C gleichzeitig hohe Luftfeuchtigkeit. Der nachmittägliche kühlende Schauer, mit dem man im Sommer an jedem zweiten Tag rechnen sollte, ist eher angenehm.

Der Sommer, besonders die Monate Juli und August, ist auch die hohe Zeit der Gewitter. Im Gebiet südlich des Lake Okeechobee donnert und blitzt es zumindest kurz an etwa 90 Tagen im Jahr, wenn die feuchtwarme Luft in Turbulenzen gerät.

Mitte August bis Mitte Oktober besteht die höchste Wahrscheinlichkeit, einen Hurrikan zu erleben. Die Windgeschwindigkeit liegt zwischen 120 und 250 km/Std., mächtige Wellen und Sturmfluten richten häufig größere Schäden an als der Sturm selbst.

Florida ist ein ganzjähriges Urlaubsgebiet. Am angenehmsten ist es in Südflorida im Frühjahr, wenn die Temperaturen noch nicht so hoch sind, und die sommerlichen, kurzen und heftigen Regenschauer ausbleiben. Von Mitte Dezember bis Ostern herrscht daher in Florida auch Hochsaison mit den entsprechend höheren Preisen bei den Unterkünften. Im Hochsommer ist es im Norden heiß, aber trockener als im subtropischen Süden. Wer einen Hurrikan vermeiden möchte, sollte im Spätsommer und Herbst nicht nach Florida reisen. Badesaison an der Küste ist das ganze Jahr hindurch.

Leichte Baumwollkleidung ist im subtropischen Klima Floridas angeraten. Wer fein Essen gehen will, sollte vorsichtshalber ein Jackett und eine Krawatte einpacken. Ansonsten reicht in den Wintermonaten eine Strickjacke für kühlere Abendstunden.

Einkaufen

Beliebt und an Ausfallstraßen regelmäßig zu treffen sind Factory Outlet Malls mit Verkaufsstellen diverser Markenfabrikanten. Ware mit leichten Fehlern oder aus der zurückliegenden Saison wird mit oft hohen Preisabschlägen angeboten.

Ein Leitfaden für die Reise und viele Tipps für unterwegs.

Genaue Beschreibungen von Städten und Sehenswürdigkeiten, Vergnügungsparks und Stränden, Ausflugszielen und Reiserouten.

Florida erleben: Ausgesuchte Bed & Breakfast und Hotels, Restaurants und Bars, Tipps für Ausflüge und Vergnügungsparks.

Die Dry Tortugas per Boot

Der Südosten – Miami und die Florida Keys

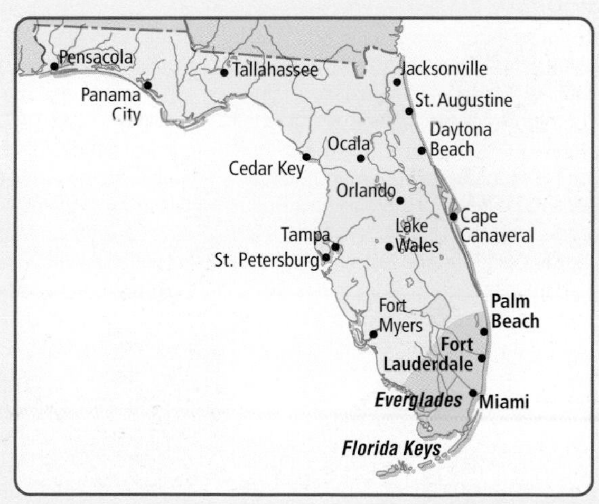

Metromover (Hochbahn) in Miami

Florida-Atlas S. 237–239

MIAMI UND MIAMI BEACH

Mehr als 3 Mio. Menschen leben im Großraum Miami, der einzigen US-amerikanischen Großstadt, in der die weißen, englisch sprechenden Bewohner eine Minderheit bilden. Coral Gables, Coconut Grove oder Little Havana sind Stadtteile mit einem besonderen Charakter, Miami-Beach ist eine eigene Gemeinde auf vorgelagerten Inseln, mit dem Festland durch diverse Brücken verbunden. Die Strände am Atlantik und das Nachtleben von South Beach sind das bevorzugte Ziel Tausender Urlauber.

Miami

Florida-Atlas: S. 239, E2

In der multikulturellen Metropolis im Südosten Floridas geben Lateinamerikaner den Ton an. Hunderttausende Kubaner, dazu Einwanderer aus El Salvador, Haiti oder den Bahamas haben sich in Miami niedergelassen. Etwa 10 Mio. Besucher zählt die Stadt jedes Jahr. Sie finden eine lebendige Kulturszene, Museen von Weltruf, Stadtteile mit eigenem Gepräge und Besucherattraktionen. Viele streben gleich zu den Stränden von Miami Beach und anderen Badeorten entlang der Atlantikküste, deren Publikum sich in den letzten Jahren stark verjüngt hat.

Stadtgeschichte

Miami ist erst gut 100 Jahre jung: Im Juli 1896 beschlossen 343 Siedler, eine Stadt zu gründen. Vorausgegangen war der Entschluss des Eisenbahnmagnaten Henry Flagler, die Schienenstränge seiner Florida East Coast Railway von Palm Beach weiter bis nach Miami legen zu lassen. Der verheerende Frosteinbruch im Winter 1894/95, der in Zentralflorida die Orangenernte vernichtet hatte, und die Entscheidung einiger Plantagenbesitzer, neue Pflanzungen weiter im Süden neu aufzubauen, hatten Flagler schließlich überzeugt. Um das Jahr 1900 kaufte ein gewisser John Collins aus New Jersey eine Kokosnuss-Plantage auf der Miami vorgelagerten Barriere-Insel, auf der bald auch Avocados und Mangos gezogen wurden, und begann mit dem Bau einer Brücke zum Festland. Nachdem seine Barmittel 1913 erschöpft waren, trat Carl Fisher, Besitzer des Indianapolis Speedway, auf den Plan, ließ Straßen, Hotels und Golfplätze anlegen und verkaufte Grundstücke an reiche Nordstaatler.

Zu Beginn der 1920er Jahre erlebte Miami einen ersten Bauboom. Die Einwohnerzahl kletterte innerhalb von fünf Jahren von 30 000 auf 100 000. Der fiebrigen Überhitzung des Immobilienmarktes folgte der Crash, ausgelöst durch einen Hurrikan, der 1926 große Teile der Neubausiedlungen und die wackeligen Finanzierungsmodelle einebnete.

Doch schon zu Beginn der 1930er Jahre, während der Weltwirtschaftskrise, entstand im Süden von Miami Beach ein Stadtviertel ganz im Art-déco-Stil, die Häuser mit weichen, fließenden Linien und Stuckfassaden, verziert mit stilisierten Palmen, Flamingos und anderen tropischen Motiven. Der Kriegseintritt der USA 1941 beendete die Urlaubsstimmung abrupt, in die Hotels zogen Soldaten, die sich in Südflorida auf ihren Einsatz vorbereiteten. Zwischen 1945 und 1955 wurden in Miami und Miami Beach mehr Hotels als in den gesamten übrigen USA errichtet. In den repräsentativen Anlagen wie im exklusiven Fontainbleau Hilton unterhielten Frank Sinatra und Bob Hope in den Wintermonaten den Geldadel der amerikanischen Ostküste.

Im Jahr 1959 stürzte Fidel Castro mit seinen Guerilleros das Regime des Diktators Battista und zog siegreich in die kubanische Hauptstadt Havanna ein. Der dadurch ausgelöste und bis heute andauernde Flüchtlingsstrom ließ den Anteil der spanisch sprechenden Bevölkerung plötzlich ansteigen und stellte das soziale Gefüge der Stadt auf eine Belastungsprobe. Schwarze sahen sich durch die Aufmerksamkeit, die den Exilkubanern zuteil wurde, um die Früchte der Bürgerrechtsbewegung betrogen, kubanische und andere karibische Einwanderer konkurrierten zudem mit ihnen meist erfolgreich um die ohnehin nicht gut bezahlten Arbeitsplätze. Immer wieder aufflackernde Rassenunruhen waren die Folge.

Die erfolgsorientierten Kubaner, die teilweise der gut ausgebildeten Mittel- und Oberschicht der Insel entstammten, hatten einen bedeutenden Anteil an der wirtschaftlichen Entwicklung von Miami. Mitte der 1980er Jahre war die Metropole im Südosten von Florida zum wichtigen Finanzplatz und zur Drehscheibe des Handels der USA mit den Ländern Lateinamerikas geworden. Fernsehserien wie »Miami Vice« transportierten das Bild eines durchgestylten, lässigen Urlaubsparadieses verbunden mit einem prickelnden Hauch von Abenteuer weltweit in die Wohnzimmer. Die Zuschauer erfuhren vom Drogenhandel vor allem kolumbianischer Kartelle, die den US-amerikanischen Markt über Miami bedienten und die illegalen Drogengelder mit Investitionen in die örtliche Infrastruktur ›wuschen‹.

Das Wachsen der Drogenszene, die Einwanderung weiterer Flüchtlinge aus Mittelamerika, ohne dass in gleichem Maße Arbeitsplätze geschaffen wurden, und ungelöste soziale Probleme begünstigten ein Klima, in dem sich kriminelle Übergriffe auch gegen ausländische Touristen häuften. Als zwischen 1992 und 1994 auch einige westeuropäische Urlauber Opfer von Gewaltverbrechen wurden, nahm die Zahl der Reisenden drastisch ab.

1st St.
Amtrak
Hialeah Dr.
N. W. 54th St.
Okeechobee Rd.
Curtiss Parkway
Miami Springs Golf Course
HIALEAH
Brownsville
N. W. 22nd Ave.
LIBERTY CITY
Earlington Heights
MIAMI SPRINGS
N. W. 72nd Ave. (Milam Dairy Rd.)
112
N. W. 36th St.
Airport Expressway
Allapattah
N. W. North River Dr.
Miami International Airport
Airport Expressway
N. W. 27th Ave.
Santa Clara
N. W. 12th Ave.
N. W. 20th St.
Civic Center Area
Blue Lagoon Lake
Dolphin Expressway
East-West Expressway
Miami River
836
N. W. 57th Ave. (Red Rd.)
Glide Angle L.
N. Le Jeune Rd.
N. W. 37th Ave.
N. W. 7th St.
Dade County Auditorium
N. W. 17th Ave.
Orange Bowl Stadium
W. Flagler St.
W. Flagler St.
Flagler St.
S. W. 1st St.
41
44
Tamiami Trail (S. W. 8th St.)
Tamiami Trail
41
S. W. 8th St./
Miccosukee Indian Reservation
Granada Blvd.
Le Jeune Rd.
S. W. 27th Ave.
LITTLE HAVANA
9
22nd Ave.
S. W. 17th Ave.
S. W. 12th Ave.
31
S. W. 57th Ave. (Red Rd.)
Vizcaya
Coral Way
Coral Way
Miracle Mile
Coral Way
S. W. 22nd St.
953
S. W. 37th Ave.
11
S. Dixie Hwy.
17
Coconut Grove
S. Miami Ave.
Bird Drive Park
30
Coral Gables Biltmore Golf Course
Le Jeune Rd.
S. W. 40th St.
CORAL GABLES
Douglas Road
45
S. Bayshore Dr.
10
13
S. W. 67th Ave. (Ludlam Rd.)
Douglass Rd.
42
14
Barnacle State Historical Site
University of Miami
1
Main Hwy.
Miller Dr.
S. W. 56th St.
12
Bird Rd.
15
COCONUT GROVE
University
S. Dixie Hwy.
SOUTH MIAMI
Le Jeune Rd.
Ingraham Hwy.
Biscayne Bay
South Miami
(S. W. 72nd St.)
Old Cutler Rd.
40
18
19
20
21
7
8

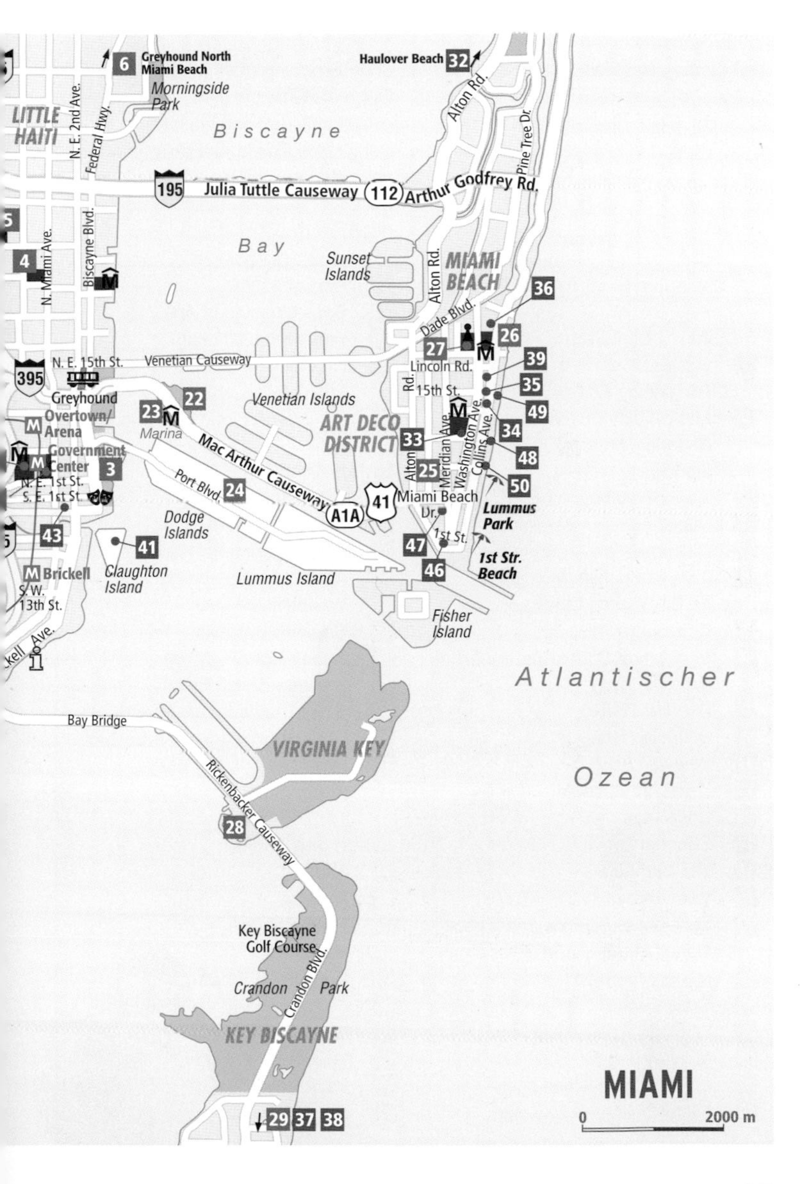
Greyhound North Miami Beach
6
Haulover Beach 32
Morningside Park
LITTLE HAITI
N. E. 2nd Ave.
Federal Hwy.
Biscayne
Alton Rd.
Pine Tree Dr.
195
Julia Tuttle Causeway
112
Arthur Godfrey Rd.
Bay
N. Miami Ave.
Biscayne Blvd.
4
Sunset Islands
Alton Rd.
MIAMI BEACH
36
Dade Blvd.
26
27
39
N. E. 15th St.
Venetian Causeway
Lincoln Rd.
395
15th St.
35
49
Greyhound
22
Venetian Islands
23
Overtown/ Arena
Marina
ART DECO DISTRICT
33
34
Government Center
3
Mac Arthur Causeway
Meridian Ave.
Washington Ave.
Collins Ave.
48
N. E. 1st St.
S. E. 1st St.
Port Blvd.
24
Alton Rd.
25
50
A1A
41
Miami Beach Dr.
Lummus Park
Dodge Islands
43
41
1st St.
47
1st Str. Beach
Brickell
Claughton Island
Lummus Island
46
S. W. 13th St.
Fisher Island
Atlantischer
Ozean
Bay Bridge
VIRGINIA KEY
Rickenbacker Causeway
28
Key Biscayne Golf Course
Crandon Blvd.
Crandon Park
KEY BISCAYNE
MIAMI
0
2000 m
29 37 38

Inzwischen wurden die Sicherheitsmaßnahmen verstärkt, zwielichtige Gestalten in andere Gegenden verscheucht. Doch die Terroranschläge in New York und Washington im September 2001 sowie der Krieg der USA gegen den Irak, verbunden mit einer konjunkturellen Flaute, waren für den Tourismus nach einer zwischenzeitlichen Erholung nicht gerade förderlich. Doch die Urlauber sind – auch angezogen durch den schwachen Dollar – in der letzten Zeit zurückgekommen und genießen erneut die Strände und das mit 24,4 °Celsius im Jahresmittel angenehm warme Klima.

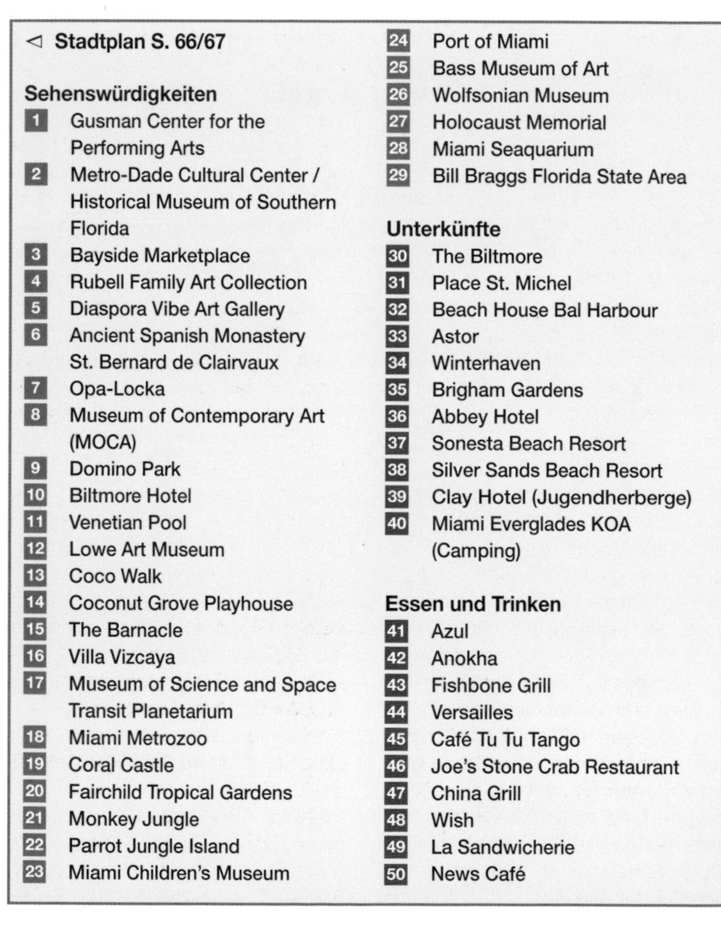

◁ **Stadtplan S. 66/67**

Sehenswürdigkeiten

1 Gusman Center for the Performing Arts
2 Metro-Dade Cultural Center / Historical Museum of Southern Florida
3 Bayside Marketplace
4 Rubell Family Art Collection
5 Diaspora Vibe Art Gallery
6 Ancient Spanish Monastery St. Bernard de Clairvaux
7 Opa-Locka
8 Museum of Contemporary Art (MOCA)
9 Domino Park
10 Biltmore Hotel
11 Venetian Pool
12 Lowe Art Museum
13 Coco Walk
14 Coconut Grove Playhouse
15 The Barnacle
16 Villa Vizcaya
17 Museum of Science and Space Transit Planetarium
18 Miami Metrozoo
19 Coral Castle
20 Fairchild Tropical Gardens
21 Monkey Jungle
22 Parrot Jungle Island
23 Miami Children's Museum
24 Port of Miami
25 Bass Museum of Art
26 Wolfsonian Museum
27 Holocaust Memorial
28 Miami Seaquarium
29 Bill Braggs Florida State Area

Unterkünfte

30 The Biltmore
31 Place St. Michel
32 Beach House Bal Harbour
33 Astor
34 Winterhaven
35 Brigham Gardens
36 Abbey Hotel
37 Sonesta Beach Resort
38 Silver Sands Beach Resort
39 Clay Hotel (Jugendherberge)
40 Miami Everglades KOA (Camping)

Essen und Trinken

41 Azul
42 Anokha
43 Fishbone Grill
44 Versailles
45 Café Tu Tu Tango
46 Joe's Stone Crab Restaurant
47 China Grill
48 Wish
49 La Sandwicherie
50 News Café

Downtown Miami

Um sich in Miami zurechtzufinden, sollte man sich zwei Straßennamen merken. Die Flagler Street trennt die Stadt in einen Nord- und einen Südteil, die Miami Avenue in einen kleineren östlichen und einen größeren westlichen Abschnitt. Die meisten Avenues, Courts und Places verlaufen von Nord nach Süd, Streets und Terraces von Ost nach West. In Miami Beach kann man sich hervorragend an der Collins Avenue orientieren, welche die schmale Insel von Norden nach Süden durchzieht. An der Brickell Avenue südlich vom Miami River beginnt das internationale Bankenviertel mit futuristischen Büropalästen von über 300 multinationalen Unternehmen, die Miami zu einer aufregenden Skyline verholfen haben.

Im **Gusman Center for the Performing Arts** 1, 1925 als Kinopalast für die Paramount Studios an der E. Flagler Street erbaut und mit einem schönen Innenhof ausgestattet, finden heute philharmonische Konzerte und Ballettaufführungen statt. Während des Internationalen Filmfestivals im Februar wird der große Saal wieder als Kino genutzt. Auf der Flagler Street herrscht, zumindest tagsüber, geschäftiges Treiben, für einen Abendspaziergang gibt es allerdings nettere Gegenden.

Die drei in spanischem Stil mit roten Ziegeldächern und Rundbögen errichteten Gebäude des **Metro-Dade Cultural Center** 2 sind um eine Plaza gruppiert, auf deren Bänken sich mittags die Angestellten der umliegenden Büros zum Lunch treffen. In der öffentlichen Bibliothek des Kulturzentrums warten 1,5 Mio. Bücher darauf, kostenlos entliehen zu werden, das Miami Art Museum hat einen ausgezeichneten Ruf als Gastort wechselnder Kunstausstellungen. Im **Historical Museum of Southern Florida** werden die letzten 10 000 Jahre der menschlichen Geschichte von Südflorida mit archäologischen Fundstücken, Dioramen und Fotos lebendig dokumentiert (101 W. Flagler St./First Ave., Mo–Sa 10–17, Do bis 21, So 12–17 Uhr).

Im dem Unterhaltungs- und Einkaufszentrum **Bayside Marketplace** 3 rund um eine dekorative Marina gruppieren sich Bars, Restaurants und allerlei Andenkenläden. Es wird im Norden vom Bicentennial Park, im Süden vom Pepper Bayfront Park eingerahmt.

Wer sich für aktuelle bildende Kunst interessiert, findet zwischen dem North-South Expressway (I-95) und der Biscayne Bay zwei interessante Ausstellungsorte. Die **Rubell Family Art Collection** 4 stellt in dem bunkerartigen, früheren Gebäude der Anti-Drogenbehörde zeitgenössische Kunst von Keith Haring, Paul McCartney und Kunstobjekte, häufig mit sexuellen Bezügen, aus (95 N. W. 29th St., Do–Sa 9–21 Uhr). In der **Diaspora Vibe Art Gallery** 5 in den Räumen einer früheren Bäckerei finden wechselnde (Verkaufs-)Ausstellungen zeitgenössischer Künstler vor allem der lebendigen karibischen Kunstszene statt (561 N. W. 32nd St., Studio 48, Tel. 305-759-1110, Sa–So 13–18, letzter Fr im Monat von Mai–Okt. 19–23 Uhr mit Kulturprogramm und karibischer Küche).

Die Straßen heißen Ali Baba- und Aladdin Avenue oder Sesame Street, die Szenerie ähnelt einer Filmkulisse. Der Flugpionier Glen Curtiss, der im Norden von Miami über Landbesitz verfügte, erfüllte sich in den 1920er Jahren seinen Traum von den Erzählungen aus Tausendundeiner Nacht. In **Opa-Locka** 7 ließ er orientalisch anmutende Märchengebäude errichten. Das Rathaus und die Bahnhofstation, beide mit pastellfarbenen Kuppeln und halbmondgekrönten Minaretten, gehören zu den am besten erhaltenen Fantasiebauten nicht weit vom Opa-Locka Airport.

Im Norden von Miami zeigt das **Museum of Contemporary Art (MOCA)** 8 in großzügigen Räumen zeitgenössische Kunst von Roy Lichtenstein, Claes Oldenburg und anderen Künstlern (770 N.E. 125th St., North Miami, Di–Sa 11–17, So 12–17 Uhr).

Ein 1141 im spanischen Zamora errichtetes Zisterzienserkloster steht nach einer Odyssee um die halbe Welt im Norden Floridas. Der kalifornische Medienzar William Hearst hatte es in den 1920er Jahren für sein Schloss im kalifornischen San Simeon gekauft und

In kleinen Manufakturen werden dicke Havanna-Zigarren gedreht

zerlegen lassen. Lange lagen die Steinquader aus Spanien in New York beim Zoll. Erst nach dem Tod des Pressemagnaten wurde das historische Puzzle schließlich in Florida als **Ancient Monastery St. Bernard de Clairvaux** 6 zusammengesetzt (16711 W. Dixie Hwy., North Miami Beach, Mo–Sa 10–16, So 12–16 Uhr).

Little Havana

Günstige Mieten bewogen die ersten kubanischen Flüchtlinge, sich im Stadtviertel beiderseits der S. W. Eighth Street anzusiedeln, weitere kamen, weil schon andere aus der alten Heimat hier wohnten. Das Zentrum der kubanischen Immigranten wurde bald nur noch Little Havana genannt, die Eighth Street heißt hier **Calle Ocho.** Dabei hat das Wohnviertel entlang der Durchgangsstraße keine Ähnlichkeit mit der kubanischen Hauptstadt. Dennoch hat sich hier eine eigene Welt entwickelt.

Im Máximo Gómez Park an der Ecke von Calle Ocho und 15th Avenue, der bei allen **Domino Park** 9 heißt, kann man Männern über die Schulter sehen, die Schach- und Domino-Partien austragen. Am Cuban Memorial Blvd., Ecke S. W. 13th Ave. und Calle Ocho, erinnert das **Brigade 2506 Memorial** an den 1961 in der Schweinebucht gescheiterten Invasionsversuch von Exilkubanern. In der Calle Ocho befinden sich die Büros militanter Exilorganisationen ebenso wie kubanische und lateinamerikanische Restaurants. In kleinen Manufakturen werden dicke Havanna-Zigarren gedreht. Votiv-Bildchen an Hausaltären künden von der wohltuenden Wirkung heiliger Gebete und Berührungen.

Little Havana ist auch für viele kubanische Familien bereits nostalgische Erinnerung, die meisten Immigranten von der karibischen Insel leben längst in gut situierten Verhältnissen in anderen Vierteln. *YUCAs, Young Upscale Cuban Adults,* die heute wirtschaftlich und politisch in Miami das Sagen haben, wohnen nur noch vereinzelt in dem einstigen Traditionsquartier. Dafür sind Einwanderer aus anderen lateinamerikanischen Staaten nachgezogen, so dass man die einstige kubanische Enklave auch ebensogut Little Bogota, Little Quito oder Little Caracas nennen könnte. Überschäumende Partystimmung herrscht beim Calle Ocho Festival Mitte März, wenn mehr als 1 Mio. Menschen die ausgelassenste Fete des Jahres auf der Hauptstraße von Little Havana feiern.

Zigarren, frisch gerollt

Bei Mike's Cigars gibt's die größte Auswahl an Zigarren aus Mittelamerika, Jamaika – natürlich auch die Hausmarke ›La Gloria Cubana‹ (1030 Kane Concourse/96th St, Bay Harbour Island, Tel. 305-866-2277).

Coral Gables

Die etwa 40 000 Einwohner der selbstständigen Gemeinde Coral Gables leben wie in einem großen Country Club.

George Merrick begann 1921 auf dem Gelände der väterlichen Zitrusplantage, seinen Traum von einer mediterranen Stadtanlage zu verwirklichen. Breite Boulevards, verwinkelt angelegte, von Bäumen, Gärten und Plazas aufgelockerte Wohnstraßen, die nach mediterranen Städten und Regionen benannt sind, schaffen eine entspannte Atmosphäre, die sich angenehm von dem sonst strengen Schachbrettmuster amerikanischer Städte abhebt.

Kleine Siedlungen im Stil chinesischer, französischer oder holländisch-kolonialer Architektur sind in die Anlage eingefügt. Schon von weitem erkennt man das monumentale **Biltmore Hotel** 10 mit 90 m hohem Turm, der an die Giralda, das Wahrzeichen des andalusischen Sevilla, erinnern soll. In einem ehemaligen Steinbruch ist der **Venetian Pool** 11 eingerichtet, eine öffentliche, von einer natürlichen Quelle gespeiste Bade-Anlage mit verspielten Brücken und einem plätschernden Wasserfall (2701 De Soto Blvd., Coral Gables, im Winter Di–Fr 11–16.30, Sa, So 10–16.30, April, Mai bis 17.30, im Sommer Di–Fr bis 19.30 Uhr).

Der von Arkaden und Geschäften gesäumte Coral Way, die N. W. 22nd Street, zieht sich von Ost nach West durch The Gables. Als Wohnviertel und Sitz vieler internationaler Unternehmen ist der von Golfanlagen zusätzlich begrünte Stadtteil beliebt. Das **Lowe Art Museum** 12 auf dem Campus der Universität präsentiert eine Gemäldesammlung – Renaissance und Barock – sowie indianische Kunst (1301 Stanford Dr., Coral Gables, Di–Sa 10–17, So 12–17 Uhr).

Das Biltmore, eines der Luxushotels in Miami

Coconut Grove

Schon früh lockte die Siedlung Coconut Grove schräge Typen, Künstler, und Menschen unterschiedlicher Herkunft an. Das ausgelassene bahamische Goombay Festival im Juni mit der hypnotischen Musik von Trommeln, Glocken und Trillerpfeifen der Junkanoo Bands zieht Zehntausende in seinen Bann. In den 1960er Jahren fühlten sich die Hippies im The Grove zu Hause, später konnte man auch radikale politische Töne vernehmen. Heute geben *trendy people* den Ton an.

Im **CocoWalk** 13, einem kleinen Einkaufs- und Veranstaltungszentrum mit Kneipen, Cafés und Restaurants, kann man Mode und modischen Schnickschnack von morgen erstehen. Da die Mieten drastisch geklettert sind, mussten einige der weniger gut verdienenden Querdenker in preisgünstigere Wohngegenden ausweichen. Das **Coconut Grove Playhouse** 14 ist geblieben. Im Jahre 1926 als Kino eröffnet und als Sprechbühne etabliert, gehört die Spielstätte heute zu den renommiertesten Theatern in Florida.

Die ersten weißen Siedler hatten sich bereits 1834 hier an der Biscayne Bay niedergelassen. Commodore Ralph Middleton Munroe aus New York erbaute sein gut durchdachtes Haus **The Barnacle** 15 1891, ganz ohne Klimaanlage (3485 Main Hwy., Coconut Grove, Fr–So 9–16 Uhr). **Villa Vizcaya** 16 (baskisch: hoch gelegener Platz) nannte der Landmaschinenfabrikant James Deering seinen im Stil der italienischen Renaissance erbauten Palast an der South Miami Avenue. Mehr als 1000 Arbeiter und Künstler, damals etwa 10 % der Stadtbevölkerung von Miami, errichteten 1912–16 die Villa mit 70 Zimmern und den weitläufigen Gärten, die sich zur Biscayne Bay hin öffnen. Die Hälfte des Anwesens ist heute als Museum für dekorative Kunst der Renaissance, des Barock, des Rokoko und der Neoklassik eingerichtet. Modefotografen aus aller Welt schätzen die Kulisse für ihre Aufnahmen (3251 S. Miami Ave., Coconut Grove, tgl. 9–17 Uhr).

Schräg gegenüber, im **Museum of Science and Space Transit Planetarium** 17, locken naturwissenschaftliche Experimente nicht nur Jugendliche zum Mitmachen. Multimedia-, Laser- und Sternenshows im angeschlossenen Planetarium finden am Wochenende ihr Publikum (3280 S. Miami Ave., tgl. 10–18 Uhr).

Das ausgedehnte Wohngebiet von Miami South zieht sich beiderseits des Florida Turnpike fast bis nach Homestead. Am Coral Reef Drive, nur 400 m westlich dieser Autobahn, dehnen sich die naturnah gestalteten Landschaften des **Miami Metrozoo** 18 aus, in denen die Tiere nur selten in Gitterkäfigen leben. Star am Asian River Life sind weiße Bengaltiger. Fußmüde können mit der Monorail auf einer 3,2 km langen Rundstrecke über die vier Kontinente des 118 ha großen Zoos schweben (12400 S. W. 152nd St., Kendall, tgl. 9.30–17.30 Uhr).

Coral Castle 19, das abweisende Bollwerk aus Kalkstein nördlich von Homestead, ist schon eine skurrile Sache. Der liebeskranke, von seiner Verlobten verlassene lettische Einwanderer Edward Leedskalnin arbeitete von 1925 an 15 Jahre lang an seiner Felsenburg und bewegte in dieser Zeit mehr als 1000 t Gestein, allerdings ohne seine Geliebte zurückzugewinnen (28655 Rte. 1, tgl. 9–18 Uhr).

Fairchild Tropical Gardens 20 ist nicht nur der größte, sondern auch einer der schönsten botanischen Gärten der USA. Etwa 5000 tropische und subtropische Pflanzen wachsen entlang der Wanderwege oder der Tram-Rundstrecke, die 3 km durch das Gelände an der Biscayne Bay führt (10901 Old Cutler Rd., am Matheson Hammock Park, tgl. 9.30–16.30 Uhr).

Der **Monkey Jungle** 21**,** 22 Meilen südwestlich von Miami, wurde 1933 zum Studium der Verhaltensweisen von Primaten gegründet. Geldmangel zwang die Betreiber bald, Zuschauern gegen Eintritt die Besichtigung der Affen zu gestatten. Da die Tiere nicht in Käfige gesperrt werden sollten, kam man auf die Idee, die Menschen in vergitterten Gängen durch den Dschungel zu führen (14805 S. W. 216th St., tgl. 9.30–17 Uhr).

Miami Beach

Florida-Atlas: S. 239, F2

Wer vom Festland in den Süden von Miami Beach fahren will, nutzt meist den MacArthur Causeway über die Biscayne Bay. In **Parrot Jungle Island** 22 auf Watson Island leben mehr als 1000 Papageien und andere tropische Tiere in einer Dschungellandschaft. Besucher können sie bei ungewöhnlichen Aktivitäten wie Seilspringen, Pokerspielen und Fahrradfahren beobachten (1111 Parrot Jungle Trail, tgl. 10–18 Uhr).

Der südliche Teil der Insel gehört den Kindern, hier hat das **Miami Children's Museum** 23 mit Dutzenden interaktiver Experimente und Szenarien für alle Altergruppen seinen Platz (920 McArthur Causeway, tgl. 10–18 Uhr). Rechter

Aus den 1930er Jahren – das Colony

Hand liegt der Kreuzfahrthafen **Port of Miami** 24. An zwölf Landungsbrücken nehmen Kreuzfahrtlinien ihre Passagiere für die *Fun Cruises* in die Karibik auf.

Um auf **Fisher Island** südlich von Miami Beach zu gelangen, muss man schon ein Boot benutzen und eine Einladung vorweisen können. Das frühere Refugium von William K. Vanderbilt ist heute eine exklusive Enklave für Millionäre.

Art Deco District

Mitte Januar werden die Zimmer knapp. Das dreitägige Miami Beach Art Deco Weekend Festival steht im Zeichen der 1930er Jahre, als diejenigen, die der rauen Wirklichkeit der Weltwirtschaftskrise entfliehen konnten, in den neu erbauten Art-déco-Hotels ausgelassene Parties feierten. Im SoBe genannten Süd-Miami-Beach zwischen der 5th und der 23th Street sind etwa

ART-DÉCO IN MIAMI BEACH – ARCHITEKTUR DES SCHÖNEN SCHEINS

Ganz South Beach schwelgt in Pastell: Die Fassaden erstrahlen in Himmelblau, Pfirsich und Pistazie. Appetitlich wie kremige Hochzeitstorten verströmen die mehr als 600 denkmalgeschützten Gebäude entlang der Flaniermeilen von Miami Beach das Flair von Luxus und Vergnügen. Wer kennt sie nicht als Kulissen für Film- und Modeaufnahmen, die Häuser mit sanft geschwungenen Linien wie aus Speise-Eis. Stilisierte Orchideen, Flamingos und Nymphen erwecken Erinnerungen an trägen Urlaubsgenuss. Nirgendwo sonst in den USA drängen sich so viele Art-déco-Bauten wie in der Gegend um den Ocean Drive, die Collins Avenue und den Espanola Way, nirgendwo sonst hat sich ein Baustil in einer amerikanischen Großstadt so vollständig erhalten wie hier.

SoBe, wie Einheimische das Viertel South Beach nennen, gehört zu den ›hipsten‹ Stadtvierteln in den USA und zu den großen Touristenattraktionen von Miami Beach. Noch Mitte der 1980er Jahre war dieser südliche Teil der Stadt eine heruntergekommene Gegend für mittellose Rentner, wurde von Flüchtlingen und Auswanderern aus Lateinamerika bevölkert, die eine billige Unterkunft suchten, machten sich Crack-Junkies und ihre Dealer breit.

Der Zahn der Zeit nagte an den Gebäuden, die in den 1930er und 1940er Jahren – inmitten der Wirtschaftskrise – in Windeseile in die Höhe gezogen worden waren. Nicht nur die Farbe blätterte ab, auch die Häuser verfielen. Sie waren fürs Auge gebaut, nicht für die Ewigkeit.

An der Pariser Ausstellung »Exposition Internationale des Arts Décoratifs et Industriels Modernes« von 1925 nahmen zahlreiche New Yorker Architekten teil, um sich über die aktuelle Kunstszene, über Architektur und Industriedesign in Europa zu informieren. Ihre Eindrücke prägten einen modern wirkenden amerikanischen Baustil, der schnell den Namen Art déco erhielt. Paradebeispiel für ein Hochhaus aus jener Zeit ist das Chrysler Building in New York. Bauhaus, Werkbund, Wiener Werkstätten und die niederländische Stijl-Bewegung standen dafür ebenso Pate wie der Jugendstil um 1900.

Unterschiedliche Stilelemente werden mit spielerischer Leichtigkeit kombiniert. An den Türen ranken Trauben aus Putz, daneben wachsen Melonenreliefs, und über den Fenstern haben die Architekten Simse – wie Schatten spendende Augenbrauen – angebracht. Auffällig sind die architektonischen Referenzen an den Schiffbau: Die Gebäudekanten sind abgerundet wie auf einem Luxusliner, Aufzugsschächte sehen aus wie Schornsteine, die wie Sonnendecks angelegten Balkone werden von einer Art Reling begrenzt, neben den Eingangstüren im Erdgeschoss öffnen sich Bullaugen. Andere Gebäude wiederum erinnern mit ihren stromlinienförmigen Chrom- und Neonlichtleisten an Wurlitzer Jukeboxes, amerikanische

Art-déco-Bauten am Ocean Drive im Viertel South Beach

Straßenkreuzer oder an Flugzeuge und versuchen so, das Streben nach Geschwindigkeit und Dynamik zu vergegenständlichen.

Als nach dem Ende des Zweiten Weltkriegs der Fremdenverkehrsboom einsetzte, gehörte Art déco bereits zur Architekturgeschichte. Überall in Florida schossen moderne Hotels und Apartmenthäuser aus dem Boden. Immer größer und höher sollten die Bettenburgen sein, um dem Ansturm der Urlauber standzuhalten. Von Norden wucherten die Hochhausanlagen auf das ›alte‹ Miami Beach zu, dessen Häuser langsam verfielen.

Der Plan der Grundstücksspekulanten war einfach: Die drei- und vierstöckigen Art-déco-Häuser sollten durch doppelt und dreifach so hohe Apartmentklötze ersetzt werden. Doch als die ersten Gebäude abgerissen wurden, regte sich Widerstand. In einer Bürgerinitiative *Miami Design Preservation League – MDPL* – verteidigten prominente Künstler, Galeristen und ›normale‹ Bürger ihren Stadtteil gegen die Kapitalanleger. In ihrem Schlepptau zogen Modedesigner, Fotografen und andere Trendsetter in die Gegend zwischen 6th und 23rd Street und verwandelten den maroden Stadtteil in ein belebtes Viertel mit Cafés, Restaurants und Hotels. Von 1980 bis 1990 sank der Altersdurchschnitt der rund 95 000 Einwohner von Miami Beach von 67 auf fast jugendliche 44 Jahre. Wo die Alten, die Flüchtlinge und die Junkies geblieben sind, fragt heute jedoch kaum mehr einer.

Art Deco Welcome Center: 1001 Ocean Dr., Miami Beach, Tel. 305-672-2014. Das Zentrum ist auch Ausgangspunkt für verschiedene Touren durch das Viertel.

800 Gebäude im Art-déco-Stil erhalten und – großenteils renoviert (s. S. 76) – eine echte Publikumsattraktion.

Am Ocean Drive, an der Collins Avenue und der Washington Avenue findet man durchgestylte Hotels. Dort wechseln sich ultra-trendy *nightspots* mit einigen der besten Restaurants von Südostflorida ab. Die Szene fühlt sich in ihrem kleinen Kosmos am Ocean Boulevard wichtig und wohl, in den zahlreichen Straßencafés, in denen bis spät in die Nacht Hochbetrieb herrscht, kommt es vor allem darauf an, zu sehen und gesehen zu werden, an der Strandpromenade vergnügen sich Inline-Skater aller Altersgruppen.

Miami Beach ist nicht allein Strandvorort von Miami, sondern hat eine eigene Infrastruktur mit Einkaufsstraßen, Theatern, Museen und einem Kongresszentrum. Die Zahl der 100 000 ständigen Bewohner wird manchmal von Urlaubern deutlich in den Schatten gestellt. Über den neuen Glanz des Art-déco-Viertels ist der Distrikt nördlich der 23rd Street etwas ins Hintertreffen geraten. Auch hier wurden viele Hotel- und Apartmentanlagen einer Komplettrenovierung unterzogen.

In der Lincoln Road Mall zeigen einige Galerien Arbeiten floridianischer Künstler. Das **Bass Museum of Art** 25 in dem eleganten Art-déco-Bau der früheren öffentlichen Bücherei untergebracht, gehört zu den bedeutendsten Gemäldesammlungen der Region mit einer Spanne vom europäischen Mittelalter, Barock, Rokoko und der Renaissance bis zu zeitgenössischer

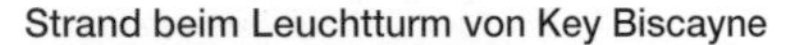
Strand beim Leuchtturm von Key Biscayne

amerikanischer Malerei (2121 Park Ave., Di–Sa 10–17, zweiter und vierter Mi im Monat 13–21, So 13–17 Uhr).

Unbedingt einen Besuch wert ist das zur Florida International University gehörende **Wolfsonian Museum** 26, das sich der Wechselwirkung von Design und Propaganda verschrieben hat. Mitchel Wolfson jr., Erbe eines großen Vermögens, hat auf Reisen in alle Welt Kunst und Gebrauchsgegenstände des ausgehenden 19. Jh. und der ersten Hälfte des 20. Jh. gesammelt, die der Beeinflussung des öffentlichen Bewusstseins dienten. Nicht nur Symbole und Strategien der deutschen und italienischen Faschisten, auf die man heute oft den Begriff Propaganda reduziert, werden in ihren historischen Bezügen erläutert. Auch Design-Gebrauchsgegenstände und Nippes spiegeln gesellschaftliche Entwicklungen und den ›Zeitgeist‹ wider (1001 Washington Ave., Mo–Fr 13–17 Uhr).

Das **Holocaust Memorial** 27 erinnert an die 6 Mio. jüdischen Opfer der faschistischen Gewaltherrschaft in Deutschland zwischen 1933 und 1945. Ein etwa 12 m großer ausgestreckter Arm aus Bronze, an dem die Opfer hochzuklettern versuchen, bildet den Mittelpunkt der eindrucksvollen Anlage (1933–45 Meridian Ave./Dade Blvd., tgl. 9–21 Uhr).

Key Biscayne

Florida-Atlas: S. 239, E2

Vom Rickenbacker Causeway, einer Brücke zur Miami vorgelagerten Insel Key Biscayne, hat man einen der schönsten Ausblicke auf die funkelnde Skyline der Metropole. Hobie Beach heißt der bei Windsurfern, die in der Biscayne Bay ideale Bedingungen finden, beliebte Strand, den man wie auch die populären Bade- und Picknickplätze am Causeway schnell passiert hat. Auf **Virginia Key,** die man vom Festland als erste Insel erreicht, lächelt ein bekanntes Gesicht von den *Billboards,* den riesigen Reklametafeln am Straßenrand. Große Teile der Fernsehserie »Flipper« mit dem mutigen, edlen, allzu menschlichen Delphin wurden im **Miami-Seaquarium** 28 auf Virginia Key gedreht. Über Show-Attraktionen des altmodischen Marineparks mit Lolita dem Orcawal hinaus werden die Ökosysteme der Meere erläutert. In einem riesigen Tank leben Tiere und Pflanzen in tropischen Korallenriffen, verletzte Manatees werden in einem besonderen Bassin wieder aufgepäppelt (4400 Rickenbacker Causeway, Virginia Key, tgl. 9.30 Uhr bis Sonnenuntergang).

Wer eine weitere Brücke überquert, befindet sich auf der Insel, welche die Tequesta-Indianer Bischiyano – Lieblingsweg des aufgehenden Mondes – nannten. Durch den Crandon und den Calusa Park im Nordteil der Insel und vorbei an Golf- und Tennisanlagen führt

Strand

Der Strand der Bill Braggs Cape Florida Recreation Area beim Leuchtturm von Key Biscayne ist einer der schönsten der südlichen Atlantikküste.

der Crandon Boulevard nach Süden in die **Bill Baggs Cape Florida State Recreation Area** 29. Wer die 122 Stufen des 1825 aus Ziegelsteinen erbauten Cape Florida Lighthouse bis zur Aussichtsplattform erklommen hat, kann weit über die Insel bis nach Miami hinübersehen.

Greater Miami Convention & Visitors Bureau: 701 Brickell Ave., Suite 700, Miami, FL 33131, Tel. 305-539-3000, Fax 305-530-3113, www.tropicool miami.com.
Miami Beach Chamber of Commerce: 1920 Meridian Ave., Miami Beach, FL 33139, Tel. 305-672-1270, Fax 305-538-4336.
Art Deco District Welcome Center: Oceanfront Auditorium, 1001 Ocean Dr., Tel. 305-531-3484.

The Biltmore 30: 1200 Anastasia Ave., Coral Gables, Tel. 305-445-1926, Fax 305-448-9976, www.biltmore hotel.com. Grand-Hotel mit riesiger Poolanlage, 280 Zi. und Suiten, ab 260 $.
Place St. Michel 31: 162 Alcazar Ave./LeJeune Rd., Coral Gables, Tel. 305-444-1666, Fax 305-529-0074, www.hotel placestmichel.com. Stadthotel mit dem Charme der 30er Jahre, 27 Zi. und Suiten, ab 125 $, inkl. Frühstück.
Beach House Bal Harbour 32: 9449 Collins Ave., Miami Beach, Tel. 305-535-8606, Fax 305-535-8602, www.rubellhotels.com. Gepflegte Resortanlage mit eigenem Strand, 170 Zi. und Suiten, ab 180 $.
Astor 33: 956 Washington Ave., Miami Beach, Tel. 305-531-8081, Fax 305-531-3193, www.hotelastor.com. Art-déco-Hotel mit trendigem Restaurant Metro-Kitchen und ultraschicker Bar, 40 Zi. ab 145 $.
Winterhaven 34: 1400 Ocean Dr., Miami Beach, Tel. 305-531-5571, Fax 305-538-6387, www.winterhavenhotelsobe.com. Mitten im Art-déco-Viertel, aufwändig renoviert, 71 Zi. ab 140 $.
Brigham Gardens 35: 1411 Collins Ave., Miami Beach, Tel. 305-531-1331, Fax 305-538-9898, www.brighamgardens.com. Freundliche Apartmentpension in tropischem Garten mit individuell eingerichteten Zimmern und kleinem Frühstück, Strandnähe, 23 Zi. mit Kochecke ab 70 $.
Abbey Hotel 36: 300 21st St., Miami Beach, Tel. 305-531-0031, Fax 305-672-1663, www.abbeyhotel.com. Sorgfältig restauriertes Art-déco-Hotel ein Block vom Strand, 50 Zi. ab 80 $.
Sonesta Beach Resort 37: 350 Ocean Dr., Key Biscayne, Tel. 305-361-2021, Fax 305-361-3096, www.sonesta.com. Elegante Hotelanlage am breiten Sandstrand, 292 Zimmer und Suiten, 175–1000 $.
Silver Sands Beach Resort 38: 301 Ocean Dr., Key Biscayne, Tel. 305-361-5441, Fax 305-361-5477. 56 einfache, ordentliche Zimmer am Strand, Suiten mit Küche, ab 129 $.
Jugendherberge:
Clay Hotel 39: 1438 Washington Ave., Miami Beach, Tel. 305-534-988, Fax 305-673-0346, www.clayhotel.com. Miamis einzige Jugendherberge liegt im Art-déco-Viertel von Miami Beach, 200 Betten, Schlafsaal ab 18 $.
Camping:
Miami/Everglades KOA 40: 20675 S.W. 162nd Ave., Miami, Tel. 305-233-5300, Fax 305-252-9027, www.koa.com. Gut ausgestatteter Campground nicht weit vom Monkey Jungle.

Azul 41: 500 Brickell Key Dr., Miami, Tel. 305-913-8254, Mo–Fr 12–15, 19–23, Sa 19–23 Uhr. Gourmettempel im Mandarin Oriental Hotel, mit Global Fusion Küche, Hauptgericht ab 24 $.
Anokha 42: 3195 Commodore Plaza, Coconut Grove, Miami, Tel. 786-552-1030,

Di–So 11.30–22.30. Indische Köstlichkeiten, Gerichte ab 10 $.

Fishbone Grille 43: 650 S. Miami Ave, Miami, Tel. 305-530-1915, Mo–Fr 11.30–16, Mo–Do 17.30–22, Fr–Sa 17.30–23 Uhr. Bestens zubereitete Fischgerichte, hingehen und genießen, Hauptgericht ab 8 $.

Versailles 44: 3555 8th St., Little Havana, Miami, Tel. 305-444-0240, Mo–Do 8–2, Fr bis 3, Sa bis 4.30, So 9–1 Uhr. Herzhafte kubanische Gerichte in der Calle Ocho, Gerichte ab 5 $.

Café Tu Tu Tango 45: 3015 Grand Ave., Coconut Grove, Miami, Tel. 305-529-2222, So–Mi 11.30–1, Fr–Sa 11.30–2 Uhr. Schrilles Interieur, große Auswahl an kleinen Speisen und viele Leute zum Gucken, Tapas ab 3 $.

Joe's Stone Crab Restaurant 46: 11 Washington Ave., Miami Beach, Tel. 305-673-0365, tgl. 11.30–14.30 Uhr, ohne Reservierung, bis 2 Std. Wartezeit. Sehr beliebt bei allen, die in der Wintersaison (Mitte Okt.–Mitte Mai) Appetit auf die leckeren Scheren der Steinkrebse haben, Schale mit Steinkrebsscheren ca. 63 $.

China Grill 47: 404 Washington Ave., Miami Beach, Tel. 305-534-8266, Mo–Do 11.45–24, Fr 11.45–1, Sa 18–1, So 18–24 Uhr. Innovative asiatische Küche mit großen Portionen, auch zum Teilen, Hauptgericht ab 25 $.

Wish 48: 801 Collins Ave., im The Hotel, Miami Beach, Tel. 305-531-2222, tgl. 12–15, 18–24 Uhr. Kreativer Stilmix aus brasilianischer und französischer Küche, Hauptgerichte ab 16 $.

La Sandwicherie 49: 229 14th St., Miami Beach, Tel. 305-532-2211, tgl. 9–5 Uhr. Sandwiches auch zum Mitnehmen, vermeiden Sie die Rush-Hour um 12 und um 15 Uhr, Sandwiches ab 6 $.

News Café 50: 800 Ocean Dr., Miami Beach, Tel. 305-538-6397. Frühstück gibt es rund um die Uhr, dazu internationale Zeitungen, Kleinigkeiten ab 5 $.

Fashion District entlang der N.W. 5th Ave. zwischen der 24th und der 29th St. mit Designer-Mode im Sonderangebot. Wer ›In‹-Sachen erstehen will schlendert an den Auslagen des Coco Walk, 3015 Grand Ave., in **Coconut Grove** entlang.

Books & Books: 265 Aragon Ave., Coral Gables, tgl. 9–23 Uhr. Der beste Buchladen der Stadt.

Dadeland Mall: 7535 N. Kendall Dr., am südlichen Stadtrand von Miami. Mit 175 Geschäften und 17 Restaurants das größte Einkaufszentrum von Miami.

Am Espanola Way von **Miami Beach** kann man in Antiquitätenläden und Art-déco-Geschäften stöbern; im Florida Art Center, 924 Lincoln Mall, gibt es schöne Drucke und Skulpturen; die Filiale von Books and Books, 933 Lincoln Rd., ist der beste Buchladen von Miami Beach.

Club Space: 142 N.E. 11St., nur am Wochenende geöffnet. Trend-Disco im Warehouse Stil und mit Einlasskontrolle.

Monty's in the Grove: 2250 S. Bayshore Dr., Coconut Grove. Karibische Atmosphäre, Calypso- und Reggae Bands und DJ, viele Biersorten und Cocktails.

Tobacco Road: 626 S. Miami Ave. Besteht seit 1912, am Wochenende spielen Blues-Bands.

Automatic Slims: 1216 Washington Ave., Miami Beach. Angesagte Bar, moderate Preise, Rock vom Feinsten.

crobar: 1445 Washington Ave., Miami Beach. Angesagter Gay Dance Club im High-Tech-Look.

Mango's Tropical Café: 900 Ocean Dr., Miami Beach. Stets überfüllter Latino Club mit exzellenter Live Musik.

Dade County Auditorium: 2901 W. Flagler St., Tel. 305-545-3395, Spielstätte der Miami Oper, des Miami

City Ballet und der klassischen Konzertreihe der *Prestige Series.*
Gusman Center for the Performing Arts: 174 E. Flagler St., Tel. 305-374-2444. Spielstätte der Florida Philharmony, ehemals ein großer Kinopalast mit 1700 Plätzen.
Coconut Grove Playhouse: 3500 Main Highway, Tel. 305-442-4000. Hervorragendes Ensemble im Traditionstheater in Coconut Grove.
Lincoln Theatre: 555 Lincoln Rd., Miami Beach, Tel. 305-673-3331. Aufführungsort der New World Symphony.
Miami City Ballet: Ophelia & Juan Jr. Roca Center, 2200 Liberty Ave., Miami Beach, Tel. 305-929-7000. Exzellentes Tanztheater, Sept. bis April.

Orange Bowl Classic: im ProPlayer Stadium, Lake Lucerne, Tel. 305-371-4600. Finale der beiden besten College Football Teams, am 1. Januar.
Royal Caribbean Golf Classic: Crandon Park Golf Course, Key Biscayne, Tel. 305-374-6180. Hoch dekoriertes Pro-Turnier Ende Januar.
Art Deco Weekend: Mitte bis Ende Januar, Miami Beach, Tel. 305-672-2014.
Miami Film Festival: in der ersten Februarhälfte, Tel. 305-377-3456. Schwerpunkt Lateinamerika.
Winter Party: im März, Tel. 305-538-5908, Miami Beach. Party-Wochenende von Gays aus den gesamten USA.
Calle Ocho Festival: Little Havana, Tel. 305-644-8888. Überschäumende Stimmung, 10 Tage lang im März.
Coconut Grove Goombay Festival: Tel. 305-372-9966. Bahamischer Karneval im Juni.
Columbus Day Regatta: Key Biscayne, Segelregatta mit Superfete in Adams und Eva-Kostümen auf der Sandbank in der Bay, im Oktober.
Miami Bookfair: Tel. 305-237-3258. Riesige Buchmesse mit Lesungen prominenter Literaten Mitte November.
White Party Week: Tel. 305-667-9296, www.whitepartyweek.com, Benefiz-Veranstaltungswoche gegen AIDS in der Villa Vizcaya, um Thanksgiving im November.
Florida Marlins Baseball: ProPlayer Stadium, Lake Lucerne, Tel. 305-626-7400, www.marlins.mlb.com.
Miami Dolphins Football: ProPlayer Stadium, Lake Lucerne, Tel. 305-620-2578, www.miamidolphins.com.
Miami Heat NBA Basketball: American Airlines Arena, 601 Biscayne Blvd., Tel. 786-777-4328, www.nba.com/heat.

Art Deco District Welcome Center: Ocean Drive. Ganzjährig Führungen zu Fuß und mit dem Fahrrad durch das Art-déco-Viertel von Miami Beach.
Der **First Street Beach** im Süden von Miami Beach gilt als Eldorado der Windsurfer, der Strand beim **Lummus Park** wird vom Art-déco-Viertel begrenzt, der Sandstreifen an der 21st St. gilt als Treffpunkt der Schwulen und der ›Oben ohne‹-Badenden, die lang gezogene Dünung bei **Haulover Beach,** 10800 Collins Ave., lockt Wellenreiter mit ihren Surfbrettern.

Bus: Die vollautomatische Metromover-Hochbahn verkehrt in der Innenstadt, die Metrorail hält an 21 Stationen zwischen Hialeah und Kendall, der Metrobus operiert auf 63 Routen in der Stadt und zu den Vororten (Metro-Dade Transit Agency, Tel. 305-770-3131, www.miami-dade.fl.us/mdta).
Taxi: Metro (Tel. 305-888-8888) und Yello (Tel. 305-444-4444) gehören zu den größeren Taxiunternehmen.
Mietwagen: Alle bekannten nationalen und internationalen Mietwagenunternehmen sind am Flughafen vertreten und fahren ihre Kunden mit Shuttle-Bussen direkt zur Wagenübernahme.

DIE SÜDLICHE ATLANTIKKÜSTE

Die Gold- und die Treasure Coast präsentieren sich als Mischung von exklusiven Seebädern und Strandorten für Familien. Zwischen Miami und Fort Lauderdale liegen einige kleinere Badeorte an der Küste, deren größte Attraktion die Atlantik-Strände sind; Boca Raton und Palm Beach umgibt ein Hauch von Exklusivität. Südlich des Lake Okeechobee erstrecken sich ausgedehnte Zuckerrohr- und Gemüsefelder.

Die Gold Coast

Florida-Atlas: S. 239, F2

Zwei Männer verwandelten innerhalb von 20 Jahren Sand und Sonne in Gold und Geld. Entlang der Schneise, die Henry Flaglers Eisenbahnlinie von St. Augustine nach Palm Beach um die Wende zum 20. Jh schlug, kamen die ersten Urlauber ins südliche Florida. Die Hotelbauten im ›Mediterranean Style‹, einem vom Mode-Architekten und Spekulanten Addison Mizner ersonnenen gotisch-maurisch-spanisch-italienischen Stilmix, prägten den Geschmack der Zeit. Sie bescherten ihrem Schöpfer traumhafte Gewinne und einen bevorzugten Platz auf den Gästelisten der High Society – zumindest bis zum großen Börsenkrach von 1929.

Die Bewohner von **Surfside** und **Bal Harbour** halten ihre Wohngegend für exklusiver als Miami Beach im Süden. Das kleine Städtchen ist schon lange als Urlaubsort europäischer Touristen beliebt. In Bal Harbour wird man einen öffentlichen Strandzugang vergeblich suchen. Private Apartmentanlagen und Strandhotels haben zwischen ihren Grundstücken keine Lücke gelassen. Die Bal Harbour Shops, internationale Designer-Läden, ziehen eine mit Gold und Platin Card ausgestattete Klientel an.

Das herausragende Bauwerk von **Newport Beach,** der lange Fishing Pier, wurde von Hurrikans bereits dreimal weggefegt, zur Freude der Angler und Pelikane aber jedesmal wieder aufgebaut. Segler und Windsurfer wissen die Wellen und Winde vor der Küste zu schätzen.

Der 8 km lange, von Palmen gesäumte Strand ist der größte Stolz des über 100 000 Einwohner zählenden **Hollywood.** Bei Fußgängern, Bikern und Inline-Skatern gleichermaßen beliebt ist die Boardwalk genannte Promenade. Alljährlich erinnert Mitte Feb. der Hollywood Seminole Tribal Fair and Rodeo mit einer großen Ausstellung zur indianischen Kultur und Lebensweise daran, dass es in Hollywood eine kleine Reservation der Seminolen-Indianer gibt. Im Seminole Indian Village wird Kunsthandwerk verkauft, in der unvermeidlichen Bingo- Halle versuchen viele Hausfrauen ihr Glück.

Greater Hollywood Chamber of Commerce: 4000 Hollywood Blvd., Suite 265, Hollywood, FL 33022, Tel. 954-923-4000, Fax 954-923-8737.

Sea Downs: 2900 N. Surf Rd., Hollywood, Tel. 954-923-4968, Fax 954-923-8747. Originelles, sauberes Hotel im Stil der 1950er Jahre, direkt am Strand, DZ ab 50 $.
Greenbriar Beach Club: 1900 S. Surf Rd., Hollywood, Tel. 954-922-2606, Fax 954-923-0897, www.greenbriarbc.com. Strandhotel mit gut ausgestatteten Zimmern und Studios, DZ ab 85 $.

Bal Harbour Shops: 97th St. Edel-Einkaufspassage.

Fort Lauderdale

Florida-Atlas: S. 239, F2
Vom Fort, das Major William Lauderdale im Auftrag der US-Army 1838 für den Zweiten Seminolen-Krieg erbauen ließ, blieb nichts erhalten. Heute kommen überwiegend Familien und junge Paare nach Fort Lauderdale, die gepflegte Strände, gute Restaurants und das gediegene abendliche Unterhaltungsprogramm schätzen. Zudem hat die Stadt ihren Ruf als Gay-freundliche Urlaubsdestination festigen können. Noch vor 30 Jahren war das ›Liquordale‹ etikettierte Strandbad beliebtes Ziel Tausender Studenten während des *Spring Break,* der Semesterferien im Frühjahr, die hier ihren Studienfrust bei einer mehrwöchigen Beachparty zu vergessen versuchten.

Insgesamt 40 000 Privatboote sind in Fort Lauderdale registriert; sie haben der Stadt mit knapp 500 km befahrbarer Kanäle zu dem schmeichelhaften Beinamen ›Venedig von Amerika‹ verholfen. Die »Jungle Queen«, ein Ausflugsschiff im Stil alter Mississippi-Dampfer, startet vom Bahia Mar Yachtcenter zu Ausflugsfahrten entlang der Millionaires Row auf dem New River und zeigt die ansonsten verborgenen Villen und Grundstücke von der Wasserseite.

Von **Port Everglades,** dem zweitgrößten Kreuzfahrthafen in Florida, legen die *Cruise Liner* zu Fahrten auf die Bahamas und in die Karibik ab. Etwas weiter nördlich am New River befinden sich einige interessante Museen. Das moderne **Museum of Art** ist vor allem wegen seiner Sammlung von Arbeiten der europäischen CoBrA Schule (Copenhagen-Brüssel-Amsterdam) bekannt, die 1948 vom dänischen Maler Asger Jørn begründet wurde. Daneben zeigt es präkolumbische Kunst sowie Malerei des 20. Jh. (1 Las Olas Ave., Mi–Sa 10–17, So 12–17 Uhr). Im **Museum of Discovery and Science** können Kinder die Tiere in naturgetreuen Landschaften beobachten, Experimente durchführen sowie Zeitreisen in Vergangenheit und Zukunft unternehmen (401 S. W. 2nd St., Mo–Sa 10–17, So 12–17 Uhr, IMAX Theater).

Am Seebreeze Boulevard mit Blick auf den Intracoastal Waterway befindet

Rund 40 000 Privatboote sind in Fort Lauderdale registriert

sich nicht nur eine moderne Schwimmhalle, in der hochklassige Wettkämpfe ausgetragen werden, sondern auch eine **International Swimming Hall of Fame.** In der ›Ruhmeshalle‹ des Schwimmens mit Goldmedaillen berühmter Schwimmer und anderen Memorabilia sowie Schwimm- und Sprunganlagen erfährt man alles über Medaillen, Rekorde und Biografien von Schwimmern. Unter ihnen findet man auch den mehrfachen Olympiasieger Johnny Weissmuller, der später als Leinwand-Tarzan das Quellgebiet von Wakulla Springs mit kräftigen Kraulschlägen durchmaß (1 Hall of Fame Dr., tgl. 9–19 Uhr).

Vom mehr als 300 m langen, bei Anglern überaus beliebten Fishing Pier von **Pompano Beach** kann man ungehindert den schönen Sandstrand betrachten. Ansonsten versperren meist klotzige Apartment- und Hotelbauten den Blick aufs Meer. Von Oktober bis Anfang August ziehen Trabrennpferde ihre Sulkys in rasanter Fahrt um das Oval der **Pompano Park Harness Raceway,** der einzigen Trabrennbahn von Florida. Auf Geschwindigkeit kommt es in **Butterfly World** im Tradewinds Freizeitpark nicht an. In den großen Aviarien flattern Hunderte bunter Schmetterlinge in einer tropischen Regenwaldlandschaft. Durch Glasfenster kann man in einen Brutraum sehen, in dem aus Larven farbenprächtige Falter schlüpfen (3600 W. Sample Rd., Coconut Creek, im Tradewinds Park, Mo–Sa 9–17, So 13–17 Uhr).

Greater Fort Lauderdale Convention & Visitors Bureau, Greater Fort Lauderdale Convention & Visitors Bureau: 100 East Broward Blvd., Suite 200, Fort Lauderdale, FL 33301, Fax 954-765-4467, www.sunny.org.

Marriott's Harbor Beach: 3030 Hollyday Dr., Tel. 954-525-4000, Fax 954-766-6193, www.marriottharborbeach.com. Luxusanlage mit allen Annehmlichkeiten und Sportanlagen direkt am Strand, 630 Zimmer, ab 99 $.
Banyan Marina Apartments: 111 Isle of Venice, Tel. 954-524-4430, Fax 954-764-4870, www.banyanmarina.com. Komfortable Ferienanlage, mit einem mächtigen Banyan-Baum, 10 Wohneinheiten, ab 60 $.
Sea Downs: 29 N. Surf Rd., Tel. 954-923-4968, Fax 954-923-8747, www.seadowns.com. Freundliche, kleine Anlage am Strand, viele Stammgäste, 12 Zimmer, ab 52 $.

Cap's Place: Cap's Island, Tel. 954-941-0418, tgl. 17.30–24 Uhr. Auch Marilyn Monroe und Winston Churchill wurden einst mit dem Restauranttaxi übergesetzt, südfloridianische Küche, Hauptgerichte ab 20 $.
Canyon Southwest Café: 1818 E. Sunrise Blvd., Tel. 954-765-1950, tgl. 17.30–23 Uhr. Exzellente Südwestküche, Abendmenü ab 40 $.

Wassertaxis

Das Stadtgebiet östlich der US 1 ist von Kanälen mit insgesamt 500 km Länge durchzogen, ideal für Wassertaxis, die Passagiere auf festen Routen und nach Bedarf befördern, Tel. 954-467-6677.

Sunfish Grille: 2771 E. Atlantic Blvd., Tel. 954-788-2434, Mo–Do 18–21.30, Fr–Sa 18–22.30 Uhr. Frisch zubereitete Fisch-, Muschel- und Krebsgerichte, Hauptgang ab 16 $.

O'Hara's Jazz Café: 722 E. Olas Blvd. Jazz, Funk, R & B von Live Gruppen.
The Culture Room: 3045 N. Federal Hwy. Rock und Heavy Metall.
Mai-Kai: 3599 N. Federal Hwy. Polynesische Inselrevue als Dinner-Show.

Antique Row: entlang der US 1, nahe dem N. Dania Beach Blvd. Etwa 200 Antiquitätenläden.
Sawgrass Mills: 12801 W. Sunrise Blvd./Flamingo Rd. mit 240 Fabrikverkaufsstellen eine der größten *Factory Outlet Malls* der USA.
Fort Lauderdale Swap Shop: 3291 W. Sunrise Blvd.

Jungle Queen: Tel. 954-462-5596, Bahia Mar Yacht Center. Ein Mississippi-Schaufelraddampfer legt zu *Dinner Cruises* und Ausflugsfahrten ab
Strand: Hollywood Beach, bei Franko-Kanadiern, und Dania Beach, bei Surfern wegen seiner langen Wellen beliebt.

Boca Raton

Florida-Atlas: S. 239, F1
In Spitzenzeiten soll Addison Mizner, der Mode-Architekt und Baulöwe von Boca Raton, wöchentlich Immobilien im Wert von 2 Mio. Dollar an seine Ostküsten-Klientel verkauft haben. Der Geldadel ist Boca Raton, dessen scharfkantige Felsen im Wasser vor der Küste die Spanier einst an das Maul

einer Ratte erinnerten, treu geblieben. Polo heißt hier die populärste Sportart in der Saison von Dezember bis April, wenn auf den Feldern des Royal Palm Polo Club die Mannschaften von jeweils vier Reitern und Pferden vor illustrem Publikum gegeneinander antreten.

Neben einigen Villen im Old Floresta-Viertel blieb die 1926 erbaute rosafarbene Mammutherberge **The Cloister Inn** als einziges Hotel aus der Mizner-Ära erhalten. In der **Old Town Hall** hat der Bürgermeister längst seinen Schreibtisch geräumt. Dort findet man nun eine Galerie und einen Laden für Designer-Kitsch. Das **Addison's Flavor of Italy-Gebäude** am Camino Real, einst Sitz der Stadtverwaltung, gilt nach wie vor als Klassiker des *Mediterranean Revival* genannten Baustils.

Großzügige Spenden haben dem kleinen **Museum of Art** zu einer exzellenten Sammlung mit Gemälden von Modigliani, Klee, Picasso, Matisse, Degas, Hockney und Warhol verholfen (501 Plaza Real, Di, Do, Sa 10–17, Mi–Fr 10–21, So 12–17 Uhr).

Nicht *Pretty in Pink*, sondern überwiegend grün ist die Aussicht im Gumbo Limbo Nature Center des **Red Reef Park** am Nordrand des Ortes. Ähnlich wie in den Everglades führen erhöhte Plankenwege durch die Sümpfe, Marschlandschaften und Hartholzwäldchen nahe der Küste.

Eine japanische Parkanlage umgibt das **Morikami Museum** in **Delray Beach,** in dem Kunsthandwerk und eine Ausstellung zur japanischen Kultur an die frühe Kolonie von Ananaspflanzern aus dem Land der aufgehenden Sonne erinnern (4000 Morikami Park Rd., Di–So 10–17 Uhr).

Westlich von Boynton Beach erreicht man die Ranger Station und das Besucherzentrum des **Loxahatchee National Wildlife Refuge** (s. S. 90). Wanderwege führen in die Marschen mit Seggegras, Mangroven und Sumpfzypressen, die für Alligatoren, Schlangen und Stelzvögel einen ungestörten Lebensraum darstellen (an der US 441, 2 Meilen südl. der Kreuzung mit der SR 804, tgl. 6 Uhr bis Sonnenuntergang).

Greater Boca Raton Chamber of Commerce: 1800 N. Dixie Hwy., Boca Raton, Tel. 561-395-4433, Fax 561-392-3780, www.bocaratonchamber.com.

Inn at Boca Teeca: 5800 N. W. 2nd Ave., Tel. 561-994-0400, Fax 561-998-8279, gehört zum Golf Club mit 27 Loch-Anlage, 46 Zi, ab 80 $.

Palm Beach

Florida-Atlas: 239, F1

»Wenn du die großen Snobs hast, kommen die kleinen von alleine.« Auch wenn nicht verbrieft ist, ob Henry M. Flagler, der Eisenbahnmagnat der floridianischen Ostküste und Gründer von **Palm Beach,** diesen Ausspruch tatsächlich getan hat, in die Geschichte von Palm Beach passt er allemal. Flagler, der 1893 sein Eisenbahnimperium nach Süden ausdehnte, wählte die 35 km lange, dem Festland vorgelagerte Insel Palm Beach als südlichen Haltepunkt seiner Florida's East Coast Railway.

Hier war 16 Jahre zuvor die spanische Barke »Providencia« mit einer Ladung von Weinfässern und einigen tausend Kokosnüssen, aus denen inzwischen ein Palmenwäldchen gewachsen war, auf Grund gelaufen.

In dem Urlaubsort für Superreiche blieben Autos viele Jahre lang ausgesperrt, die illustren Gäste wurden in Rikschas herumkutschiert. Heute herrscht auf den Straßen von Palm Beach kein Mangel an Nobelkarossen. Das 1895 aus Holz errichtete Luxushotel **The Breakers** wurde nach mehreren Bränden 1925 aus Stein wieder aufgebaut. Hier kann man nach wie vor für teures Geld logieren, sonntags trifft man sich zum opulenten Champagner-Brunch. Etwas schlichter geht es im **Palm Beach Post Office** an der Ecke von Country Road und Poincana Way zu. Künstler, die im Rahmen von Arbeitsbeschaffungsmaßnahmen während der 1930er Jahre öffentliche Aufträge erhalten hatten, gestalteten die Mauern mit Motiven aus dem Leben der Seminolen-Indianer.

Whitehall heißt der Palazzo mit 73 Zimmern, den einst der 71-jährige Flagler 1901 seiner 33 Jahre jungen, dritten Ehefrau Mary Lily Kenan zum Hochzeitsgeschenk machte. Die Einrichtung des Winterrefugiums, in dem der Eisenbahnkönig bis zu seinem Tod 1913 wohnte, hatte damals fast unglaubliche 4 Mio. Dollar gekostet. Mächtige dorische Säulen tragen den Vorbau, allein im Foyer sind sieben verschiedene Arten von Marmor verarbeitet. Die Zimmer sind dem Stil unterschiedlicher Kunstepochen nachempfunden, die Orgel im Musikzimmer hat 1200 Pfeifen. Selbst Gäste wie die Vanderbilts, US-Präsident Woodrow Wilson, Johan Jacob Astor oder William Rockefeller konnten sich in einem solchen Ambiente wohlfühlen. Das **Henry Morrison Flagler Museum** ist dem Andenken Flaglers und der Erschließung von Südflorida durch die Eisenbahn gewidmet. Wer will, kann Flaglers kostbar ausgestatteten Salonwagen besichtigen, der auf dem Grundstück hinter dem Hauptgebäude steht (1 Whitehall Way, Palm Beach, Di–Sa 10–17, So 12–17 Uhr).

Die meisten der herrschaftlichen Villen liegen vor neugierigen Blicken hinter hohen Mauern und dichten Hecken verborgen. Wer jedoch den 8 km langen, von Palmen gesäumten **Palm Beach Bicycle Trail** entlangradelt, kann in die Gärten einiger der elegantesten Villen gucken. Die Besitzer dieser Prachtbauten fahren zum Einkauf in die Worth Avenue, mit 250 Luxusgeschäften eine der elegantesten und teuersten Shopping-Meilen der Welt.

West Palm Beach liegt auf der Festlandseite und ist von Palm Beach durch eine Lake Worth genannte Lagune getrennt, über die mehrere Brücken führen. Henry Flagler gründete diese Siedlung gleichzeitig mit Palm Beach, da Bedienstete, Erntearbeiter und der übrige *Riff Raff* nicht im Seebad der Reichen wohnen sollten. Zunächst gab es nur eine Fähre über den Lake Worth. Heute präsentiert sich die einstige Arbeitersiedlung als lebhaftes Zentrum der Region mit etwa 70 000 Einwohnern.

Die erlesene Sammlung der **Norton Gallery and School of Art** zeigt vor allem europäische und nord-amerikanische Malerei aus dem 19. und 20. Jh., Werke französischer Impressionisten sowie kostbare chinesische Jade-, Porzellan- und Bronzefiguren (1451 S. Olive Ave., West Palm Beach, Mo–Sa 10–17, So 13–17 Uhr). In West Palm trägt auch der Palm Beach Polo and Country Club von Januar bis Mitte April sonntagnachmittags seine Spiele aus.

Palm Beach County Convention & Visitors Bureau: 1555 Palm Beach Lakes Blvd., Suite 204, West Palm Beach, FL 33401, Tel. 561-471-3995, Fax 561-471-3990, www.palmbeachfl.com.

The Breakers: 1 S. Country Rd., Palm Beach, Tel. 561-655-6611, Fax 561-659-8403, www.thebreakers.com. In italienischem Neo-Renaissance-Stil errichtetes Grand Hotel am Strand, mit Wellness-Spa und Golfplatz. 560 Zi. und Suiten ab 270 $.

Plaza Inn: 215 Brazilian Ave., Palm Beach, Tel. 561-832-8666, Fax 561-835-8776, www.plazainnpalmbeach.com. Komfortables Bed and Breakfast Inn 48 Zi. ab 105 $.

The Breakers – Luxushotel am Strand von Palm Beach

Hibiscus House: 510 30th St., West Palm Beach, Tel./Fax 561-863-5633. Bed and Breakfast-Herberge mit reichhaltigem Frühstück. 8 Zi. ab 75 $.

John G's: 10 S. Ocean Blvd., Lake Worth, Tel. 561-585-9860, tgl. 7–15 Uhr, opulentes Frühstück oder Lunch bei John Giragios Diner, häufig lange Schlangen, ohne Anmeldung, ab 3 $.
Mark's City Place: 700 Rosemary Ave., West Palm Beach, Tel. 561-514-0770, Mo–Do 17–23, Fr–Sa 17–24, So 17–22.30 Uhr. Innovative südfloridianische Gourmetküche, Hauptgerichte ab 17 $.

251: 251 Sunrise Ave., jeden Abend Live-Musik und Party-Stimmung
Respectable Street Café: 518 Clematis St., West Palm Beach, West Palm Beach, gute Musik hält die Stimmung bis spät in die Nacht auf dem Siedepunkt

Wer Produkte europäischer Luxusmarken wie Gucci, Cartier, Chanel lieber in den USA kauft, ist bei den Boutiquen in der **Worth Avenue** in Palm Beach mit seiner Platinkarte gut aufgehoben.

Loxahatchee National Wildlife Refuge: an der US 441, West Palm Beach, tgl. 6–18 Uhr, Pfade auf Holzplanken führen durch einen Zypressensumpf und die weite Marschlandschaft am Rande der Everglades.
Strand: Der beste der recht wenigen öffentlichen Strände, Palm Beach Municipal Beach, liegt südlich der West Palm's Royal Palm Bridge; auf Singers Island bietet der John D. Mac Arthur State Park, 10900 Rte. A1A, tgl. 8 Uhr bis Sonnenuntergang, einen 3 km langen Sandstrand.

Zugverbindung: Amtrak hält auf der Strecke von New York nach Miami in West Palm Beach, 201 S. Tamarind Ave.

Am Juno Beach

Florida-Atlas: S. 237, F4–E3
Im kleinen **Jupiter** wuchs der Schauspieler Burt Reynolds auf. Einige Sehenswürdigkeiten im Ort sind nicht zuletzt wegen großzügiger Spenden und Schenkungen des inzwischen nicht mehr so liquiden Mimen mit seinem Namen verbunden. Im **Loggerhead Park Marine Life Center** (1200 Rte. 1, Juno Beach, Di–Sa 10–16, So 12–15 Uhr) am Juno Beach kümmert man sich um die Meeresschildkröten, die alljährlich selbst aus Südamerika an die sandigen Küsten von Florida kommen, um ihre jeweils exakt 115 Eier abzulegen und von der Sonne ausbrüten zu lassen.

Bereits 1859 wurde das dunkelrot angemalte, 32 m hohe **Jupiter Lighthouse** im Burt Reynolds Park errichtet. Der Leuchtturm ist noch immer in Betrieb, gegen eine Gebühr kann man ihn besichtigen (805 N. US 1, So nachmittags geöffnet). Einige Meilen weiter im Norden erstreckt sich beiderseits des mäandrierenden Loxahatchee River der **Jonathan Dickinson State Park.** Besonders gut kann man die Wildnis der Ufer- und Küstenlandschaft mit dem Kanu (Canoe Outfitters, 8900 W. Indiantownroad, Tel. 561-746-7053) erkunden.

Bei **Jensen Beach** an der Atlantikküste suchen etwa 6000 Meeresschildkröten zwischen Mai und Juli die Strände auf. Naturschutzorganisationen und Helfer bieten geführte Gruppenwanderungen an, bei denen man die Schildkröten aus sicherer Entfernung beobachten kann, und organisieren eine

Turtle-Watch, um den Tieren die ungestörte Ei-Ablage zu ermöglichen.

Die einsamen Strände südlich von Hutchinson Island gehören zu den besten in Florida. **Stuart,** eine Gemeinde im Mündungsbereich des St. Lucie River, haben viele Sportangler zum Heimathafen erkoren. Vor der Küste machen sie Jagd auf den mit einer auffällig großen Rückenflosse gezeichneten Fächerfisch. Bootsfahrer kennen Stuart als östlichen Endpunkt des Okeechobee-Wasserweges, auf dem man Florida von Fort Myers aus durchqueren kann.

In **Fort Pierce** ist das UDT-Seal Museum beim Pepper Park schon eine seltsame Sache. Während des Zweiten Weltkriegs wurden dort 3000 Froschmänner für ihre nasskalten Einsätze trainiert. Patrouillenboote und diverse Waffen, die für *Underwater Demolition Teams* sowie *Sea-Air-Land Teams (SEAL)* zur Zerstörung feindlicher Einrichtungen entwickelt wurden, sind hier ausgestellt (3300 N. A1A, Di–Sa 10–16, So 12–16 Uhr).

Vero Beach zählt zu den Hauptorten des von ausgedehnten Zitrusplantagen geprägten Indian River Country. Besonders in den Wintermonaten sind die zahlreichen *Adult Communities,* die nahe dem Indian River liegen, von sonnenhungrigen Senioren aus dem Norden gut belegt. Beim Pelican Island-Vogelschutzgebiet führt der Jungle Trail, ein fast 15 km langer Pfad, durch die Küstenwälder. Das McLarty Museum erzählt die Geschichte einer spanischen Flotte, die 1715 einem Hurrikan zum Opfer fiel, und zeigt einige der geborgenen Schätze (13180 N. Rte. A1A Sebastian, tgl. 10–16.30 Uhr).

Im Ballon zum Frühstück

Balloons over Florida startet schon 6.30 Uhr. Der Startplatz wird per Telefon bekannt gegeben, da er vom Wind abhängt. Für 150 $ gibt es einen einstündigen Flug und danach ein Champagnerfrühstück (Tel. 772-334-9393).

Jupiter Tourist Information Center: 8020 Indiantown Rd., Tel. 561-575-4636, www.jupiterfloridausa.com. **Indian River Country Tourist Council:** 1216 21st St., Vero Beach, Tel. 772-567-3491, Fax 772-778-3181, www.vero-beach.fl.us/chamber.

Driftwood Resort: 3150 Ocean Dr., Vero Beach, Tel. 772-231-0550, Fax 772-234-1981, www.thedriftwood.com. Originelle Herberge aus den 30er Jahren, mehrfach umgebaut, 100 Zi. ab 75 $.

Black Pearl Riverfront: 4455 N. Rte. A1A, Vero Beach, Tel. 772-234-4426, tgl. ab 16.30 Uhr. Gute Fisch- und Rindfleischgerichte, Hauptgerichte ab 19 $.

Jupiter Theatre: 1001 E. Indiantown Rd., Jupiter, Tel. 561-746-5566. Dank guter Inszenierungen hat sich das von Burt Reynolds gegründete Theater einen hervorragenden Ruf erarbeitet.

Strand: Der Naturstrand von South Hutchinson Island gehört zu den besten in Florida. Die Strände zwischen Melbourne im Norden und Jensen Beach im Süden sind fast alle ausgezeichnet.

ABSTECHER AUF DIE BAHAMAS

Direkt vor der Haustür von Miami erstreckt sich eine Welt aus 3000 Inseln im türkisfarbenen Wasser des Atlantik, von Florida nur durch den Florida-Strom getrennt. Die seefahrenden Spanier nannten das Gebiet einst *Baja Mar,* seichte Meerestiefe. Für ihre Galeonen, die schwer beladen mit Schätzen aus den Kolonien nach Spanien unterwegs waren, galt es, den gefährlichen Untiefen und vor allem den messerscharfen Korallenriffen auszuweichen.

Nachdem Fidel Castro 1959 mit seinen Guerilleros siegreich in die kubanische Hauptstadt Havanna eingezogen war, wichen zahlreiche US-Kurzurlauber von Kuba auf die Bahamas aus. Sie stellen auch heute mehr als 80 % der Besucher des Inselstaates. Das *Commonwealth of the Bahamas,* seit 1973 unabhängiger Staat im britischen Commonwealth of Nations, ist ein Paradies für Wassersportler, Segler, Taucher und Schnorchler. Die Bimini Islands, auf denen Ernest Hemingway ein Haus besaß, liegen nur 80 km vor der Küste von Miami. West End auf Grand Bahama, etwa 100 km östlich von Palm Beach, war zu Zeiten des US-amerikanischen Alkoholverbots von 1919 bis 1933 ein Stützpunkt der *Rum Runner,* die ihre hochprozentige Schmuggelware von dort bis nach New York schafften.

Als die Engländer den Unabhängigkeitskrieg gegen ihre 13 nordamerikanischen Kolonien im Jahre 1783 verloren hatten, flüchteten viele Loyalisten, die weiterhin treu zur englischen Krone standen, erst nach Florida und dann auf die Bahamas. Viele versuchten, eine neue Existenz aufzubauen und mit ihren Sklaven auf den kargen Böden eine Plantagenwirtschaft zu etablieren. Wer sich die alten Holzhäuser im Conch-Stil auf Key West und ebenso alte Villen in Nassau anschaut, wird Ähnlichkeiten erkennen, hinter denen sich oft lange Handelsbeziehungen oder gar verwandtschaftliche Bande verbergen. Schwarze Bahamen, die heute etwa 80 % der Bevölkerung ausmachen, kamen schon um die Wende vom 19. zum 20. Jh. zu Ernte- und Arbeitseinsätzen auf das floridianische Festland. Die bahamische Kolonie in Coconut Grove im Süden von Miami veranstaltet im Sommer mit dem Goombay Festival die größte afro-karibische Party von Nordamerika.

Von Miami führen viele Wege nach **Nassau.** Kreuzfahrtdampfer legen zu zwei- bis siebentägigen *Fun Trips* von Dodge Island im Port of Miami ab, um Grand Bahama, New Providence oder eine der kleinen Privatinseln für eine Beach Party anzusteuern. Moderne Einkaufszentren, die Edelboutiquen entlang der Bay Street und der *Straw Market* von Nassau sind auf den regelmäßigen Ansturm kaufkräftiger Kundschaft mit einem großen Sortiment zollfreier Markenfabrikate oder geschnitztem, geflochtenem und gewebtem Kunsthandwerk bestens vorbereitet.

Ein Stadtrundgang durch die sympathische Inselmetropole mit ihren pastellfarbigen Häusern im Kolonialstil offenbart schnell, dass die Hauptstadt der Bahamas erheblich mehr zu bieten hat als Strohhüte und Schweizer Edeluhren für eilige Kreuzfahrttouristen. In der **Junkanoo Expo** an der Prince George Wharf sind farbenprächtige Karnevalskostüme und -dekorationen ausgestellt, die zu Weihnachten und Neujahr in Umzügen auf der Bay Street in Nassau präsentiert werden. Auf dem Rawson Square lächelt die Statue einer jungen Königin Victoria vom steinernen Podest den Passanten zu.

Am westlichen Ende der Bay Street erzählt das nach einem aufständischen Sklaven benannte **Pompey Museum** die Geschichte der Sklaverei, die auf den Bahamas wie im übrigen britischen Kolonialreich bereits 30 Jahre vor der Sklavenbefreiung in den Vereinigten Staaten beendet wurde.

Vis-à-vis imponiert das wuchtige **British Colonial Hotel,** dessen Bau noch vom floridianischen Eisenbahnmagnaten Henry Flagler begonnen worden war. An der Bar des Traditionshotels hat James Bond im Film »Sag niemals nie« Martini – natürlich gerührt und nicht geschüttelt – getrunken.

In drei restaurierten Gebäuden an der Ecke King und George Street verbirgt sich eine weitere Attraktion Nassaus: Im **Piratenmuseum** wird mit verblüffenden Darstellungstechniken von der wilden Seeräuberzeit erzählt.

Ein kleiner Spaziergang führt die Elizabeth Avenue entlang zu der dekorativen Steintreppe der **Queen's Staircase,** die Ende des 18. Jh. von Sklaven in eine Felsenschlucht geschlagen wurde. Wer nach 65 Stufen am Gipfelpunkt der Treppe auf dem Bennet's Hill noch Kraft verspürt, sollte den ehemaligen **Wasserturm** besteigen. Von dessen Aussichtsplattform geht der Blick über Nassau und den Kreuzfahrthafen bis nach Paradise Islande. Aus den Kanonen der wie ein Schiffsbug geformten Festung **Fort Fincastle** wurde noch nie ein Schuss abgefeuert.

Zwei mautpflichtige Brücken führen von Nassau auf die schmale **Paradise Island.** Hier findet man die märchenhaft gigantische Hotelanlage **Atlantis,** aber auch einsame Sandstrände, die von Palmenwäldchen gesäumt werden. Die **Versailles Gardens** mitsamt dem Kreuzgang eines Augustinerklosters wurden in den 1960er Jahren von Huntington Hartford, dem Besitzer einer US-amerikanischen Supermarktkette, in der Nähe des südfranzösischen Lourdes gekauft und auf dessen damaliges Grundstück auf Paradise Island verpflanzt. Wer noch einige Dollar in der Tasche hat, kann sein Glück nur wenige Schritte weiter im **Atlantis Casino** versuchen. Das zweite Spielkasino der Insel, **Crystal Palace,** lockt mit einer Las Vegas-Show ins riesige Wynham Resort, direkt am Strand von Cable Beach.

Taucher und Schnorchler werden vom Farbreichtum der Korallengärten und den zahlreichen tropischen Fischen mehr als begeistert sein. Auch wer sich nicht zutraut, selbst mit Schnorchel, Taucherbrille und Schwimmflossen auf Entdeckungstour zu gehen, kann in die farbenprächtige Unterwasserwelt abtauchen. Glasbodenschiffe bringen ihre Passagiere zu spektakulären Korallengärten, zu Schiffswracks und bis zur Kante des Festlandsockels, hinter der die endlose Tiefe des Atlantischen Ozeans dunkelblau schimmert.

Bahamas Tourist Office: Friesstr. 3, 60388 Frankfurt, Tel. 069/9708340, Fax 069/97083434, www.bahamas.de

Lake Okeechobee

Florida-Atlas: S. 237, D–E4
Der Lake Okeechobee ist mit 1900 km^2 Fläche nach dem Lake Michigan der zweitgrößte See der USA. Übersetzt aus der Sprache der Seminolen heißt er passenderweise Großes Wasser. An der tiefsten Stelle misst der Okeechobee 7 m, besonders im Norden ist er so flach, dass Stelzvögel noch weit vom Ufer entfernt auf die Jagd nach Fischen gehen können.

Nachdem 1928 ein gewaltiger Hurrikan das Gewässer über die südlichen Ufer gedrückt, Ortschaften, Zuckerrohr- und Gemüsefelder überflutet und mehr als 2000 Menschenleben gefordert hatte, wurde der See in den folgenden Jahrzehnten mit einem 10 m hohen Deich, gezähmt. Dieser schützt nun Landwirtschaft und Menschen, blockiert aber gleichzeitig weite Teile des breiten, steten Wasserstroms, der sich aus den Quellen von Zentral-Florida in die Everglades und die Florida Bay ergießt. Außerdem versperrt er die Aussicht auf den See, den man umfahren könnte, ohne ihn zu erblicken.

Im Süden und Osten des Sees wachsen Avocados, Tomaten, Gurken, Brokkoli und Salat. Im Südwesten und Westen erstrecken sich endlose Zuckerrohrplantagen, im Norden grasen Tausende von Rindern auf den Weiden. Die Ernte wird überwiegend von Saisonarbeitern eingebracht, die sogar aus Jamaika und der Dominikanischen Republik kommen und kurzzeitig die Bevölkerungszahlen der Seegemeinden erheblich in die Höhe treiben.

Der Lake Okeechobee ist wegen seiner reichen Fischgründe hoch geschätzt. Mehr als 1700 t Fang gehen den Fischern pro Jahr ins Netz und an die Angel. Zu den beliebtesten Speisefischen gehören der gefleckte Flussbarsch, der hier *Crappie* heißt, und der Wels, den man *Sharpie* nennt.

Clewiston streitet sich mit New Iberia in der ›Zuckerschüssel‹ von Louisiana um den Titel der ›süßesten Stadt von Nordamerika‹. In der Haupterntezeit von November bis Mai werden bis zu 1300 t Zucker am Tag produziert. Seit Beginn der 30er Jahre herrscht die United States Sugar Corporation als wichtigster Arbeitgeber und Steuerzahler. Das kleine **Clewiston Museum** erzählt die Geschichte des Zuckerrohranbaus und des Sees mit seinen früher verheerenden Überschwemmungen (114 S. Commercio St., Mo–Fr 13–17 Uhr, Juli geschl.).

Die **Brighton Seminole Indian Reservation** ist mit 1700 Indianern recht dünn besiedelt. In der unvermeidlichen Bingo-Halle, in der mit Aussicht auf Geldpreise die richtigen Zahlen geraten werden müssen, versorgt eine Snack Bar die Spieler. Viele der Steaks und Hamburger, die hier über den Tresen gehen, kommen von der Ranch der Reservation, die zu den größten in Florida zählt. Tausende Hereford-Rinder haben viel Auslauf auf den mit Palmen bestandenen Weiden am nordwestlichen See-Ufer.

EVERGLADES UND FLORIDA KEYS

Endlose Feuchtsavanne, Zypressen- und Mahagoniwäldchen, dazwischen Wasserwege, die Besucher mit dem Kanu erkunden. Alligatoren, Flamingos und viele Tausend Moskitos – die Everglades präsentieren sich als einmaliges Naturparadies, gefährdet von der nahen Zivilisation. Die Florida Keys, eine Kette von Koralleninseln, schwingen in sanftem Bogen von der Südspitze Floridas bis zu den Dry Tortugas im Golf von Mexiko. Wer den Overseas Highway über die Inseln bis nach Key West entlangfährt, wähnt sich in der Karibik – Palmen, geflegte Hotelanlagen und türkisfarbenes Meer zu beiden Seiten.

Everglades National Park

Florida-Atlas: S. 239, D–E3
Wer in den ›Glades‹ spektakuläre Landschaftspanoramen erwartet, wird enttäuscht sein. Doch die bis zum Horizont reichenden, von Riedgras bestandenen Ebenen, aus denen *Hammocks,* kleine bewaldete Erhebungen wie grüne Inseln herausragen, machen nur auf den ersten Blick einen gleichförmigen Eindruck. Um den Zauber und die Geheimnisse der Everglades genießen, die Vielfalt der Pflanzen und Tiere beobachten zu können, bedarf es der Ruhe und etwas Zeit. Erst eine Fahrt mit dem Kanu oder eine Wanderung auf einem der vielen von Park-Rangern angelegten Plankenwege erschließen die ruhige Naturlandschaft.

Lange sahen die Holzbarone aus Port Charlotte im Süden von Florida ein von Moskitos verseuchtes Gelände, das trockengelegt werden musste, um Zypressen, Mahagonibäume und andere Harthölzer großflächig schlagen zu können. Nur einige Naturschutzorganisationen wie die Audubon Society hatten schon seit Beginn des 20. Jh. auf die Bedeutung der Feuchtgebiete für Südflorida aufmerksam gemacht. Doch erst 1947 erklärte US-Präsident Truman knapp 5700 km² der Südspitze von Florida zum Everglades National Park, ein Gebiet mehr als doppelt so groß wie das Saarland. Im Jahre 1982 nahm die UNESCO den Everglades National Park in die Liste der besonders zu schützenden Naturlandschaften der Welt auf. Inzwischen weiß man, dass Eingriffe auch in weit entfernten Regionen Auswirkungen auf das komplizierte Ökosystem der Everglades haben können. Zur Wasserentnahme für die Millionenstädte im Südosten kommen chemische Rückstände von den überdüngten Feldern und Weidegebieten um den Lake Okeechobee. Nach einem 1994 verabschiedeten Gesetz sollen große Gebiete der Everglades renaturiert werden und die gefährdete Feuchtlandschaft wieder einen natürlichen Wasserkreislauf erhalten.

Zwei Jahreszeiten

Der Süden von Florida kennt zwei Jahreszeiten. Im trockenen, warmen Winter zwischen November und April werden die Niederschläge deutlich geringer und der breite Wasserstrom, der aus ihnen gespeist wird, versiegt zum Teil. Die Tiere versammeln sich dann an tieferen Wasserläufen, den *sloughs* und den *alligator ponds,* Tümpeln, welche die Alligatoren durch Drehen und Wühlen im Schlamm gegraben haben und die ihnen als Lebensraum und Jagdgebiet dienen.

Der feuchte Sommer dauert von Mai bis Oktober. Das Riedgras erneuert sich mit frischen, grünen Trieben, und Myriaden von Insekten und Fischen beginnen ein neues Leben. Fast täglich gehen zumindest kurze Niederschläge über den Everglades nieder, bauen sich eindrucksvolle Wolkentürme auf, die sich häufig als Gewitter entladen. Der übergroße Teil der jährlichen Niederschlagsmenge von 150 cm fällt in dieser Zeit, die Feuchtprärien sind dann meist von Wasser bedeckt.

Das etwa 3 m hohe, scharfkantige Riedgras, das wegen seiner gezackten Ränder auch Sägegras, *sawgras,* genannt wird, dehnt sich bis zum Horizont über die Feuchtprärie aus. Biologen haben etwa 2000 verschiedene Pflanzen gezählt, davon 45, die nur in den Everglades vorkommen. Besonders auffällig sind die bis zu 30 m hohen Sumpfzypressen. Ihnen macht auch die monatelange Überflutung ihrer Wurzeln nichts aus. Mangroven stehen in den flachen Gewässern mit ihren Luftwurzeln wie auf Stelzen. Sie wachsen dort am besten, wo Süß- und Salzwasser sich mischen, und bilden an der zerklüfteten südwestlichen Küste undurchdringliche Dickichte. Im Gewirr von Stämmen, Ästen und Wurzeln der Mangroven sammeln sich Blätter und Zweige, die allmählich zu organischem Schlamm verfaulen. Vögel nisten im Schutz des dichten Astwerks, weitere Mangroven wachsen, sehr langsam entsteht eine neue Miniaturinsel.

Ein Paradies für Tiere

Das ausgedehnte Mangrovenlabyrinth der Südwestküste und die Inselwelt der Ten Thousand Islands sind Laichgrund und Kinderstube für Millionen Fische. Fast 600 Arten von Fischen und Reptilien, viele harmlose und einige unangenehme Schlangen bevölkern Küstengewässer und Marschen. Der Alligator hat eine mehrjährige Schutzfrist gut zur Vermehrung genutzt und ist überall im Park anzutreffen. Stelz- und Watvögel, darunter der bis 120 cm große blaue Reiher, graue und Silberreiher verharren regungslos im flachen

Deutliche Warnung: Nicht füttern! Finger weg!

Wasser, um dann plötzlich niederzustoßen und mit einem Fisch im Schnabel wieder aufzutauchen. Seltener trifft man auf den Waldibis oder den rosa Löffelreiher, der wie der Silberreiher lange Zeit seiner schönen Federn wegen gejagt wurde, auch karibische Flamingos verirren sich nur noch vereinzelt in die Everglades. Die Aussicht auf Beute lassen Fischadler, Rotschulterbussarde, Falken und Truthahngeier in der Luft kreisen. In den Wintermonaten sind die Gewässer des Nationalparks dann Lebensraum von Millionen Zugvögeln aus dem kalten Norden des amerikanischen Kontinents.

Nur noch zwei bis drei Dutzend Florida-Panther, die in ihrem Bestand gefährdet sind, leben in den Everglades und den Wäldern der Big Cypress National Preserve. Weißwedelhirsch und Luchse pirschen durch die Kiefern- und Pinienwälder. Doch die wahren Herrscher der Everglades sind die Moskitos. In der feuchten Jahreszeit, besonders in der Dämmerung und bei stehenden Gewässern, tanzen sie zu Zehntausenden in der Luft und laben sich am Blut unvorsichtiger Touristen. Ein Besuch der Everglades im Juli oder August ohne ein wirkungsvolles Mückenschutzmittel kann für empfindliche Menschen nur mit überstürzter Flucht enden.

Der Weg nach Flamingo

Wichtigster Anlaufpunkt aller Besucher ist das **Ernest F. Coe Visitor Center** am östlichen Parkeingang mit umfang-

Unterwegs in den Everglades

Zwei öffentlich zugängliche, ausgebaute Wege führen in das Naturschutzgebiet. Auf der Straße von Homestead im Osten des Nationalparks kann man mit Autos und Wohnmobilen bis nach Flamingo an der Florida Bay fahren. Ein zweiter Weg, der am Tamiami Trail im Norden des Parks beginnt und durch das Shark Valley führt, darf nur vom Ausflugsbus des Nationalparks, von Radfahrern und Fußgängern benutzt werden.

Kleine Motorschiffe legen zu zweistündigen Rundfahrten von der Marina bei Flamingo ab. Dort kann man Nov.–April Fahrräder und Kanus ausleihen, um die Pfade zu Wasser und zu Lande auf eigene Faust zu erforschen oder auf einer geführten Bootstour, begleitet von einem fachkundigen Ranger, durch die Sümpfe und einsamen Wasserläufe zu paddeln (Tel. 239-695-3101).

Die Ranger Stationen an den Parkeingängen verfügen neben vielen anderen Informationen auch über aktuelle Hinweise zur ›Moskito-Situation‹.

reichen Informationen zum Nationalpark. Nur wenig weiter führt eine Stichstraße nach Süden zum **Royal Palm Visitor Center**. Auf dem dort beginnenden **Anhinga Trail,** einem etwa 800 m langen Plankenpfad, kann man zu allen Jahreszeiten Alligatoren, Schlangen, Schildkröten und verschiedene Vogelarten in dem flussartigen Taylor Slough beobachten, der gleich lange **Gumbo Limbo Trail** windet sich durch ein Wäldchen tropischer Harthölzer. Eine weitere Abzweigung von der Parkstraße endet beim **Pay-hay-okee Overlook.** Vom Aussichtsturm bietet sich ein weiter Blick über die endlose Feuchtprärie. Den Mahogany Hammock, eine größere Hartholzinsel in der Riedgrasebene mit einem Wald hochgewachsener Mahagoni-Bäume, kann man wenige Kilometer weiter bei einer kurzen Wanderung erkunden. Der auf Planken an einem Brackwassersee entlangführende **Westlake Trail** zeigt sehr anschaulich die Mangrovenvegetation im Mischgebiet von Salz- und Süßwasser. Am **Mrazek Pond** kurz vor Flamingo versammeln sich besonders im trockenen Winter Reiher, Ibisse, Rosa Löffler sowie andere Stelz- und Watvögel.

Von **Flamingo,** dem Endpunkt der Strecke, kommt man nur noch mit dem Kanu oder Hausboot weiter. Wer den 140 km langen Wilderness Waterway bis nach Everglades City im Westen des Nationalparks durchpaddeln will, benötigt eine Genehmigung der Park Ranger und sollte Erfahrung und Kondition, die entsprechende Ausrüstung und eine Reservierung für eine Campingplattform haben.

Everglades National Park: 40001 SR 9336, Homestead, FL 33034, www.nps.gov/ever.
Ernest F. Coe Visitor Center: an der SR 9336, Tel. 305-242-7700, tgl. 8–17 Uhr.

Flamingo Lodge: Flamingo, Tel. 239-695-3101, Fax 239-695-3921, www.flamingolodge.com. Einzige Herberge im Nationalpark. Von den einfachen, ordentlichen Zimmern hat man einen Blick auf die Florida Bay, 127 Zi. ab 60 $, der angeschlossene Zeltplatz ist für Zelte oder Campmobile geeignet. Zur Lodge gehören ein **Restaurant** mit empfehlenswerten Fischgerichten ab 11 $ und das **Buttonwood Patio Cafe** mit Snacks ab 3 $.

Tamiami Trail

Die Querverbindung zwischen der Ost- und der Westküste führt von Miami am Rand des Everglades National Park entlang, durchquert das riesige Areal der Big Cypress National Preserve und verläuft dann Richtung Naples nach Norden. Vor dem zerlappten Meeresufer der Golfküste breitet sich das Inselgewirr der Ten Thousand Islands aus.

Bei Shark Valley beginnt, falls Hochwasser dies nicht unmöglich macht, eine 15 Meilen lange, zweistündige Rundfahrt mit einem Sightseeing-Bus, dem **Shark Valley Tram** (Tel. 305-221-8455). Privatautos sind auf dieser Strecke nicht erlaubt, ein Fahrradverleih ermöglicht die Erkundung der Route, die auch gewandert werden kann, auf eigene Faust. Am südlichen Endpunkt der Stichstraße bietet ein 15 m hoher Aussichtsturm weite Blicke auf den Shark River Slough, den wichtigsten Süßwasserabfluss der Everglades, auf das hohe Mangrovendickicht in dessen Uferbereich und auf die endlose Riedgrasprärie. Kurze Wanderwege, meist über Plankenpfade, führen zum Bobcat Hammock, einer dicht bewachsenen Waldinsel, und auf dem Heron View Trail zu einer Plattform, von der man Reiher und andere Vögel beobachten kann.

Etwa 500 Miccosukee-Indianer, die erst 1962 von der US-Regierung offiziell als Stamm anerkannt wurden, leben in der **Miccosukee Indian Reservation.** Sie sind die Nachkommen von 50 Indianern, die sich nach dem Zweiten Seminolen-Krieg Mitte des 19. Jh. vor der US-Kavallerie in den Everglades verbergen und der Deportation nach Oklahoma entgehen konnten. Ein Teil der Reservation wurde mittlerweile zu einer Touristenattraktion. In einem Indian Village gibt es Kunstgewerbe, im indianischen Restaurant kann man neben amerikanischen Fastfood-Klassikern auch Gerichte wie Alligatorschwanz, Froschschenkel, Wels oder Kürbis probieren. Touristen werden mit Alligator-Show-Catchen und einer 40-minütigen *Airboat*-Fahrt unterhalten, die zum Museumsdorf **Miccosukee Indian Village** mit *Chickees,* offenen, von einem Palmendach geschützten Hütten führt. Hier wird Alligator-Catchen geboten, dazu Demonstrationen kunsthandwerklicher Techniken sowie Ausflüge in die Everglades per *Airboat* und Außenborder (30 Meilen westl. von Miami an der US 41/Tamiami Trail, Tel. 305-223-8380).

Die Seminolen unterhalten in der **Big Cypress Seminole Indian Reservation** noch nördlich der ›Alligator Avenue‹ genannten I-75 ebenfalls ein touristisches Indianerdorf. Ihr **Ah-Tha-Thi-Ki Museum** informiert über die wechselhafte Geschichte und Kultur der Seminolen in der Big Cypress Reser-

Big Cypress Swamp – Sumpfgebiet mit ausgedehnten Zypressenwäldern

vation (tgl. 9–17 Uhr). Zahlreiche Natur pfade, streckenweise auf Holzplanken, führen durch die Landschaft der Everglades. Mit **Billie's Swamp Safari** geht es auf hochrädrigen Sumpffahrzeugen durch die urwüchsige Landschaft (Tel. 863-983-6101; Abfahrt 14 der I-75 ›Miccosukee-Service Plaza‹), dann 18 Meilen nach Norden bis zum Eingang der Reservation.

Die **Big Cypress National Preserve** ist Teil des riesigen gleichnamigen Wald- und Sumpfgeländes, das sich nordwestlich an die Everglades anschließt. Das Naturschutzgebiet erhielt seinen Namen wegen der ausgedehnten Zypressenbestände sowie den zahlreichen kleineren Teich- und den bis zu 30 m hohen Sumpfzypressen, welche die tieferen Feuchtgebiete säumen. In dem von Mangrovengebüsch, Prärien und Hartholzwäldern bewachsenen Terrain leben Alligatoren, Reiher, Ibisse, Spechte, Adler, Rotwild und auch vom Aussterben bedrohte Tiere wie der Florida-Panther. Vom Waldibis, einer Storchenart, den Jäger wegen seines dekorativen Gefieders einst fast ausgerottet hatten, findet man im Big Cypress Swamp inzwischen wieder eine Population von fast 10 000 Tieren. Bei den Park Rangern kann man Lizenzen zum Jagen und Fischen beantragen. Am Tamiami Trail liegt noch im Naturschutzgebiet der Ort Ochopee, der sich rühmt, das mit 2,1 mal 2,4 m kleinste Postamt der USA zu besitzen. Rundfahrtbusse halten an dem kleinen Häuschen, die Urlauber können – einer nach dem anderen – ihre Postkarten mit Sonderstempeln versenden.

Everglades City liegt an der westlichen Grenze des Nationalparks. Die Siedlung bietet sich als Ausgangspunkt für Fahrten durch das Gebiet der Ten Thousand Islands und für Angeltrips in die Küstengewässer an. Diverse Veranstalter offerieren Pauschalarrangements, die Angeltouren mit *Airboot*-Fahrten, Alligatoren-Catchen oder der Besichtigung von ›authentischen‹ Indianerdörfern umfassen. Das Information Center des National Park organisiert Bootstouren durch das Insellabyrinth, bei denen auf einem unbewohnten Eiland auch ein Stopp zum Muschelsammeln eingelegt werden kann.

Knapp 3 Meilen weiter im Süden, nur über eine Brücke zu erreichen, liegt der Ort **Chokoloskee** auf einer Muschelinsel, die vor mehreren hundert Jahren von Calusa-Indianern aufgeschichtet wurde. Tred Smallwood kaufte zu Beginn des 20. Jh. den Indianern Felle, Schildkröten und Rotwild ab. Sein Indian Trading Post ist als **Smallwood's Store Museum** wieder geöffnet (360 Mamie St., Chokoloskee Island, tgl. 10–17 Uhr).

Oasis Visitor Center: Big Cypress National Preserve, 20 Meilen östl. von Ochopee an der US 41, Tel. 239-695-1201, www.nps.gov/bicy, tgl. 8.30–16.30 Uhr.

Gulf Coast Visitor Center: Everglades National Park, SR 29 an der US 41, Tel. 239-695-4731, tgl. 8.30–16.30 Uhr.

Everglades Area Chamber of Commerce: Rte. 41/SR 29, Everglades City, Tel. 239-695-3941, www.florida-everglades.com.

On the Banks of the Everglades: 201 W. Broadway, Everglades City, Tel. 239-695-3151, Fax 239-695-3335, www.banksoftheeverglades.com. Altmodisches B & B Hotel mit geräumigen Zimmern in früherem Bankgebäude, kostenloser Fahrradverleih, 12 Zi. ab 85 $.

Rod & Gun Lodge: 200 Riverside Dr., Everglades City, Tel. 239-695-2101. Rustikale Lodge in einer früheren Jagdhütte mit prominenten Ex-Gästen wie Mick Jagger oder Richard Nixon, 17 Zi. 75 $.

Camping: Barron River RV Park: 803 Collier Ave., Everglades City, Tel. 813-695-3331. Ideal für Angler.

Susie's Station: 103 SW. Copeland Ave., Everglades City, Tel. 239-695-2002. Nostalgischer Diner mit frischem Fisch und leckerem Key Lime Pie, Hauptgericht ab 8 $.

Ivey House: 107 Camellia St., Everglades City, Tel. 239-695-3299. Regionale Gerichte, z. B. Froschschenkel, ab 8 $, dazu Zimmer und Tourangebote.

Bootstouren: von der Park Ranger-Station oder beim Ivey House in das Inselgewirr der Ten Thousand Islands, auch Bootsverleih.

Biscayne National Park

Florida-Atlas: S. 239, E–F3
In Homestead südlich von Miami beginnt auch der Zufahrtsweg zum Biscayne National Park, dem zweiten der drei Nationalparks von Florida. Er liegt zu mehr als 90 % unter der Wasseroberfläche. Das ausgedehnte Areal schützt einen mehr als 30 km langen Abschnitt des Korallenriffs, das sich vor der Atlantikküste von Südflorida entlangzieht. Am Convoy Point, 10 Meilen östlich von Homestead, liegt das Visitor Center mit Ausstellungen und Informationen zur Unterwasserwelt. In der kleinen Marina werden Ausflugsfahrten mit Glasbodenbooten sowie Schnorchel- und Tauchtrips zu den farbenprächtigen Korallenbänken angeboten, dort können auch Kanus für Touren auf eigene Faust gemietet werden.

Biscayne National Park: 9700 S.W. 328th St., Homestead, Tel. 305-230-7275, www.nps.gov/bisc.

Biscayne National Underwater Park Inc.: Tel. 305-230-1100, Ausflüge und Tauchtouren.

Florida Keys

Florida-Atlas: S. 238–239, B–E4
Die 262 km lange Strecke von Miami nach Key West zählt zu den klassischen Florida-Touren. Richtig erschließt sich die Welt der Keys erst, wenn man sich Zeit nimmt anzuhalten, die Blau-, Grün- oder Türkistöne des Wassers zu genießen, eine Bootsfahrt zu unternehmen oder zu baden. Da die Unterkünfte auf der Strecke begrenzt sind und Key West zu den beliebtesten Zielen in Florida gehört, ist es sinnvoll, Hotels im Voraus zu reservieren.

Südlich von Homestead führt die US 1 nach **Key Largo,** der längsten aller Florida Keys. Im südlichen, dichter besiedelten Abschnitt von Key Largo geht es zivilisierter zu, dort findet man Hotels, Restaurants sowie ein kleines Einkaufszentrum. Im Caribbean Club (MM 104), auch heute noch ein beliebter *hangout,* wurden 1948 mehrere Szenen des Filmklassikers »Key Largo« mit Humphrey Bogart, Lauren Bacall und Edward G. Robinson gedreht. Der Streifen muss den Insulanern so gut gefallen haben, dass sie ihre ursprünglich Rock Harbor genannte Insel 1952 in Key Largo umtauften.

Die bekannteste Attraktion der Insel ist der **John Pennekamp Coral Reef State Park,** der nach dem Naturschützer und früheren Herausgeber des »Miami Herald« benannt wurde. Der touristisch gut erschlossene Park mit

Mile Marker

Adressen auf den Keys sind meist mit dem Zusatz MM und einer Zahl versehen. Diese *Mile Marker,* kleine grüne Schildchen am Straßenrand, geben die Entfernung von Key West an, der MM 0 steht an der Kreuzung der Whitehead und der Fleming Street in Key West, der MM 126 südlich von Florida City noch auf dem Festland.

Badestrand, Wanderwegen, großem Besucherzentrum, Aquarium und einem Museum zur Geschichte der auf den Riffen gestrandeten Schiffe zählt mehrere Hunderttausend Besucher im Jahr. Man kann mit Glasbodenschiffen oder zu Tauch- und Schnorcheltouren zum großen, vorgelagerten Korallenriff hinausfahren, in dem 40 verschiedene Korallenarten gezählt werden (MM 102,5, Tel. 305-451-1202, www.floridastateparks.org/pennekamp, tgl. 8 Uhr bis Sonnenuntergang).

Im **Wild Bird Rehabilitation Center** in Tavernier gibt es keine Fünftagewoche. Pelikane, Reiher, Fischadler oder Kormorane, die sich an Angelhaken verletzt, Flügel oder Beine gebrochen haben, werden hier operiert und gepflegt, um bald wieder in der Freiheit leben zu können (MM 93,6, tgl. Sonnenauf- bis -untergang).

Key Largo Chamber of Commerce: 10600 Overseas Hwy., Key Largo, MM 106, Tel. 305-451-1414, Fax 305-451-4726, www.keylargo.org.

Jules' Undersea Lodge: MM 103,2, Tel. 305-451-2353, Fax 305-451-4789, www.jul.com. Ehemaliges Forschungslabor, jetzt Unterwasserhotel, Frühstück und Abendessen werden von Tauchern geliefert, inkl. Tauchgängen, 2 Zi. ab 250 $ pro Person.
Kona Kai Resort: MM 97,8, Tel. 305-852-7200, www.konakairesort.com. Friedliche Atmosphäre, gemütliche Cottages, dazu ein eigener Strand, 11 Wohneinheiten ab 110 $.
Camping:
America Outdoors: MM 97,5, Tel. 305-852-8054, www.aokl.com, ganzjährig. Gute Lage zum Baden oder Fischen, 19 $.

Per Boot in die Vergangenheit

Von Indian Key Fill (MM 79) fahren Ausflugsboote nach Lignumvitae Key und nach Indian Key. Ein Überfall von Seminolen im Jahre 1840 auf die Siedlung von Indian Key brachte fast allen Bewohnern den Tod. Geheimnisvoll erscheinen die Ruinen eines Siedlerhauses auf Lignumvitae Key inmitten der üppigen Vegetation aus Lebens-, Mahagoni- und Gumbo Limbo-Bäumen, Würgefeigen sowie dem giftigen Teufelsbaum. Fähre: Tel. 305-664-4815

Calypso's Seafood Grill: MM 99,5, Tel. 305-451-0600, Mi–Mo 11.30–22, Fr–Sa bis 23 Uhr. Köstliche Fischgerichte in lockerer Atmosphäre, Hauptgerichte ab 10 $.

Islamorada nennt sich die Inselgruppe südlich von Key Largo. Das sympathisch-altmodische **Theater of the Sea** auf Windley Key kommt bei den Shows noch immer mit geräumigen Naturbecken und ohne Hochakrobatik von Tieren aus. Nach Voranmeldung und gegen eine Gebühr kann man gemeinsam mit Delphinen oder Barakudas durchs Wasser gleiten (MM 84,5, Tel. 305-664-2431, tgl. 9.30–16 Uhr). Das **Hurricane Monument** (MM 81,6) auf Islamorada erinnert an die 800 Opfer des zerstörerischen Sturms vom September 1935. Mehr als 400 Arbeiter ertranken, als ihr Rettungszug, der sie aufs Festland zurückbringen sollte,

von einer 3,50 m hohen Flutwelle von den Schienen gerissen wurde.

Islamorada Chamber of Commerce: MM 82,5, Tel. 305-664-4503, Fax 305-664-4289, www.islamoradachamber.com.

Cheeca Lodge: MM 82, Tel. 305-664-4651, Fax 305-664-2893, www.cheeca.com. Im karibischen Stil erbautes Ferienparadies, in dem auch Prominente Urlaub machen, 210 Wohneinheiten ab 220 $.

Morada Bay: MM 81,6, Tel. 305-664-0604, tgl. 11.30–22 Uhr. Köstliche karibisch-floridianische Küche, Hauptgericht ab 17 $.
Manny & Isa's Kitchen: MM 81,6, Tel.

Abendstimmung am Anleger in Marathon

305-664-5019, Mi–Mo 11.30–22 Uhr. Lockerer *hangout* mit exzellentem Limonenkuchen und leckerer Conch-Muschelsuppe, Hauptgericht ab 12 $.

Woody's Saloon & Bar: MM 82, Tel. 305-664-4335, Islamorada. Abends spielt die Hausband Big Dick and the Extenders; weitere Vergnügungen: Pool Billard, Videospiele sowie Karaoke-Nächte.

Die mittleren Keys

Die Wanderwege in der **State Recreational Area** auf **Long Key** sind einen Stopp wert. In jeweils einer knappen halben Stunde sind der Golden Orb Trail, der durch ein Mangrovengehölz und auf einem Plankenweg über eine flache Gezeitenlagune, und der Layton Trail, der durch ein tropisches Wäldchen zur Küste führt, erwandert (MM 68, tgl. 8 Uhr bis Sonnenuntergang).

Im **Dolphin Research Center** auf **Grassy Key** bemüht man sich, der Intelligenz und Kommunikationsfähigkeit von Meeressäugern auf die Spur zu kommen. Erstaunliche Erfolge erzielten die Delphine bei der Behandlung psychisch gestörter Kinder. Bei rechtzeitiger Voranmeldung kann man in großen Bassins gemeinsam mit den Delphinen schwimmen (MM 59, Tel. 305-289-1121, Mi–So 9–16 Uhr).

Marathon auf Vaca Key, der logistische Stützpunkt während des Eisenbahnbaus zu Beginn des 20. Jh., ist heute das kommerzielle Zentrum der mittleren Keys mit Hotels, Malls und einem Flugplatz.

Chamber of Commerce: 3330 Overseas Hwy., Marathon, FL 33050, Tel. 305-743-5417, Fax 305-289-0183.

Lime Tree Bay Resort: MM 68,5, Long Key, Tel. 305-664-4740, Fax 305-664-0750, www.limetreebayresort.com. Gemütliche Anlage mit Sportangeboten, an der Golfseite, 30 Zi. ab 80 $.

KORALLENRIFFE – WUNDERGÄRTEN DES MEERES

Die schönsten Friedhöfe der Welt liegen unter dem Wasser. Korallenriffe sind nichts anderes als gigantische Ansammlungen von Skelettresten. Sie entstehen, weil viele tausend Generationen von winzigen Polypen jeweils am Ende ihres Lebens ihre Kalkhülle neuen Korallentierchen vererben. Diese siedeln auf der Oberfläche des alten Kalkskeletts. Schicht um Schicht wachsen die Plankton fressenden Kleintiere nach einem unergründlichem Bauplan zu vielfältigen Fächern, Blöcken und Zweigen zusammen. Bis sich eine ausgewachsene Hornkoralle über einen Stein gezogen hat, können mehrere hundert Jahre vergangen sein, der Zweig einer Fächerkoralle kann im Jahr bis zu 10 cm wachsen. In den ›Regenwäldern der Meere‹, wie sie von Forschern wegen ihres Artenreichtums und des komplizierten ökologischen Gleichgewichts genannt werden, leben etwa 10 % der geschätzten 500 000 in den Ozeanen vorkommenden Tier- und Pflanzenarten. Korallenriffe schützen Küsten, Häfen und Sandstrände vor der Gewalt der Brandung. Die Vielfalt der Arten und Farben in diesem Lebensraum ist mit kaum einem anderen Ökosystem vergleichbar.

Der **John Pennekamp Coral Reef State Park** südlich von Miami, der erste Unterwasser-Naturschutzpark in Nordamerika, ist nach dem ehemaligen Herausgeber des »Miami Herald« benannt, der sich vehement dafür einsetzte, das einzige lebende Korallenriff vor der US-amerikanischen Küste zu schützen. Der über 480 km^2 große Park vor Key Largo besteht aus wenig Land und sehr viel Atlantik. Über 40 Korallen- und 650 Fischarten leben heute in den flachen Gewässern. Um wenigstens einen Teil dieser bunt schillernden Welt zu entdecken, sollte man sich im Besucherzentrum eine Tauch- oder Schnorchelausrüstung leihen. Wer will, kann mit einem Glasbodenboot über den Labyrinthen aus goldbraunen Hornkorallen und roten Hirschhornkorallen fahren, zwischen den Papageienfische, Meerbarben und Rochen schwimmen.

Der **Biscayne National Park,** der zu 95 % unter der Meeresoberfläche liegt, schließt im Norden an den John Pennekamp State Park an. Flora und Fauna sind größtenteils so geblieben, wie sie sich zur Zeit der ›Entdeckung‹ Amerikas präsentiert haben. Auf den 44 unbewohnten Keys, die zum Nationalpark gehören, wachsen die letzten Reste eines tropischen Urwalds, der einst die ganze Küstenregion bedeckte. In der Bay leben Seekühe, Wasserschildkröten und Seeschlangen. Der große Fischreichtum lockt braune Pelikane, Ibisse, Blau- und Silberreiher an. Viele Schiffe sind in den vergangenen 500 Jahren Opfer der Strömungen und der nadelscharfen Klippen geworden. Ihre Wracks gehören neben der bizarren natürlichen Unterwasserwelt zu den Anziehungspunkten für Taucher aus aller Welt.

Das Korallenriff vor der Küste von Südflorida zieht sich in einer Tiefe von 3 bis 30 m noch etwa 350 km bis zum ausgedehnten Dry Tortugas National Park (s. S. 115) vor der Südspitze der Keys. Da die Korallentierchen nicht unter einer Wassertemperatur von 20 °C existieren können, sind die Riffe auf warme südliche Meere beschränkt.

Meeresforscher schlagen inzwischen Alarm. Die Überdüngung auf den Zuckerrohr- und Gemüsefeldern von Südflorida und der intensive Fischfang gefährden die empfindlichen und auf sauberes Wasser angewiesenen Riffe. Obwohl bisher nur relativ wenige Meeresbewohner auf der Liste der vom Aussterben bedrohten Arten stehen, gibt es Anzeichen für eine Störung der marinen Biotope. Stressfaktoren für die Korallenpolypen können Veränderungen im Salzgehalt und der Temperatur des Wassers sein, erhöhte UV-Einstrahlung oder die Zunahme von Schwebepartikeln. Die betroffenen Korallen bekommen weiße Flecken.

Inzwischen wird mit schärferen Kontrollen versucht, die Beschädigungen durch unachtsame und rücksichtslose Bootsfahrer zu verhindern. Schwieriger ist es, die Verursacher der Abwässerverunreinigung zu belangen. Die Zuckerbarone von Florida, von deren mit Kunstdünger und Schädlingsbekämpfungsmitteln belasteten Feldern viele chemische Rückstände in die Florida Bay gelangen, werden noch immer nicht für die Folgeschäden ihres Raubbaus an der Natur verantwortlich gemacht. Doch noch geben die Naturschutzverbände nicht auf und fordern eine Umkehr, solange diese noch möglich ist – auch, um das einzigartige Korallenriff vor der südlichen Atlantikküste zu retten.

Hornkorallen und roter Schwamm

Seven-Mile-Grill: MM 47,5, Tel. 305-743-4481, tgl. 7–11.15, 11.30–21 Uhr. Frühstück, Muschelsuppe oder frisch gebackenen Fisch mit einem gezapften Bier seit 50 Jahren, Hauptgerichte ab 7 $.

Die Lower Keys

Über die Seven Mile Bridge (MM 47) zu fahren ist schon ein besonderes Erlebnis, auch wenn die 1982 erbaute Trasse nur 6,79 Meilen misst. Endlos scheint sich die Straßenbrücke durch das türkisfarbene Wasser des Golfs von Mexiko zu ziehen, bis am Nordufer von Sunshine Key schließlich wieder fester Boden unter die Räder kommt.

Warnschilder ermahnen Besucher auf **Big Pine Key,** langsam und besonders aufmerksam zu fahren. Im **National Key Deer Refuge** im Norden von Big Pine Key, den Torch Keys und auf No Name Key stehen die 60 bis 70 cm großen Rehe, die es nur auf den Lower Keys gibt (s. S. 22), unter Naturschutz (MM 30, Mo–Fr 8–12 und 13–17 Uhr).

Badestrand auf Bahia Honda

Der Sandspur Beach des Bahia Honda State Park gilt als der schönste Strand der gesamten Inselkette. Er wird von Palmen und einem Gehölz tropischer Bäume gesäumt, deren Saatgut von den Antillen angeschwemmt oder herübergeweht wurde. Vom Park sieht man die Reste einer Eisenbahnbrücke aus den 1930er Jahren. Eine Snack Bar befriedigt Hunger oder Durst. MM 37, www.floridastateparks.org/bahiahonda, tgl. 8 Uhr bis Sonnenuntergang.

Lower Keys Chamber of Commerce: MM 31, Big Pine Key, Tel. 305-872-2411, www.lowerkeychamber.com.

Little Palm Island: MM 28,5, Little Torch Key, Tel. 305-872-2524, Fax 305-872-4843, www.littlepalmisland.com. Luxus-Herberge mit palmgedeckten Strandhäusern, in denen schon mehrere US-Präsidenten ihr müdes Haupt betteten, 30 Bungalows ab 700 $, inkl. Fähre und Wassersport ohne Motor.

Looe Key Reef Resort Dive Center: MM 27,5, Ramrod Key, Tel. 305-872-2215. Gut ausgerüsteter Dive-Shop, mit einigen ordentlichen Zimmern.

Key West

Florida-Atlas: S. 238, C4

Eine Welt für sich – jenseits der letzten Brücke des Overseas Highway kündet eine Ansammlung von Hotels von der Beliebtheit der Insel. Das eigentliche Städtchen Key West liegt noch etwa 20 Autominuten entfernt auf der anderen Seite des Eilands. In einer der ältesten Siedlungen von Südflorida blieben Dutzende viktorianischer Wohnhäuser erhalten, die im robusten und dekorativen Conch-Stil aus Holz erbaut sind. Das Audubon-Haus und einige andere können besichtigt werden.

Entlang der **Duval Street** und deren Nebenstraßen findet man eine Dichte von Kneipen, Bars und Diskotheken

Blick über die St. Paul's Church in der Duval Street, Key West

wie selten in den USA. Straßenkünstler, Wahrsager und Gaukler, die allabendlich am **Mallory Square** 1 zum Sonnenuntergang das Rahmenprogramm für ein dankbares Publikum liefern, tragen zur besonderen Atmosphäre der Stadt bei, in der Schwule und so genannte Alternative ihren akzeptierten Platz haben.

Ernest Hemingway wohnte lange auf Key West. Seine Vermarktung (und die seiner Stammkneipen Sloppy Joe's und Captain Tony's Saloon) als Symbolfigur eines freien, ungebundenen Männerlebens kommt dem Image der Gemeinde heute ebenso zupass wie die von Tennessee Williams, der bis zu seinem Tode 1983 auf Key West lebte und als Symbolfigur der *gay community* gilt.

Die Einwohner von Key West gelten als eigenwillig. Eine Straßensperre zur Drogenkontrolle auf dem Overseas Highway gab ihnen 1982 den Anlass, sich als *Conch Republic* von den USA loszusagen, Pässe auszugeben und

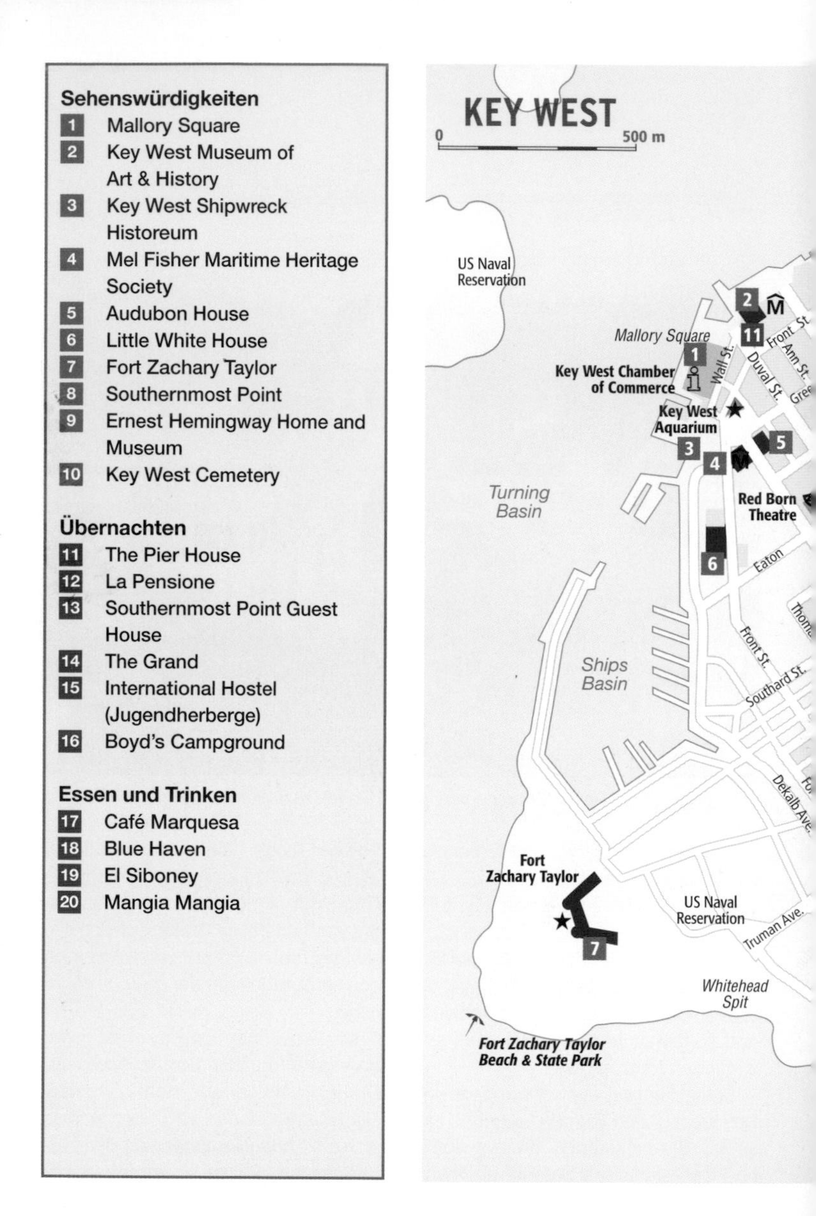
Sehenswürdigkeiten
1 Mallory Square
2 Key West Museum of Art & History
3 Key West Shipwreck Historeum
4 Mel Fisher Maritime Heritage Society
5 Audubon House
6 Little White House
7 Fort Zachary Taylor
8 Southernmost Point
9 Ernest Hemingway Home and Museum
10 Key West Cemetery
Übernachten
11 The Pier House
12 La Pensione
13 Southernmost Point Guest House
14 The Grand
15 International Hostel (Jugendherberge)
16 Boyd's Campground
Essen und Trinken
17 Café Marquesa
18 Blue Haven
19 El Siboney
20 Mangia Mangia
KEY WEST
0
500 m
US Naval Reservation
Mallory Square
Key West Chamber of Commerce
Wall St.
Front St.
Ann St.
Duval St.
Key West Aquarium
Turning Basin
Red Born Theatre
Eaton
Front St.
Ships Basin
Southard St.
Dekalb Ave.
Fort Zachary Taylor
US Naval Reservation
Truman Ave.
Whitehead Spit
Fort Zachary Taylor Beach & State Park

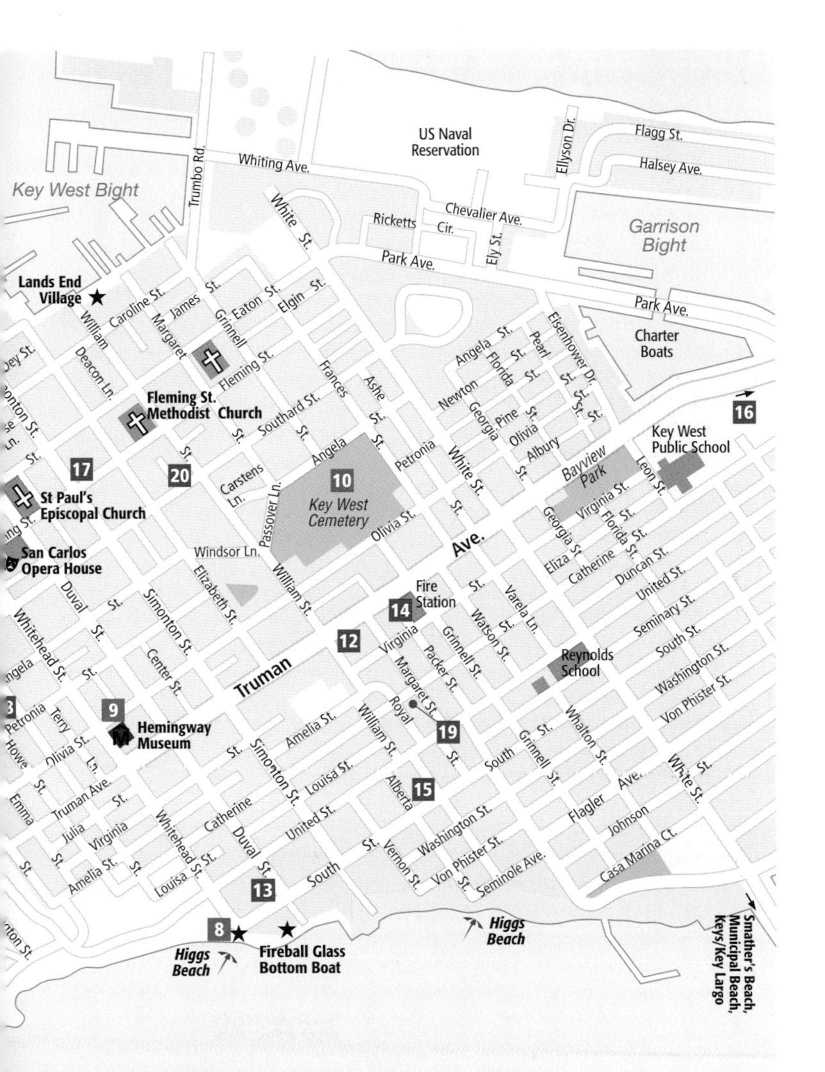
US Naval Reservation
Key West Bight
Garrison Bight
Charter Boats
Key West Public School
Bayview Park
Lands End Village
Fleming St. Methodist Church
St Paul's Episcopal Church
San Carlos Opera House
Key West Cemetery
Fire Station
Reynolds School
Hemingway Museum
Higgs Beach
Fireball Glass Bottom Boat
Smather's Beach, Municipal Beach, Keys/Key Largo
Atlantic Ocean
Truman Ave.
Whiting Ave.
Park Ave.
Chevalier Ave.
Flagg St.
Halsey Ave.
Trumbo Rd.
White St.
Duval St.
Simonton St.
Whitehead St.
William St.
Eisenhower Dr.
Flagler Ave.
Casa Marina Ct.
Seminole Ave.
1
8
9
10
12
13
14
15
16
17
19
20

AUF DER JAGD NACH GROSSEN FISCHEN – IM KIELWASSER VON HEMINGWAY

An langen Wochenenden gibt es kein Halten mehr. Dann kommen die Hobby-Angler bis aus Georgia, Tennessee und North Carolina. Sie fahren die Nacht durch auf den Interstate Highways, mit oder ohne Bootsanhänger im Schlepp. Die Gewässer der Florida Keys und die Strait of Florida, durch die der warme Golfstrom dem Atlantik zustrebt, gelten als Paradies für Hochsee-Angler.

Die Boote, mit kräftigen Motoren, hoher Beobachtungsbrücke und achtern angebrachten ›Kampfstühlen‹, auf denen die Angler mit Gurten festgezurrt werden, laufen in aller Frühe von Key Largo, Islamorada, Marathon oder Key West aus. Es geht hier nicht um Heringe oder Sardinen, Jagd wird auf die großen Fische gemacht, auf Thunfisch, den Weißen Marlin, auf Fächerfische und Wahoos und in den Sommermonaten auf den gewaltigen, bis zu einer halben Tonne schweren Blauen Marlin. Die Jagd auf die großen Fische war auch eine der lebenslangen Leidenschaften von Ernest Hemingway (1899–1961) und blieb zeitlebens ein Thema in seinen Romanen und Novellen. In seinem in Millionenauflage publizierten Werk ›Der alte Mann und das Meer‹, für das er 1952 den Pulitzer- und 1954 den Nobelpreis erhielt, schildert er den verzweifelten, mehrstündigen Kampf auf Leben und Tod des alten Fischers Santiago mit einem großen blauen Marlin. 1958 verfilmte John Sturges das Buch mit Spencer Tracey in der Hauptrolle.

Im Golfstrom der Strait of Florida werden Thunfische gefangen, der Fächerfisch hat das ganze Jahr über Saison, der Weiße Marlin wird im Winter und im Frühjahr gejagt. Der Höhepunkt der Angelsaison liegt jedoch zwischen Juni und August, wenn der gewaltige blaue Marlin beißt. Auch in den Häfen des Panhandle, wie in Destin oder Fort Walton Beach, warten ganze Flotten von Charterbooten auf Angler, die zwischen schlichten Außenbordern und luxuriösen Powerbooten wählen können.

Den meisten ist der Fang heute nur noch als Trophäe wichtig, für das Siegerfoto an der Pier, die ausgestopfte Trophäe über dem heimischen Kamin und die langen Nächte an den Bars. Hier kreisen die Debatten endlos um Marlin, Wahoo, Thunfische, Barrakuda, um Bonito, Grashechte oder Haie. Die Fische enden häufig als Köder für die nächsten Ausfahrten oder als Futter für Haie und andere Raubfische. Hemingway und sein literarisches Werk spielt bei den Freizeitsportlern keine große Rolle mehr. Außer beim Angeln und beim Alkoholkonsum versuchen sie dem einstigen Vorbild auch nicht nachzueifern. Wer nicht bis zu 800 Dollar für einen Hochseetrip bezahlen will, kann seiner Angelleidenschaft auch in den küstennahen oder den vielen Binnengewässern frönen und, mit einem Angelschein für 10 Dollar und einer ordentlichen Rute ausgestattet, Meeräschen, Makrelen, Barsche und Welse aus dem Wasser ziehen.

Geld zu drucken – zumindest bis die Straßenkontrollen aufgehoben wurden.

Immer wieder gab es schwere Krisen durchzustehen. Als der Hurrikan von 1935 die Eisenbahnverbindung Richtung Miami ins Meer spülte, wurden mit der Flutwelle auch die Hoffnungen auf eine Erholung nach der Weltwirtschaftskrise fortgeschwemmt. Heute verleiht ein nicht abreißender Strom von Urlaubern der Wirtschaft den nötigen Schwung.

Der **Pelican Path** verbindet auf einem ausgeschilderten Rundweg die Sehenswürdigkeiten von Key West. Im aufwendig restaurierten ehemaligen Zollhaus nahe dem Traditionshafen »The Bight« veranschaulicht das **Key West Museum of Art & History** [2] Geschichte und Kultur der Florida Keys (281 Front St., tgl. 9–17 Uhr). Das **Key West Shipwreck Historeum** [3] zeigt mit dem Nachbau des Warenlagers eines *Wrecker,* wie gründlich die Ladung gestrandeter Schiffe ausgebeutet wurde (1 Whitehead St./Mallory Sq., tgl. 9.45–16.45 Uhr). Einige der Schätze, die der Taucher Mel Fisher 1985 von der gesunkenen spanischen Galeone »Nuestra Señora de Atocha« ans Tageslicht beförderte, sind im Museum der **Mel Fisher Maritime Heritage Society** [4] ausgestellt (Ecke Green/Front Sts., tgl. 9.30–17 Uhr).

Im **Audubon House** [5], einem schönen Beispiel für den Conch-Baustil, hat der Ornithologe James Audubon während seines Aufenthalts auf Key West im Jahre 1832 Zeichnungen von den Vögeln der Region angefertigt (205 Whitehead St., tgl. 9.30–17 Uhr). **Little White House** [6] nannte der 1945–53 amtierende US-Präsident Harry S. Truman sein Urlaubsdomizil auf Key West. Eine Ausstellung mit Erinnerungsstücken lohnt einen kurzen Besuch (111 Front St., tgl. 9–17 Uhr).

Das **Fort Zachary Taylor** [7] war während des Bürgerkriegs in der Hand der Unionstruppen, die von dort den Seeverkehr kontrollierten. Im Fort ist eine Ausstellung mit Kriegsmemorabilia untergebracht, der Park und der nahe Strand sind als Picknick- und Badeplatz beliebt (tgl. 8 Uhr bis Sonnenuntergang).

Die markante Boje am **Southernmost Point** [8] gehört zu den meistfotografierten Plätzen auf Key West und erinnert daran, dass Miami mit 260 km fast doppelt so weit entfernt ist wie Havanna auf Kuba.

Der Schriftsteller Ernest Hemingway wohnte 1931–40 in Key West. Einige seiner bekanntesten Werke wie »Wem die Stunde schlägt« und »Schnee auf dem Kilimanscharo« sind hier entstanden. Auf dem Grundstück des nun als Museum eingerichteten **Ernest Hemingway Home and Museum** [9] tummeln sich Dutzende von Katzen – davon einige mit sechs Krallen –, angeblich die Nachkommen von Hemingways Haustieren (907 Whitehead St., tgl. 9–17 Uhr).

Auf dem **Key West Cemetery** [10] zeigt sich der oft gallige Humor der Insulaner in einigen Grabsteininschriften, von denen »Ich habe Dir doch gesagt, dass ich krank bin« und »Zumindest weiß ich, wo er heute Nacht schläft« zu den beliebtesten zählen (Ecke Margareth und Angela Sts., Sonnenauf- bis -untergang).

Key West Chamber of Commerce: Mallory Square/402 Wall St., Key West, Tel. 305-294-2587, Fax 305-294-7806, www.keywestchamber.org.

The Pier House 11: 1 Duval St., Tel. 305-295-4600, Fax 305-296-9085, www.pierhouse.com. Zentral am Mallory Square; mit tropischer Pool-Anlage und luxuriösen Zimmern mit Meerblick eine Spitzenadresse, 142 Zi. ab 200 $.

La Pensione 12: 809 Truman Ave., Tel. 305-292-9923, Fax 305-296-6509, www.lapensione.com. Freundliches Bed & Breakfast Inn, ohne TV. 9 Zi. ab 100 $.

Southernmost Point Guest House 13: 1327 Duval St., Tel. 305-294-0715, Fax 305-296-0641, www.southernmostpoint.com. Einfache Zimmer in schönem Gebäude mit guter Lage, 6 Zi. ab 65 $.

The Grand 14: 1116 Grinnel St., Tel. 305-294-0590, Fax 305-294-0477, www.the

Mit dem Wasserflugzeug geht es zu den kleineren Inseln der Dry Tortugas

grandguesthouse.com. Klein und fein, mit Frühstück, 11 Zi. ab 80 $.
International Hostel 15: 718 South St., Tel. 305-296-5719, Fax 305-296-0672, www.keywesthostel.com. Jugendherberge, Fahrradverleih, 96 Betten ab 20 $.
Camping:
Boyd's Campground 16: 6401 Maloney Ave., Tel. 305-294-1465, Fax 305-293-9301, www.boydscampground.com. An der Golfküste vom benachbarten Stock Island.

Cafe Marquesa 17: 600 Fleming St., Tel. 305-292-1919. Elegantes Restaurant mit *Floribean Cuisine,* Hauptgerichte ab 20 $.
Blue Heaven 18: 729 Thomas St., Tel. 305-296-8666. Gesundes Frühstück, leckere karibische Snacks, Hauptgerichte ab 10 $.
El Siboney 19: 900 Catherine St./Ecke Margaret St., Tel. 305-296-4184. Kräftige kubanische Küche mit Hauptgerichten ab 4 $.
Mangia Mangia 20: 900 Southard St., Tel. 305-294-2469. Selbstgemachte Pasta, köstlicher Fisch, Hauptgerichte ab 9 $.

Red Barn Theater: 319 Duval St., Tel. 305-296-9911. Spielstätte der Key West Community Players und von Gast-Ensembles.

Captain Tony's Saloon: 428 Greene St. Das Lokal hieß früher Sloppy Joe's und war die Stammkneipe von Hemingway.
Sloppy Joe's: 201 Duval St., 24 Stunden geöffnet, wirbt auch mit Hemingway Image. Oft Live-Musik.
Margaritaville Café: 500 Duval St. Spielt das *Easy livin'*-Image des in den USA populären Sängers Jimmy Buffet aus.
Club Epoch: 623 Duval St. Populärste Gay-Disco, in der auch Heteros abtanzen.

Key West Island Bookstore: 513 Fleming St., Tel. 305-294-2904. Gut sortierter Buchladen.

Conch Tour Train, Tel. 305-294-5161. Inselrundfahrt mit Startpunkt am Mallory Square.
Strand: Beliebter, von Palmen bestandener Sandstrand bei Fort Zachary Taylor sowie lange Strände bei Smathers Beach und dem South Beach im Süden der Insel.

Dry Tortugas

Florida-Atlas: westl. S. 238, A4
Die Florida Keys ziehen sich von Key West noch weitere 90 km ins Meer hinaus. Das See- und Inselgebiet des **Dry Tortugas National Park** umfasst ausgedehnte Korallenriffe, kleinere Inseln wie die Mullet Keys, die Baracuda Keys sowie die Marquesas Keys. Das kleine Garden Key wird fast vollständig von der Seefestung **Fort Jefferson** eingenommen. Der spanische Konquistador Ponce de Leon soll die Inselgruppe nach den Schildkröten benannt haben, die er 1513 an den Stränden gesehen hat.

Everglades National Park: Tel. 305-242-7700, www.nps.gov/drto, www.fortjefferson.com.

Anreise von Key West:
Seaplanes of Key West: Tel. 305-294-0709. Benötigt mit dem Wasserflugzeug etwa 1 Std.
Yankee Fleet: Tel. 305-294-7009. Legt die Strecke in etwa 3 Std. zurück.
Fast Cat Catamarans: Tel.305-236-7937. Tagestrips mit Verpflegung und Schnorchelausflug.

Tampa Bay und die Golfküste

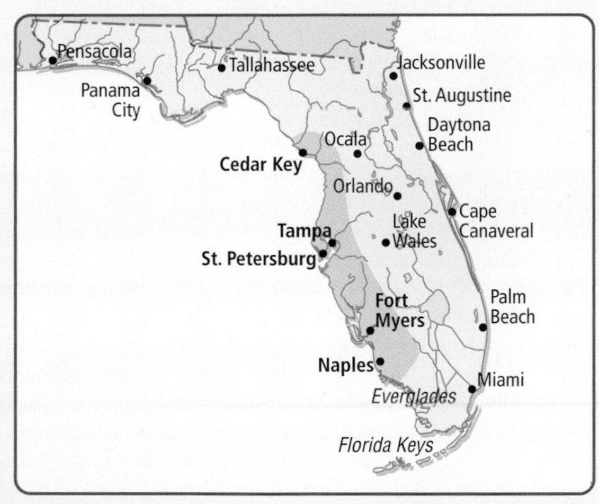

Golfparadies Florida: Auf Sanibel Island am Golf von Mexiko

Florida-Atlas S. 236–238

DIE LEE ISLAND COAST

Die Lee Island Coast mit dem mittlerweile 55 000 Einwohner zählenden Hauptort Fort Myers gehört zu den am schnellsten wachsenden Regionen der USA. Viele Zuwanderer fühlen sich vom angenehmen Klima und dem entspannten Lebensstil angezogen. Thomas Alva Edison, Erfinder von Glühbirne, Grammophon und Besitzer Tausender weiterer Patente, hatte auch bei der Wahl seines Winterwohnsitzes die Nase vorn, als er bereits 1886 nahe der Mündung des Caloosahatchee River in Fort Myers ein Haus errichten ließ und sich als echter Florida-Pionier erwies.

Naples

Florida-Atlas: S. 238, C2
Eine knappe Autostunde südlich von Fort Myers Beach und Bonita Springs liegt Naples. Nach dem Bürgerkrieg ›entdeckte‹ General John S. Williams von der Südstaatenarmee das hübsche Fleckchen und nannte es in Erinnerung an seine Dienste für den König von Neapel Naples. Umweltschutz und Erscheinungsbild der Stadt haben in Naples einen hohen Stellenwert. Bauhöhe und Straßenbreite sind genau vorgeschrieben und Recycling wurde hier schon betrieben, lange bevor die US-Regierung entsprechende Gesetze plante.

Dem Einsatz von The Conservatory, einer Naturschutzorganisation engagierter Bürger, ist es zu verdanken, dass die Rookery Bay zwischen Naples und Marco Island zur Schutzzone erklärt wurde. Die Organisation hat nicht nur ein Krankenhaus für verletzte Tiere gegründet, sondern informiert auch mit dem **Naples Natur Center** am Gordon River, in dem ein Schlangenhaus und ein Bassin für Seeschildkröten untergebracht sind, über Flora und Fauna im Südwesten von Florida (1440 Merrihue Dr., Mo–Sa 9–16.30). Nicht weit vom Stadtzentrum entfernt befindet sich **Caribbean Gardens.** Besucher können auf Fotosafari gehen und exotische Tiere und tropische Pflanzen beobachten. Einige der dort lebenden Großkatzen führen in Shows ihre Kunststückchen vor (1590 Goodlette Rd., tgl. 9.30–17.30 Uhr).

Im eleganten, baumbestandenen Zentrum von Olde Naples zwischen der 1st und der 14th Avenue sowie im Einkaufsviertel der 3rd Street befinden sich zahlreiche exklusive Geschäfte, in deren Schaufenstern die Preisschilder bisweilen diskret fehlen. Auch die dekorativ auf alt getrimmte Shopping-Arkade Old Marine Marketplace mit rund 40 Geschäften und einigen Restaurants am Fischerhafen Old Tin City gehört zu den beliebten Einkaufspassagen. Wer Seeluft schnuppern will, fährt zum City Dock und dem Yacht Basin am Ende der 12th Avenue. Dort ist der lange Naples Pier ein beliebter Treffpunkt – besonders zum Sonnenuntergang.

Das **Teddy Bear Museum,** aus einer privaten Sammlung mit 1300 Exemplaren hervorgegangen, ist einzig und allein den knuddeligen Spielzeugtieren gewidmet. Neben vielen ›antiken‹ Bären gibt es auch neuere von Kunsthandwerkern hergestellte Schöpfungen. Der kleinste Bär misst knapp 3 cm, der größte könnte einem ausgewachsenen Polarbären Konkurrenz machen (2511 Pine Ridge Rd., Di–Sa 10–17).

Das **Naples Museum of Art** kann mit einer spektakulären Glaskuppel und einer großzügen Anlage für seine Bilder und Skulpturen aufwarten. Der Schwerpunkt der Ausstellung liegt auf moderner amerikanischer Malerei und alter asiatischer Kunst (5833 Pelican Bay Blvd., Di–Sa 10–16, So 12–16 Uhr).

Auf der südlich von Naples gelegenen **Marco Island** lebten noch bis ins 18. Jh. Calusa-Indianer. Einige ihrer Zeremonien- und Grabhügel, *Indian Mounds,* sind bis heute auszumachen. Bei Ausgrabungen wurden Waffen, Werkzeuge und kunstvolle Figuren zu Tage gefördert. An schönen Stränden reihen sich heute exklusive Ferienanlagen und mehrstöckige Apartmentgebäude aneinander.

Naples Area Visitor Center: 895 5th Ave., Naples, FL 34202, Tel. 239-262-6141, Fax 239-435-9910, www.napleschamber.org.

The Ritz Carlton: 280 Vanderbilt Beach Rd., Tel. 941-598-3300, Fax 239-598-6690, www.ritzcarlton.com. Eines der besten Hotels von Florida mit fantastischen Restaurants und Wellness-Spa, 463 Suiten und Zimmer ab 200 $.
Vanderbilt Inn: 11000 Gulfshore Dr. N., Tel. 239-597-3151, Fax 239-597-3099, www.vanderbiltinn.com. Mit tropischem Garten, am Vanderbilt Strand nördl. von Naples, 147 Apartments und Zi. ab 110 $.
The Boat House Motel: 1180 Edington Pl., Marco Island, Tel. 239-642-2400, Fax 239-642-2435, www.theboathousemotel.com. Gepflegte, einfache Zimmer an einem Kanal nicht weit vom Strand, 20 Zi. ab 70 $.
Camping:
Naples/Marco Island KOA: 1700 Barefoot Williams Rd., Tel. 239-774-5455,

Corkscrew Swamp Sanctuary

Park Ranger der National Audubon Society, die das Naturgelände betreut, führen Besucher zum Teil auf Plankenwegen durch das Feuchtgelände und einen Wald riesiger Sumpfzypressen in die Nähe von Nistplätzen der seltenen Waldstörche, die in den Wintermonaten die Wärme von Südflorida genießen (Immokalee Rd./CR 846, 16 Meilen nordöstl. von Naples, Tel. 239-348-9151, Okt.–April tgl. 7–17.30, April–Sept. tgl. 7–19.30 Uhr).

südlich von Naples, nördlich von Marco Island, mit einem Strand in der Nähe, gute Ausstattung, Pool, das ganze Jahr über geöffnet.

Bistro 821: 821 Fifth Ave. S., Tel. 239-261-5821, tgl. 17–22 Uhr. Lebhafte Atmosphäre und mediterrane Gerichte, Hauptgerichte ab 13 $.
The Dock at Crayton Cove: 12th Ave. S., Tel. 239-263-9940, tgl. ab 11 Uhr. Leckere Fischgerichte am City Dock, frisch vom Kutter, Hauptgerichte ab 11 $.
Old Marco Lodge & Crabhouse: 1 Papaya St., Goodland, Tel. 239-642-7227, Mo geschl. Frischer Fisch, Blue Crabs und Key Lime Pie, an der Marina, Hauptgericht ab 10 $.

Old Marine Market Place at Tin City: 1200 5th Ave. S., Tel. 239-262-4200. Am Gordon River, verschachteltes Einkaufszentrum mit diversen Boutiquen.

Philharmonic Center for the Arts: 5833 Pelican Bay Blvd., Tel. 239-597-1900. Aufführungen des Philharmonischen Orchesters, Ballett-, Konzert-, Opern- und Musical-Inszenierungen.

Club Zanzibar: 475 Seagate Dr., Do–Sa. DJ-Tanzclub ab 21 Uhr.

Strand: Der beste von allen ist der Vanderbilt Beach bei der Delnor-Wiggins Pass State Recreation Area (111th Ave. N.).

Schnellrestaurant in Naples

Fort Myers und Fort Myers Beach

Florida-Atlas: S. 238, C1

Fort Myers nennt sich ›City of Palms‹. Die ersten Königspalmen am 15 Meilen langen McGregor Boulevard, an dem sich auch die **Edison-Ford Winter Estates** (s. S. 122) befinden, hat der Erfinder noch selbst gepflanzt. Edison erkor die Region 1884 zum Winterwohnsitz, konnte hier seine kränkliche Konstitution stabilisieren und war von ihr begeistert: »Es gibt nur ein Fort Myers, und 90 Millionen Amerikaner werden es herausfinden«. Sein Wohnhaus und Grundstück am Caloosahatchee River sowie das große Laboratorium, in dem viele der Erfindungen von Edison ausgestellt sind, können im Zuge einer Führung ebenso besucht werden wie das benachbarte Anwesen seines Freundes und Geschäftspartners Henry Ford. Der Besucher-Parkplatz der Anlage wird von einem riesigen Banyan-Baum beschattet, den der Gummifabrikant Harvey Firestone 1925 Edison als Setzling schenkte (2350 McGregor Blvd., Fort Myers, Führungen Mo–Sa 9–17.30, So 12–17.30 Uhr).

Von November bis März, wenn das Wasser im Golf von Mexiko etwas abgekühlt, sind die Chancen am Besten, Meereskühe im erwärmten Kühlwasser eines Kraftwerks zu beobachten. Durch die Naturanlage des **Manatee Park** führen Plankenwege, am Wochenende kann man mit ausgeliehenen Kajaks durchs Wasser gleiten (Route 80, knapp 3 km östlich der I-75, Tel. 941-694-3537, April–Sept. tgl. 8–20, Okt.–März tgl. 8–17 Uhr).

Wer einen Ausflug in die eigenwillige Gedankenwelt der Koreshan-Sekte unternehmen möchte, kann südlich von Fort Myers im **Koreshan State Historic Site** deren ehemalige Wohngebäude, Werkstätten und Gemeinderäume besichtigen. Die Mitglieder dieser mittlerweile von selbst aufgelösten Sekte, die sich um 1900 hier angesiedelt hatte, gingen davon aus, dass die Menschen auf der Innenseite einer hohlen Weltkugel leben (US 41/Corkscrew Rd., tgl. 8 Uhr bis Sonnenuntergang).

Fort Myers Beach liegt auf Estero Island, einer über Brücken mit dem Festland verbundenen schmalen Insel mit mehr als 50 m breiten, sanft abfallenden Sandstränden. Obwohl viel besuchter Urlaubsort, hat es etwas von seinem alten Charme bewahrt. An kleinen Ständen am Hafen an der Bay-Seite der Insel bieten Krabbenfischer Meeresfrüchte an, in den Kneipen dröhnen alte Hits aus den Musikboxen. Der einsame Naturstrand des **Lover's Key State Park,** nur wenig südlich von Estero Island, gehört zu den schönsten in Florida (8700 Etsero Blvd., tgl. 8 Uhr bis Sonnenuntergang).

Im schnell wachsenden **Cape Coral** am Nordufer des Caloosahatchee River haben viele US-Bürger Zweitwohnsitze. Das Städtchen zieht auch deutsche Florida-Liebhaber an, die hier eine Sonnenimmobilie erworben haben.

Lee County Visitor & Convention Bureau: 2180 West First Street, Suite 100, Fort Myers, FL 33901, Tel. 239-338-3500, Fax 239-334-1106, www.FortMyersSanibel.com.

THOMAS ALVA EDISON – IM LABOR EINES ERFINDERGENIES

Er atmete schwer, hörte kaum noch und litt unter allen möglichen Schmerzen. Bereits mit 38 Jahren war der berühmteste Erfinder des 19. Jh. ein gesundheitliches Wrack. Fast 20 Jahre ununterbrochener Arbeit an technischen Neuerungen wie Börsenticker, Kohlekörnermikrofon, Phonograph, Dynamo oder Glühbirne forderten ihren Tribut. Seine junge Frau hatte Thomas Alva Edison gerade erst beerdigt. Er selbst fühlte sich krank und ausgelaugt. Wenn er noch weiterleben und weitererfinden wolle, so seine besorgten Ärzte, dann wäre es das Beste, Menlo Park nahe New York zu verlassen und in den Süden zu gehen, dorthin, wo das Klima warm und die Luft sauber sei, zum Beispiel nach Florida.

Edison ging, wohin ihn seine Ärzte geschickt hatten, und schöpfte neue Kräfte. Er kaufte sich ein Grundstück in Fort Myers, ließ ein Haus mit Laboratorium bauen, heiratete seine zweite Frau Mina, zeugte mit ihr drei Kinder und meldete in den folgenden Jahren noch rund 500 Patente an. Unter anderem erfand er die wieder aufladbare Batterie, den Elektromotor, ein Betongießverfahren für den Fertigbau von Häusern, einen Filmprojektor, die Elektronenröhre und verschiedene Kunststoffe. »Jeder kann ein Genie sein«, lautete einer seiner Lieblingssprüche, ein anderer: »Eine gute Erfindung besteht nur zu 2 % aus Inspiration, aber zu 98 % aus Transpiration.« Als Edison 1931 starb, war er 84 Jahre alt, hoch geehrt und sehr wohlhabend. Bis heute ist er der Inbegriff des genialen Erfinders geblieben.

Die 1885 aus Fertigbauteilen errichtete Winterresidenz mit Anlegestelle am Caloosahatchee River wurde von Edison mit allen möglichen Raffinessen ausgestattet. Als erstes Haus in Florida erhielt es einen Swimmingpool, eine komplette Stromversorgung für die Akkumulatoren des Elektroboots und elektrisches Licht in jedem Zimmer. Ein artesischer Brunnen versorgt das Anwesen und die Gärten bis heute mit Wasser. Rund 100 000 Dollar – damals eine gigantische Summe – gab Edison für die etwa 6000 verschiedenen Bäume, Sträucher und Kräuter aus, die er von Fachleuten auf allen fünf Kontinenten zusammensuchen ließ. Grund für diese Sammelwut war wie immer der Forschungstrieb. Edison suchte nach widerstandsfähigen Naturfasern für Glühbirnen und nach Heilmitteln. Besonders interessierten ihn Pflanzen, mit deren Hilfe man möglicherweise Gummi herstellen konnte. Der Automagnat Henry Ford bestärkte Edison in seinem Drang und finanzierte gemeinsam mit dem Reifenfabrikanten Harvey Firestone die Suche nach möglichst preiswerten Alternativen zum Naturkautschuk aus Indochina. Durchschlagenden Erfolg hatten sie jedoch nicht. Für die Herstellung von Kunstkautschuk aus Erdöl waren Edisons Forschungen jedoch von großer Bedeutung.

Abgesehen von den geschäftlichen Beziehungen waren Ford und Firestone auch gute Freunde von Edison – eine Fotografie der drei hängt über dem Kamin.

Das Labor von Thomas Alva Edison

Während Firestone meistens in Miami Beach residierte, lebte Ford in unmittelbarer Nachbarschaft zu Edison. Das Gartentor zwischen den beiden Grundstücken stand stets offen. Kurz nachdem Edison gestorben war, verkaufte der Industrielle seine Villa, das Tor wurde geschlossen und seitdem nie wieder geöffnet.

Edisons Lieblingsauto steht heute noch in der Garage des Anwesens. Mehrfach gab Ford zu, dass er Edisons Erfindergeist viel zu verdanken habe. So konstruierte Edison für ihn unter anderem Zündkerzen, Transmissionsriemen und Lampen. Als Dank erhielt er jeweils Ersatzteile und Neuwagen geschenkt, die er jedoch kaum benutzte. Als passionierter Kautabakkonsument, der pausenlos Tabaksaft ausspucken musste, konnte Edison Autos mit Fenstern nicht ausstehen.

Das Edison-Museum in Fort Myers ist schon wegen des Gartens, von dem man Zugang zum breiten Caloosahatchee River hat, einen Ausflug wert. Überall wachsen exotische Pflanzen wie der Dynamitbaum, ein ausladender Banyan- und ein gigantischer Feigenbaum. Der McGregor Boulevard, an dem die Häuser von Edison und Ford liegen, ist von einer Allee hoher Königspalmen gesäumt. Das Haus und die Laboratorien beherbergen eine umfangreiche Sammlung alter Glühbirnen, Phonographen, Originalerfindungen und merkwürdiger Andenken. So sind in einer Vitrine mehrere mit Wachs versiegelte Reagenzgläser zu sehen, in denen Edisons Sohn Charles und sein Arzt Dr. Howe am 17. Okt. 1931 um 3.24 Uhr die letzten Atemzüge des genialen Erfinders aufbewahrten (Edison-Ford Winter Estates, 2350 McGregor Blvd., Fort Myers, www.edison-ford-estate.com, Führungen Mo–Sa 9–17.30, So 12–17.30 Uhr).

Best Western Pink Shell Beach Resort: 275 Estero Blvd., Fort Myers Beach, Tel. 239-463-6181, Fax 239-463-1229, www.pinkshell.com. Am ruhigen Nordende vom Estero Blvd. mit Zimmern, Suiten und Häuschen am superbreiten Strand, 210 Wohneinheiten ab 135 $.
Outrigger Beach Resort: 6200 Estero Blvd., Fort Myers Beach, Tel. 239-463-3131, Fax 239-463-6577, www.outriggerfmb.com. Legeres Familienhotel am breiten Sandstrand, 144 Zi. ab 85 $.
Palm Terrace Apartments: 3333 Estero Blvd., Fort Myers Beach, Tel./Fax 239-765-5783, www.palm-terrace.com. Gepflegte Apartments am Strand, beliebt bei europäischen Gästen, 9 Wohneinheiten ab 50 $.
Camping:
Red Coconut RV Park on the Beach: 3001 Estero Blvd., Fort Myers Beach, Tel. 239-463-7200, Anschluss 200, www.redcoconut.com. Am breiten Sandstrand von Estero Island, ganzjährig geöffnet.

The Veranda: 2122 2nd St., Fort Myers, Tel. 239-332-2065, Mo–Sa 11.30–14 u. 15.30–22 Uhr. Regionale Gerichte in restauriertem Gebäude mit lauschigem grünen Innenhof, Hauptgerichte abends ab 19 $.
Channel Mark: 19001 San Carlos Blvd., Fort Myers Beach, Tel. 239-463-9127, So–Do 11–22, Fr–Sa bis 23 Uhr. Fischgerichte in entspannter Atmosphäre an der Nordspitze von San Carlos Island, Hauptgerichte ab 10 $.
Snug Harbor: San Carlos Blvd. Unter der Matanzas Sky Bridge, Fort Myers Beach, Tel. 239-463-4343, tgl. ab 11.30 Uhr. Eigene Boote bringen fangfrische Fische, Hauptgerichte ab 9 $.

Sanibel Factory Outlets: Summerlin Rd./McGregor Blvd., auf dem Wege nach Fort Myers Beach, herabgesetzte Markenfabrikate.
Shell Factory: 2787 Tamiami Trail/US 41, Tel. 239-995-2141. Die Rettung, wenn man an den Stränden nicht die richtigen Muscheln zum Vorzeigen gefunden hat.

Barbara B. Mann Performing Arts Hall: 8099 College Pkwy. SW, Fort Myers, Tel. 239-481-4849. Theater-, Opern- und Musical-Aufführungen.

The Beached Whale: 1249 Estero Blvd., Fort Myers Beach. Im Parterre spielen Rock- und Reggae Bands, in der Bar auf der Dachterrasse gibt's Cocktails.

Gulf Coast Kayak Company: N.W. Pine Island Rd., Madacha, zwischen North Fort Myers und Pine Island, Tel. 239-283-1125. Trips mit Seekajaks bis nach North Captiva und Cayo Costa.
Strand: 11 km lange, sehr breite Sandstrände auf Estero Island; der Naturstrand des Lover's Key State Park südlich von Estero Island gehört zu den schönsten von Florida.

Mietwagen: Am Southwest Florida Airport in Fort Myers sind die größten Mietwagenunternehmen vertreten.
Schiff: Tel. 239-394-9700, www.keywestshuttle.com. Die Katamarane vom **Key West Shuttle** flitzen in 5 Std. und ab 90 $ von der Salty Sams Marina Ft. Myers Beach nach Key West und zurück.

Sanibel und Captiva Island

Florida-Atlas: S. 238, B1
Vor Fort Myers Beach liegen die wie ein Angelhaken gebogenen Inseln Sanibel

und Captiva, lange als Geheimtipps gehütet. Doch es hat sich längst herumgesprochen, wie reizvoll die Insellandschaft ist, wie angenehm es sich hier leben lässt. Als Floridianer bei einer Umfrage angeben sollten, wo sie im eigenen Staat am liebsten Urlaub machen würden, fiel die Antwort eindeutig zugunsten von **Sanibel** aus.

Das Naturschutzgebiet **J.N. ›Ding‹ Darling Wildlife Refuge** umfasst ein Drittel der Insel. Benannt wurde es nach Jay Norwood ›Ding‹ Darling, dem New Yorker Karikaturisten, der sich für den Naturschutz einsetzte. Seit 1934 entwarf er alljährlich eine Briefmarke mit einem Tiermotiv. Dank der beträchtlichen Einnahmen konnte er das Gelände auf Sanibel unterhalten. In dem großen Areal an der Bay-Seite der Insel leben Alligatoren, Schlangenhalsvögel (Anhingas), Ibisse, Reiher, Enten, braune Pelikane, Greifvögel, Waschbären und etwa 50 unterschiedliche Reptilienarten. Wer die Tierwelt beobachten möchte, bringt am besten ein Fernglas und etwas Geduld mit (Sanibel-Captiva Rd., Sanibel Island, Zufahrt per Auto Sa–Do 1 Std. nach Sonnenauf- bis 1 Std. vor Sonnenuntergang).

Viele Besucher von Sanibel widmen sich anderen Lebewesen – den Schalentieren, die an der Küste in großer Zahl vertreten sind. Durch Stürme und günstige Meeresströmungen werden Zehntausende von Muscheln an das Ufer getragen. Besonders hingebungsvolle Muschelsammler erkennt man an der gebückten Haltung, dem so genannten *sanibel stoop.* Alljährlich im März findet auf Sanibel die Muschelmesse statt, zu der Besucher aus aller Welt anreisen. Wer sich selbst auf die Suche machen will, wird wohl am Bowman's und am Tumer Beach am leichtesten fündig. Das **Bailey-Matthews Shell Museum** verfügt über eine Sammlung von mehr als 1 Mio. erlesener Muscheln (3075 Sanibel-Captiva Rd., Di–So 10–16 Uhr).

Sanfter Tourismus

Sanibel und Captiva unterscheiden sich von vielen anderen Feriengebieten schon dadurch, dass es hier keine hohen Häuser und große, gesichtslose Hotelkästen gibt. Die Bewohner wachen mit Argusaugen darüber, dass niemand gegen die strengen Bauvorschriften verstößt.

Auf Sanibel versucht man, ›sanften Tourismus‹ zu praktizieren, der Naturschutz und die Bedürfnisse der Urlauber gleichermaßen berücksichtigt. Es gibt nicht allzu viele Hotels auf der Insel, und nur recht wenige für Besucher mit knappem Reisebudget. Viele kleine Läden am Straßenrand vermieten Fahrräder tage- oder wochenweise. Das Fahrradwege-Netz mit über 60 km ist hervorragend, die Auswahl an Diskotheken und Nachtklubs hingegen begrenzt. Statt dessen servieren ausgezeichnete Restaurants exzellente Fischgerichte. Dafür überqueren manche Gäste abends gern die mautpflichtige Brücke, die vom Festland auf die Inseln führt.

Viktorianische Häuserzeile auf Sanibel Island

Im **Sanibel Historical Village and Museum** können Besucher erahnen, wie anders das Leben auf den Inseln zu Beginn des 20. Jh. war, mit einem Gemischtwarenladen, einer Autowerkstatt mit einem Ford Model-T, dazu einem alten Postamt, Dokumenten und Fotos (950 Dunlop Rd., Nov.–Juni Mi–Sa 10–16, Juni–Mitte Aug. 10–13 Uhr).

Die kleine Schwester von Sanibel, **Captiva,** ist nach Norden nur durch eine kurze Brücke von der Nachbarinsel getrennt. Die Vegetation auf Captiva präsentiert sich noch üppiger, zwischen dem tropischen Grün liegen exklusive Wohnhäuser und wenige Hotels. Schilder an den Einfahrten der Privatgrundstücke verwehren die Zufahrt, dichte Hecken und Büsche sperren neugierige Blicke von Passanten aus. Die South Sea Plantations, eine weitläufige Hotel- und Apartmentanlage, erstreckt sich über das nördliche Drittel der Insel und wirkt mit über 22 Tennisplätzen und 18 Swimmingpools, Geschäften, Restaurants wie ein eigenes Dorf. Ein Hurrikan hat einst den

Nordteil von Captiva abgetrennt und eine eigene Insel, North Captiva, geschaffen. Wer dort in einem der exklusiven und teuren Strandhäuser Urlaub machen will, sollte ein Boot mieten, denn es gibt weder Brücken noch Fähren auf die abgeschiedene Trauminsel.

Sanibel-Captiva Visitors Center: 1159 Causeway Rd., Sanibel, FL 33957, Tel. 239-472-1080, Fax 239-472-8951, www.sanibel-captiva.org.

South Seas Resort: Captiva, Tel. 239-472-5111, Fax 239-481-4947, www.south-seas.resort.com. Weitläufige Ferienanlage mit Zimmern, Apartments und Villen, die keine Wünsche offen lässt, 660 Wohneinheiten ab 175 $.
West Wind Inn: 3345 W. Gulf Dr., Sanibel, Tel. 239-472-1541, Fax 239-472-8134, www.westwindinn.com. Gut geführtes Familienhotel am breiten Sandstrand, 103 Zi. ab 154 $.
Holiday Inn Beach Resort: 1231 Middle Gulf Dr., Sanibel, Tel. 239-472-4123, Fax 239-472-0930, www.holidayinnsanibel.com. Schön renoviertes Strandhotel mit gutem Restaurant, 97 Zi. ab 139 $.
Palm View Motel: 706 Donax St., Sanibel, Tel. 239-472-1606, Fax 239-472-6733, www.palmviewsanibel.com. Saubere, etwas altmodische Zimmer in Strandnähe, Kochecke, 5 Wohneinheiten, ab 85 $.
Camping:
Periwinkle Park: 1119 Periwinkle Park, Tel. 239-472-1433, www.sanibelcamping.com. 19 Gehminuten zum Strand, gut ausgestattet.

The Mad Hatter: 6460 Sanibel-Captiva Rd., Sanibel, Tel. 239-472-0033, unterschiedl. Öffnungszeiten, meist ab 17 Uhr. Elegantes Restaurant mit fantasievollen amerikanischen Gerichten und herrlicher Sicht auf das Meer, Hauptgerichte ab 25 $.
Twilight Café: 751 Tarpon Bay Rd., Sanibel, Tel. 239-472-8818, tgl. ab 11.30 von Dez.–April, sonst ab 17.30 Uhr. Täglich wechselnde Speisekarte mit einfallsreicher Regionalküche, Hauptgerichte ab 9 $.
R:C: Otter's Island Eats: 11506 Andy Rosse Lane, Captiva, Tel. 239-395-1142, tgl. 7.30–22 Uhr. Super Frühstück und amerikanische Snacks und Gerichte in entspannter Atmosphäre, Frühstück ab 6 $, Hauptgerichte ab 10 $.

Sanibel Sea Shells Industries: 905 Fitzhugh St. Muschelladen auf Sanibel mit über 10 000 unterschiedlichen Exemplaren.
She sells Sea Shells: 1157 und 2422 Periwinkle Way. Ebenfalls mit riesigem Muschelangebot.

Inseln im Pine Island Sound

Die »Lady Chadwick« legt zur Fahrt durch den Pine Island Sound von der South Seas Plantation Marina ab. Der einsame Gasthof auf Cabbage Key wurde vom Barden Jimmy Buffet mit dem Song »Cheeseburger in Paradise« verewigt. Die kleine Nachbarinsel Useppa Island leistet sich ein hervorragendes historisches Museum. Meist umspringen spielende Delphine den fahrenden Ausflugsdampfer. Tickets von Captiva Cruises im Veranstaltungsbüro vor der Ferienanlage, Tel. 239-472-5300.

RUND UM DIE TAMPA BAY

Die Region rund um die Tampa Bay zählt mehr als 1,5 Mio. Einwohner. Während Clearwater und St. Petersburg mit langen breiten Sandstränden beliebte und belebte Ferienzentren sind, geht es in Tampa eher geschäftsmäßig zu. Die Skyline mit Hochhäusern aus Stahl und Glas ist schon von weitem erkennbar. Viele sonnenhungrige Besucher erfreuen sich an den Sehenswürdigkeiten der Metropole, wohnen aber jenseits der drei Brücken, die Tampa mit St. Petersburg und der Küste verbinden. Das reizvolle Sarasota und Bradenton mit den vorgelagerten Badeinseln gehören noch zu den weniger bekannten ›Geheimtipps‹.

Sarasota

Florida-Atlas: S. 236, B3
Noch im Winter 1910 lebten weniger als 1000 Menschen in dem verschlafenen Fischernest. Später fühlten sich reiche Amerikaner aus dem Nordosten der USA vom angenehmen Klima angezogen. In den frühen 1920er Jahren entstanden viele Theater, Hotels, Banken und neue Wohnhäuser entlang der Palm Avenue. Auch John Ringling war vom Charme der Sarasota Bay angetan. Der steinreiche Mitbesitzer des Ringling Brothers, Barnum and Bailey-Zirkus erwarb 1912 ein Grundstück an der Golfküste. Später kaufte er in großem Stil Land hinzu, ließ Brücken zu den vorgelagerten Inseln schlagen, Hotels und Einkaufspassagen errichten.

In den 1920er Jahren bauten die Ringlings den Palazzo Cà d'Zan – venezianisch für ›Haus des John‹ – am Meer und ein repräsentatives Museum für die zahlreichen Gemälde und Plastiken, die sie auf ihren Europareisen erstanden hatten. Nach dem Tod seiner Brüder verlegte John Ringling 1927 das Winterquartier seines Zirkus an seinen Wohnort am Golf von Mexiko. Noch heute haben viele Zirkusleute ihren Winterwohnsitz in Sarasota oder im etwas südlich gelegenen Venice.

Die Geschichte der Ringlings hatte jedoch kein Happy End. Das Jahr 1929 brachte John Ringling mit dem Tod seiner Frau Mable und dem großen Börsenkrach persönliche und wirtschaftliche Schicksalsschläge. Als Ringling 1936 verarmt starb, hatte er Sarasota allerdings ein Erbe hinterlassen, das den Ruf der Stadt als eines der kulturellen Zentren von Florida begründen sollte. Das einem Florentiner Renaissance-Palast nachempfundene **John and Mable Ringling Museum of Art** ist großzügig um einen Innenhof angelegt. Als Prunkstück der Ausstellung gilt eine der weltweit bedeutendsten Sammlungen von Werken des flämischen Meisters Peter Paul Rubens, daneben sind auch Gemälde von Diego Velasquez, El Greco oder Frans Hals zu sehen (5401 Bay Shore Rd., tgl. 10–17.30 Uhr). Im Jahre 1949 erstand Florida das kleine Barocktheater der in Finanznot geratenen Gemeinde Asolo im norditalienischen Veneto, in dem nun wieder Stücke aufgeführt werden. In den umgebauten Garagen des Anwesens ist heute ein Zirkusmuseum mit allerlei Memorabilia aus der Welt der Artisten und Clowns untergebracht.

Das Stadtzentrum von Sarasota mit gepflegten Häusern und Geschäften kann man ausgezeichnet zu Fuß erkunden. Bei einem Bummel entdeckt man zahlreiche Galerien, die Bilder und Plastiken einheimischer Künstler verkaufen. Von der Innenstadt ist es nicht weit bis zu den **Mary Selby Botanical Gardens** mit einer Sammlung von mehr als 6000 Orchideen (811 S. Palm Ave., tgl. 10–17 Uhr).

Natur pur bietet auch der **Myakka River State Park** südöstlich von Sarasota. In dem größten State Park von Florida sind weiträumige Feuchtgebiete, Prärien und Wälder unter Naturschutz gestellt. Mehrere Hundert Tier- und Pflanzenarten lassen sich von den Wanderwegen, bei einer Rundfahrt im Minibus oder während einer *Airboat*-Tour beobachten. Wer keine Angst vor Alligatoren hat, kann die Wildnis auch mit dem Kanu erkunden (Rte. 72, Tel. 941-361-6511, tgl. 8 Uhr bis Sonnenuntergang).

An den breiten Sandstränden auf der vorgelagerten Insel **Siesta Key** gibt es Dutzende großer Apartmenthäuser und kleiner Motels. Um das Rondell des St. Armands Circle auf **Lido Key** gruppieren sich teure Boutiquen und exklusive Restaurants. Das Zentrum des Kreisverkehrs ist mit zahlreichen Skulpturen als ›Circus Ring of Fame‹ zur Erinnerung an bekannte Artisten gestaltet. Auf Lido Key gibt es schöne, weiße Sandstrände und zahlreiche Hotels.

Im Norden der Insel befindet sich mit dem **Pelican Man's Bird Sanctuary** eine Vogelklinik. Dessen 2003 verstorbene Gründer, Dale Shiels, und sein Team haben inzwischen über 22 000 Pelikane kuriert (1708 Ken Thompson Pkwy., tgl. 10–17 Uhr). Das benachbarte **Mote Aquarium** zeigt Rochen, Haie, Seepferdchen und viele andere Meerestiere, eine zweistündige Erlebnistour mit einem Schiff **Sarasota Bay Explorers** (Tel. 727-388-4200) führt auf eine einsame Insel (1600 Ken Thompson Pkwy., Tel. 941-388-2541, tgl. 10–17 Uhr).

Sarasota Convention & Visitors Bureau: 655 N. Tamiami Trail, Sarasota, FL 34236, Tel. 941-957-1877, Fax 941-951-2956, www.sarasotafl.org.

Colony Beach and Tennis Resort: 1620 Gulf of Mexico Dr., Longboat Key, Tel. 941-383-6464, Fax 941-383-7549, www.colonybeachresort.com. Erste Adresse für betuchte Tennisurlauber, hervorragendes Hotelrestaurant, 235 Wohneinheiten ab 200 $.

Mitten durch den Telegraph Swamp

Ein Ausflug in die Babcock Wilderness führt auf den einstigen Besitz von E.V. Babcock, der bis in die 1930er Jahre die reichen Holzbestände der Region ausbeutete. Geländegängige Kleinbusse, so genannte *Swamp Buggies,* kariolen Besucher während einer 90-minütigen Tour durch die urwüchsige Landschaft, vorbei an einem Zypressensumpf und an einer Prärie, auf der eine Herde amerikanischer Bisons grast. 8000 Rte. 31, Tel. 239-338-6367, www.babcockwilderness. com.

Best Western Siesta Beach Resort: 5311 Ocean Blvd., Siesta Key, Tel. 941-349-3211, Fax 941-349-7915, www.siestakeyflorida.com. Schön am Strand gelegen, 51 Zi. ab 99 $.
Coquina on the Beach: 1008 Benjamin Franklin Dr., St. Armands Key, Tel. 941-388-2141, Fax 941-388-3017, www.coquinaonthebeach.com. Ordentliche Zimmer, einige mit Kochecke, am Strand, 34 Wohneinheiten ab $ 89.
Camping: Gulf Beach Campground, 8862 Midnight Pass Rd., Tel. 941-349-3839, www.gulfbeachcampground.com. Direkt am Strand auf Siesta Key.

Café l'Europe: St. Armand's Circle, St. Armands Key, Tel. 941-388-4415, tgl. 11–15.30 u. 17–22 Uhr. Frisch zubereitete Lamm- und Fischgerichte in elegantem Ambiente, Hauptgerichte ab 21 $.
Michael's on East: 1212 East Ave. S., Sarasota, Tel. 941-366-0007, Mo–Fr 11.30–14, Mo–Sa 18–22, im Winter auch So 18–22 Uhr. Kreative Bistroküche, Hauptgerichte ab 18 $.
Yoder's: 3434 Bahia Vista St., Sarasota, Tel. 941-955-7771, Mo–Sa 6–20 Uhr. Amerikanische Küche mit vielen Amish-Gerichten, Hauptgerichte ab 8 $.

Der **St. Armands Circle** auf St. Armands Key mit originellen und teuren Boutiquen genießt einen ähnlich exklusiven Ruf wie die Worth Avenue von Palm Beach.

Van Wezel Performing Arts Hall: 777 N. Tamiami Trail, Tel. 941-953-3366. Der pinkfarbene, muschelförmige Kulturpalast ist Aufführungsort für klassische Konzerte, Musicals und Rock-Events.

In Extremis: Sarasota Quay. Diskothek mit extremer Sound- und Lichtanlage.

Myakka River Wildlife Tours: an der SR 72, Tel. 941-365-0100. Bustouren und Bootsausflüge in das Naturschutzgebiet des Myakka River State Park.
Strand: Breite Sandstrände auf den vorgelagerten Inseln Longboat Key, Siesta Key und Lido Key.

Bradenton

Florida-Atlas: S. 236, B3
Das **DeSoto National Memorial** erinnert an die Landung der von Hernando de Soto angeführten 1200 Männer. Unweit der Mündung des Manatee River in die Tampa Bay und den Golf von Mexiko begann 1539 deren vergebliche

Suche nach Gold und anderen Schätzen. Park Ranger in historischem Gewand führen von Dezember bis April den Besuchern das Lagerleben zu Zeiten de Sotos vor. Musketen und Kanonen der spanischen Eroberer zeigen deren Überlegenheit gegenüber den Bogen und Wurfspeeren der Indianer (Anfahrt von Bradenton über die SR 64 bis zur Kreuzung mit der SR 564, dann nach rechts, tgl. 9–17 Uhr).

Wer weiter auf geschichtlichen Spuren wandeln möchte, sollte einen Abstecher zum **Manatee Village Historical Park** unternehmen. Das erste Gerichtsgebäude von Manatee County aus dem Jahre 1860, eine alte Schule, ein Stall und ein Wohnhaus geben einen guten Eindruck vom Leben der Siedler im 19. Jh. (Rte. 64/15th St. E., Sept–Juni, Mo–Fr 9–16.30, So 13.30–16.30 Uhr). Im **South Florida Museum** am südlichen Ufer des Manatee River wird der historische Rückblick mit Dioramen, Fotos und Nachbauten aus der Zeit der indianischen Kulturen und der spanischen Kolonialepoche ergänzt. ›Snooty‹, das älteste lebende Manatee Floridas, lebt friedlich in einem Bassin des angeschlossenen Aquariums (201 10th St. W., Di–Sa 10–17, 12–18 Uhr).

Auf dem vorgelagerten **Anna Maria Island,** das mit zahlreichen schönen Stränden gesegnet ist, scheinen die Uhren etwas langsamer zu gehen. Dort gibt es kleine Geschäfte, nette Restaurants und Hotels.

Greater Bradenton Convention & Visitors Bureau: 1111 3rd Ave. W., Bradenton, FL 34206, Tel. 941-729-9177, Fax 941-729-1820, wwwfloridaisland beaches.org.

Silver Surf Golf Beach Resort: 1301 Gulf Dr., Bradenton Beach, Tel. 941-778-6626, Fax 941-778-4308, www.silverresorts.com. Komfortable Apartments und Zimmer, am Strand. Zi. ab 73 $.

Harrington House: 5626 Gulf Dr., Holmes Beach, Tel. 941-778-5444, Fax 941-778-0527, www.harringtonhouse.com. Bed and Breakfast Inn, wunderbar am Strand gelegen, Kajaks, Fahrräder und andere Sportgeräte können hier gratis benutzt werden, 14 Zi. ab 139 $.

Anna Maria Oyster Bar: 14th St. W., Anna Maria Island, Tel. 941-758-7880, So–Do 11.30–22, Fr–Sa bis 23 Uhr. Legeres Inselrestaurant auf Anna Maria Island, besonders lecker: gegrillte Langusten, Gerichte ab 5 $.

Sandbar: 100 Spring Ave., Anna Maria Island, Tel. 941-778-0444, tgl. 11.30–22 Uhr. Fangfrischer Fisch und leckere Muschelgerichte, auf der Terrasse serviert, abends Live-Musik, Hauptgerichte ab 12 $.

Ellenton Prime Outlets: von der I-75 (Exit 224) schnell zu erreichen. zahlreiche Markenfabrikanten verkaufen ihre Produkte mit deutlichen Preisabschlägen.

Tampa

Florida-Atlas: S. 236, B2

Ähnlich wie sein Rivale Henry Flagler an der Ostküste war der Eisenbahnmagnat Henry Plant im Westen von Florida mit dem Bau einer Schienenstrecke nach Tampa und St. Petersburg im Jah-

Die Fahrt über die Sunshine Skyway Bridge garantiert bei gutem Wetter aus 56 m Höhe einen herrlichen Blick über die Tampa-Bay und die Golfküste

re 1884 Motor der wirtschaftlichen Erschließung. Wie Flagler baute auch er luxuriöse Hotels, so etwa das Tampa Bay Hotel, heute Sitz der Universität der Stadt, oder das Belleview Hotel in Clearwater, das – mehrfach renoviert – nach wie vor Gäste beherbergt. In den letzten 20 Jahren entstanden zahlreiche Hotels und Vergnügungsparks.

Lange bevor die ersten weißen Siedler kamen, lebten im heutigen Manatee County die Timucuan-Indianer. Sie ernährten sich vom Ackerbau und vom Fischen, siedelten an Flussläufen wie dem Manatee River oder an der Küste und errichteten Tempel- und Wohnhügel aus Muschelschalen. Die Eisenbahnverbindung kam auch einem weiteren Pionier sehr gelegen. 1886 verlegte Vicente Martinez Ybor seine Zigarrenfabrik von Key West nach Tampa. Heute trägt das historische Stadtviertel Ybor City, in dem noch immer Zigarren per Hand gerollt werden, seinen Namen. Aus dem noch zu Spanien gehörenden Kuba strömten Tausende von Arbeitern in die Fabriken von Ybor City, und nach Vicente Ybor eröffneten weitere kubanische Zigarrenmanufakturen in Tampa. Bis in die 1930er Jahre war das kubanische Viertel eine der wichtigsten Zigarrenmetropolen der Welt. Die Arbeiter saßen in den Werkhallen an langen Bänken und rollten sorgfältig die Tabakblätter zu Zigarren. Ein Vorleser, der auf einem Podest saß, trug derweil Romane oder Gedichte vor.

Ein Matrose namens José Gaspar soll 1785 eine Meuterei auf einer spanischen Galeone angezettelt haben. Später machte der Seeräuber die Schifffahrtsrouten in der Karibik unsicher. Anfang Februar schlüpfen normale Bürger in Piratenkostüme, um die

Gasparilla Pirate Invasion, einen Angriff auf die Stadt, nachzustellen. Wenn das Piratenschiff in den Hafen von Tampa segelt, begleiten es Hunderte von Freizeitkapitänen.

Der Hafen ist das wirtschaftliche Herzstück von Tampa. Riesige Frachter und Containerschiffe schlagen ihre Ladung – Phosphate, Zitrusfrüchte oder Autos – dort um. Große Kreuzfahrtschiffe legen zu *Fun Cruises* in die Karibik ab. Die Krabbenfischer-Flotte gehört zu den größten der USA. Schiffe der US-Navy liegen in eigenen Hafenbecken. Zudem ist ein großer Teil der Interbay-Halbinsel, die nach Süden in die Tampa Bay hineinragt, von der MacDill Air Force Base belegt.

Unter der 25 m hohen Glaskuppel des **Florida Aquarium** [1] leben mehr als 4000 Fische und andere Tiere, die floridianische Wasserlandschaften bevölkern. In einem fast 2 Mio. l fassenden Tank kann man ein Korallenriff mit Hunderten tropischer Fische bestaunen. Besucher verfolgen den Weg eines Regentropfens, der in Floridas unterirdische Wasserreservoire wandert, durch artesische Quellen ans Tageslicht kommt, über Bäche und Flüsse, durch Marschen und Feuchtprärien ins Meer gelangt, um dort zu verdunsten und seine Reise zu wiederholen (701 Channelside Dr., tgl. 9.30–17 Uhr).

Das **Henry B. Plant Museum** [2] informiert über die Geschichte der Stadt. Früher befand sich in dem Gebäude das mit Millionenaufwand erbaute und eingerichtete Tampa Bay Hotel von Henry Plant. Nachdem die Luxusherberge 1929 wegen wirtschaftlicher Probleme geschlossen werden musste, erwarb die Universität das Gebäude, dessen 13 silberne Zwiebeltürmchen mit Halbmonden verziert sind. Das kleine, mit vielen Originaldokumenten und -fotos ausgestattete Museum im Südflügel des Baus informiert über das Leben des einstigen Besitzers und damit gleichzeitig über die frühen Jahre des modernen Tampa (401 W. Kennedy Blvd., Di–Sa 10–16, So 12–16 Uhr).

Auch wenn in **Ybor City** nur noch wenige Zigarren per Hand gedreht werden, ist das Viertel nicht dem Verfall preisgegeben. Die spanisch anmutende Architektur mit roten Backsteingebäuden, schmiedeeisernen Balkonen und bunten Kacheln, die biblische und historische Geschichten illustrieren, blieb dank privater Investoren erhalten. An Wochenenden flanieren nun wieder Besucher durch die Straßen, bevölkern die neu eröffneten Bars und Restaurants.

Im Zentrum von Ybor City, zwischen 8th Avenue und 13th Street, liegt der Ybor Square. Früher arbeiteten in den zweistöckigen Gebäuden der Zigarettenmanufakturen am Platz 4000 Menschen. In der **Tampa Rico Cigar Company** [3] können Besucher noch heute zuschauen, wie Zigarren per Hand gerollt und geschnitten werden. Das **Ybor City Museum State Park** [4] im Gebäude einer ehemaligen Bäckerei informiert anschaulich über die kubanische Geschichte von Tampa, über die Lebens- und Wohnbedingungen der Einwanderer (1818 E. 9th Ave., tgl. 9–17 Uhr). In der Hauptstraße des Stadtteils, der Seventh Avenue, blieben viele historische Gebäude erhalten. Das **Columbia Restaurant** [5] in der

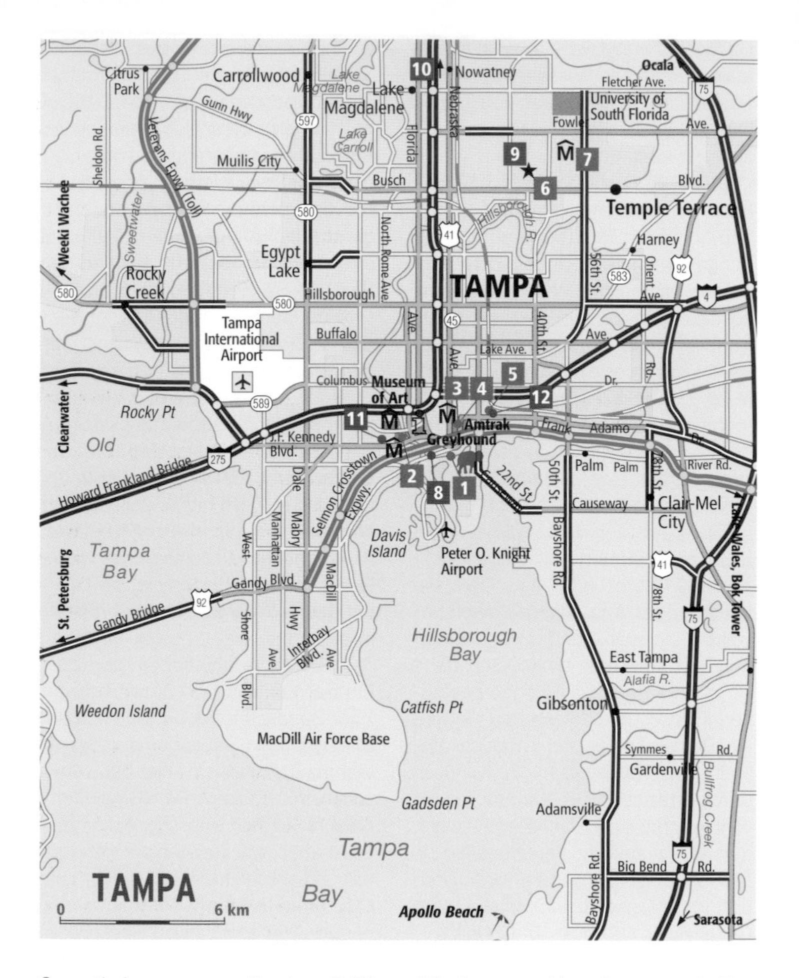

Seventh Avenue war seit seiner Eröffnung im Jahre 1905 ein beliebter Platz für Diskussionen, Wahlveranstaltungen und Geburtstagsfeiern.

Wer das Zentrum von Tampa Richtung Norden verlässt, erreicht über die I-275 bald **Busch Gardens** 6. Die Mischung aus Vergnügungspark, Zoo und Wildpark wird von der Anheuser-Busch Brauerei betrieben, die mit Sea World und Discovery Cove weitere bekannte Publikumsmagneten in Florida unterhält. »Afrika – der schwarze Kontinent« lautet das Thema des Parks.

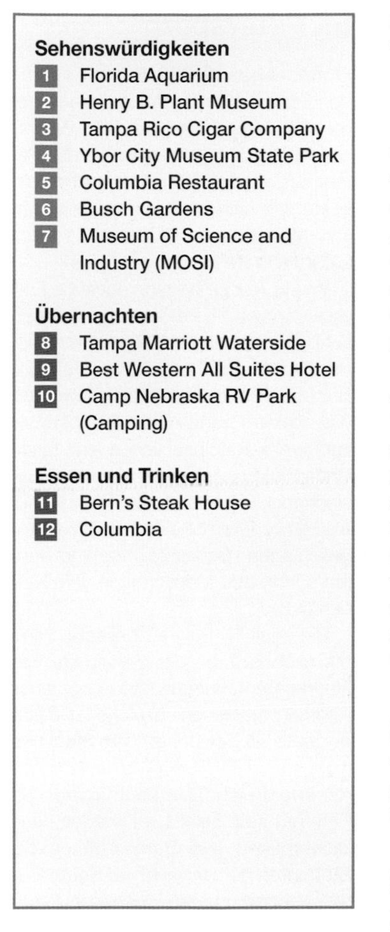

Sehenswürdigkeiten
1 Florida Aquarium
2 Henry B. Plant Museum
3 Tampa Rico Cigar Company
4 Ybor City Museum State Park
5 Columbia Restaurant
6 Busch Gardens
7 Museum of Science and Industry (MOSI)

Übernachten
8 Tampa Marriott Waterside
9 Best Western All Suites Hotel
10 Camp Nebraska RV Park (Camping)

Essen und Trinken
11 Bern's Steak House
12 Columbia

Über eine »Serengeti-Savanne« traben Nashörner, Antilopen, Giraffen und Zebras. Vom Kral bei der »Nairobi Train Station« starten Dickhäuter zum Ritt mit Besuchern. Achterbahnen, Bühnen-Shows, ein Delphinarium und die Brauereigebäude sind in anderen Bereichen des weitläufigen Terrains untergebracht.

Wer das riesige Gelände nicht zu Fuß erkunden mag, kann mit einer Eisenbahn, einer Mono-Rail oder einer Gondelbahn das Terrain erkunden. Im floridianischen Afrika gibt es auch ein deutsches Festzelt, in dem das ganze Jahr über Oktoberfest gefeiert wird, mit Bier und Würstchen, versteht sich (3000 E. Busch Blvd./SR 580, tgl. 9–19 Uhr, im Sommer häufig längere Öffnungszeiten).

Als beste der vielen guten Wissenschafts- und Technikausstellungen in Florida gilt das **Museum of Science and Industry MOSI** 7 einige Straßen nordwestlich von Busch Gardens. Besucher können mehr als 200 Experimente mitgestalten, einen simulierten Hurrikan mit Windgeschwindigkeiten von 130 km/Std. im Windkanal erleben oder sehen, wie statische Elektrizität die Haare zu Berge stehen lässt (4801 E. Fowler Ave., tgl. 9 Uhr bis abends).

Tampa Bay Convention & Visitors Association: 400 N. Tampa St., Tampa, FL 33602-4706, Tel. 813-223-2752, Fax 813-229-6616, www.visittampabay.com.

Tampa Marriott Waterside 8**:** 700 N. Florida Ave., Tel. 813-221-4900, Fax 813-221-0923, www.marriott.com. Zentrale Lage direkt am Hillsborough River, guter Service, 720 Suiten und Zimmer ab 215 $.

Best Western All Suites Hotel 9**:** 3001 University Center Dr., Tel. 813-971-8930, Fax 813-971-8935, www.thatparrotplace.com. Gut ausgestattete Anlage, auch mit Familienzimmern, nicht weit von Busch

Gardens, Frühstücksbuffet inkl., 150 Wohneinheiten ab 79 $.

Camping:

Camp Nebraska RV Park 10: 10314 N. Nebraska Ave. (US 41), Tel. 813-971-3460, Fax 813-286-4068. Nördl. der Stadt, mit Busanschluss.

Bern's Steak House 11: 1208 S. Howard Ave., Tel. 813-251-2421, tgl. 17–23 Uhr. Steaks, perfekt gebraten, Weinkarte mit etwa 7000 Positionen, köstliche Desserts, Hauptgerichte ab 17 $.

Columbia 12: 2117 Seventh Ave. E., Ybor City, Tel. 813-248-4961, Mo–Do 11–22, Fr–Sa 11–23 Uhr. Legendäres spanisch-kubanisches Restaurant von 1905, Hauptgerichte ab 14 $.

Club Prana: 1619 E. 7th Ave. Cocktails und Musik auf dem Dachgarten und in den 4 Etagen darunter.

Masquerade: 405 S. Howard Ave. Rock-Musik in eindrucksvoller Lautstärke.

Tampa Theatre: 513 E. 7th Ave., Tel. 813-247-3319, Mi–So House, Techno und mehr im ehemaligen Ritz Theatre von Ybor City.

Am ersten Sonnabend im Februar steigt das karnevalsähnliche **Gasparilla Pirate Fest.**

Florida State Fair: im Februar. Die Leistungsschau des Bundesstaates zeigt auch Musik und Kultur.

Guavaween: im Oktober. Das lateinamerikanische Halloween, das in Ybor City gefeiert wird.

Zug: Die Züge von Amtrak halten an der Station in der 601 N. Nebraska Ave.

Mietwagen: Alle bekannten nationalen und internationalen Anbieter sind am Flughafen vertreten.

St. Petersburg

Florida-Atlas: S. 236, B2

Von Tampa führen drei Brücken über die Old Tampa Bay nach St. Petersburg. Die größte Attraktion von St. Petersburg sind die Strände an der Golfküste, die sich über knapp 30 Meilen von Mullet Key im Süden bis nach Clearwater im Norden hinziehen.

Wie in Tampa begann auch die Entwicklung von St. Petersburg mit der Eisenbahn. Im Jahre 1887 ließ Peter Demens, der als Pjotr Dementrieff aus Russland in die USA ausgewandert war, seine Orange Belt Railroad bis zur Pinella-Halbinsel verlängern. Einen Haltepunkt nannte er nach seiner russischen Heimatstadt St. Petersburg. Als Henry Plant 1893 die finanziell angeschlagene Bahnlinie übernahm, lebten schon 300 Menschen in dem kleinen Ort.

Bald galt St. Pete als beliebter Seniorenwohnsitz an der Westküste von Florida. Bemühungen, das Image eines Rentnerparadieses abzulegen und junge Leute als Bewohner in die Stadt und nicht nur an die Strände zu locken, waren erfolgreich. Das Zentrum von St. Pete hat sich belebt, es wurden neue Diskotheken und Bars eröffnet, die Studenten der University of South Florida abends und am Wochenende bevölkern. **The Pier** 1 ragt 800 m weit in die Tampa Bay hinein. Am Ende erhebt sich ein ungewöhnlicher Bau, der einer mehrstöckigen, auf den Kopf gestellten Pyramide gleicht. Dort warten Souvenir-Shops, eine Diskothek sowie mehrere Bars und Restaurants auf die Urlauber.

Im **Museum of History** [2] vis-à-vis vom Pier ist ein komplett eingerichteter *General Store* aus den 1880er Jahren zu sehen. Ein Wasserflugzeug unter der Decke erinnert an die erste kommerzielle Flugverbindung der Welt zwischen Tampa und St. Petersburg, die 1914 aufgenommen wurde (335 2nd Ave. N. E., Mo–Sa 10–17, So 13–17 Uhr). Das **Museum of Fine Arts** [3] etwas weiter westlich zeigt neben präkolumbischen Artefakten Werke französischer Impressionisten wie Cézanne und zeitgenössischer amerikanischer Künstler, darunter Blumenstudien von Georgia O'Keefe (255 Beach Dr. N.E., Di–Sa 10–17, dritter Do im Monat bis 21, So 13–17 Uhr).

In der Wissenschafts- und Technikausstellung **Great Explorations!** [4] darf selbst experimentiert werden. Töne und Musik, der menschliche Körper oder Computeranimation stehen auf dem Versuchsstand für Kinder und wissbegierige Erwachsene (1925 4th St. N., Mo–Sa 10–16.30, So 12–16.30 Uhr).

Das **Florida Holocaust Museum** [5] erinnert in einer großen Ausstellung an die Millionen Opfer der Nazi-Herrschaft und engagiert sich gegen drohende Völkermorde in unserer Zeit (55 5th St. S., Mo–Fr 10–17, Sa–So ab 12 Uhr).

In der Nähe des Hafens befindet sich das kulturelle Glanzstück von St. Petersburg, das **Salvador Dali Museum** [6]. Besucher aus aller Welt bewundern die umfangreiche Gemäldesammlung des katalanischen Künstlers, die von frühen impressionistischen Werken bis zu den großen surrealistischen Bildern und Collagen reicht (1000 3rd St. S., Mo–Sa 9.30–17.30, So 12–17.30 Uhr).

Die berühmteste der Tampa-Bay-Brücken führt von St. Petersburg hoch über die Einmündung der Bay in den Golf von Mexiko nach Bradenton. Die knapp 7 km lange **Sunshine Skyway Bridge** [7] musste schon bald nach der Einweihung für 240 Mio. Dollar erneuert werden, nachdem ein Frachtschiff bei der alten Überführung einen Pfeiler gerammt und zum Einsturz gebracht hatte. Die Fahrt über die mautpflichtige Brücke garantiert bei gutem Wetter aus 56 m Höhe einen herrlichen Blick über die Bay und die Golfküste.

Im Süden von St. Petersburg bilden mehrere durch Brücken verbundene Inseln den **Fort de Soto Park** [8]. Das 1898 auf Mullet Key erbaute **Fort de Soto** sollte während des amerikanisch-spanischen Krieges die Einfahrt zur Bay schützen. Aus den Mörsern wurde jedoch nie ein Schuss abgefeuert. Heute sind die Inseln und das Fort ein beliebtes Ausflugsziel mit schönen

Zu Besuch im Vogelkrankenhaus

Die Helfer des **Suncoast Seabird Sanctuary** [9] sind rund um die Uhr im Einsatz, sie operieren verletzte Vögel und verpassen ihnen, wenn es notwendig ist, sogar künstliche Schnäbel und orthopädische Schuhe (18328 Gulf Blvd., Indian Shores, tgl. 9 Uhr bis Sonnenuntergang, Führungen Mi, So 14 Uhr).

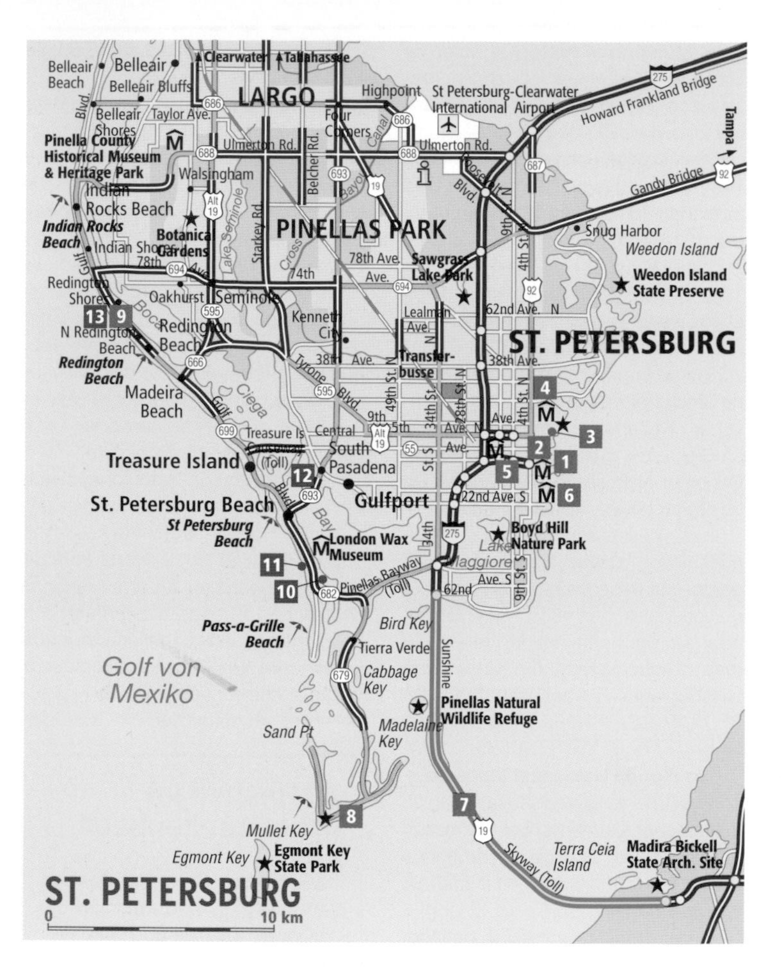

Stränden und Picknickplätzen (Pinellas Bayway, tgl. von Sonnenauf- bis Sonnenuntergang).

Der südlichste und einer der schönsten Zipfel der Strandzone von St. Petersburg ist der öffentliche **Pass-a-Grille Beach,** an dem einst die ersten Ferienhotels errichtet wurden. Heute bevölkern Touristen die kilometerlangen Sandstrände von **St. Petersburg Beach.** Am Gulf Boulevard, der an der Küste entlangführt, findet man Hotels der verschiedenen Epochen des Tourismus und aller Preiska-

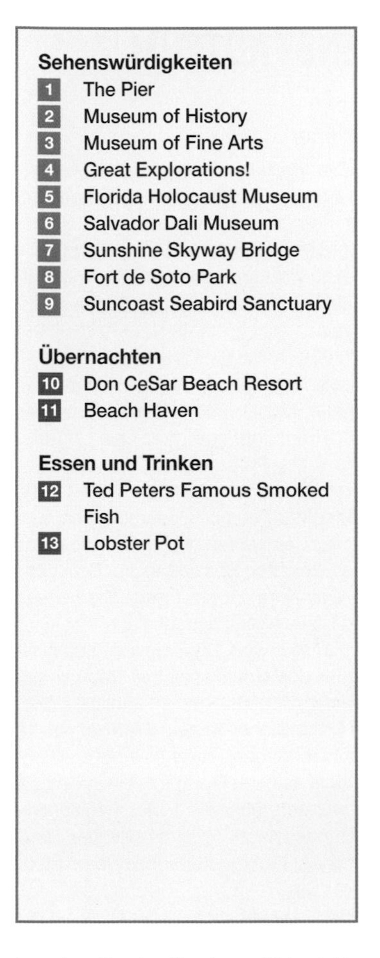

Sehenswürdigkeiten
1 The Pier
2 Museum of History
3 Museum of Fine Arts
4 Great Explorations!
5 Florida Holocaust Museum
6 Salvador Dali Museum
7 Sunshine Skyway Bridge
8 Fort de Soto Park
9 Suncoast Seabird Sanctuary

Übernachten
10 Don CeSar Beach Resort
11 Beach Haven

Essen und Trinken
12 Ted Peters Famous Smoked Fish
13 Lobster Pot

tegorien. Das berühmte, weithin sichtbare rosarote **Don CeSar Hotel** ähnelt einem Schloss. Gebaut wurde das Wahrzeichen von St. Petersburg Beach in den 1920er Jahren. Der Schriftsteller F. Scott Fitzgerald und Baseballstar Babe Ruth übernachteten hier, außerdem der US-Präsident Franklin Delano Roosevelt und Gangsterboss Al Capone – letztere allerdings nicht zur selben Zeit.

St. Petersburg/Clearwater Area Conventions & Visitors Bureau: 14450 46th St. N., Clearwater, FL 34622, Tel. 727-464-7200, Fax 727-464-7222, www.floridasbeach.com.
Gulf Beaches of Tampa Bay Chamber of Commerce: 6990 Gulf Blvd./70th Ave., St. Petersburg Beach, FL 33706, Tel. 727-360-6957, Fax 727-360-2233, www.gulfbeaches-tampabay.com.

Don CeSar Beach Resort 10: 3400 Gulf Blvd., St. Petersburg Beach, Tel. 727-360-1881, Fax 727-367-6952, www.doncesar.com. Pinkfarbener Hotelpalast aus den 20er Jahren, 350 Suiten und Zimmer ab 210 $.
Beach Haven 11: 4980 Gulf Blvd., St. Petersburg Beach, Tel. 727-367-8642, Fax 727-360-8202, www.beachhavenvillas.com. Nettes Strandhotel zwischen großen Apartmentanlagen, kleine, helle Zimmer und Suiten ab 58 $.

Ted Peters Famous Smoked Fish 12: 1350 Pasadena Ave., Pasadena, Tel. 727-381-7931, Mi–Mo 11.30–19.30 Uhr. Geräucherter Fisch mit (deutschem) Kartoffelsalat, Snacks, Gerichte ab 8 $.
Lobster Pot 13: 17814 Gulf Blvd., Redington Shores, Tel. 727-391-8592. Hummer in allen Variationen, Steak gibt's auch, Hauptgerichte ab 16 $.

John's Pass Village and Boardwalk: 12901 Gulf Blvd., Madeira Beach. Originelles, einer Fischersiedlung nachempfundenes Einkaufs- und Unterhaltungszentrum.
BayWalk: zwischen 2nd und 4th Ave. N. Neu erbautes Einkaufs-, Restaurant- und

SNOWBIRDS – SENIORENSTÄDTE IM SUNSHINE STATE

Sun City ist garantiert jugendfrei und das Leben dort ein einziger Traum. Das verspricht zumindest der Vierfarb-Prospekt einer der großen Seniorensiedlungen der USA. Wer hier, auf halber Strecke zwischen Tampa und Sarasota, den Lebensabend verbringen will, muss mindestens 50 Jahre alt sein und eine ordentliche Pension beziehen. Denn junge Leute machen zu viel Lärm, und arme Rentner hätten schlichtweg nicht genügend Geld, um sich in dieses ›Seniorenparadies‹ einzukaufen. Altwerden in Florida hat seinen Preis.

In Sun City liegt der Preis bei ungefähr 70 000 Dollar für ein kleines Häuschen oder bei 300 000 Dollar für ein größeres. Damit nicht genug: Aufnahmegebühren für den Golfklub, die Kosten fürs Rasenmähen, Müllabfuhr, Instandhaltung des Hauses, Busfahrten zum Einkaufszentrum, Krankenpflege, ärztliche Untersuchungen und anderes mehr – alles kostet extra. Pro Person macht das noch einmal 2500 Dollar im Monat. Trotzdem stehen die Pensionäre Schlange. Über 13 000 von ihnen haben sich in der parkähnlichen Altenstadt bereits niedergelassen. Hier können sie golfen, schwimmen, tanzen, töpfern, einkaufen und dabei unter sich bleiben. Überall sieht man sonnengebräunte Gesichter, Spazierstöcke, Rollstühle und Münzapparate zur Blutdruckmessung. Das Konzept hat Erfolg. Die Verwaltung muss mehr Bauland kaufen, damit Sun City weiter wachsen kann.

Es zweifelt niemand daran, dass dies der Fall sein wird. Die Sehnsucht nach einem Lebensabend in Florida ist mittlerweile Teil des amerikanischen Traumes geworden, eine Art süßer Nachschlag für ein hartes Arbeitsleben im Mittleren Westen oder im Nordosten der USA. Das Motto von Millionen lautet: »Man kann nicht verhindern, dass man alt wird. Aber man kann verhindern, dass dies bei schlechtem Wetter geschieht.« Viele Neu-Senioren zieht es nach Florida. Allein in den gut 2400 *adult only communities* wie Sun City wohnen mehr als 1 Mio. Pensionäre. Eine weitere Million lebt verstreut über den Bundesstaat. Viele, die sich kein Haus leisten können, weichen auf günstigere aber meist recht triste Mobile Home Siedlungen und Trailer Parks am Rande der Städte aus.

Die Bevölkerungsstruktur von Florida ist die ungewöhnlichste der USA: An der Golfküste ist jeder dritte Einwohner ein Rentner, im Süden des Bundesstaates sogar jeder zweite. Die wohlhabenden Alten bedeuten für den Sonnenstaat jedoch keine Last, sondern wirtschaftlichen Segen. So werden hier jährlich mehr als 12 Mrd. Dollar an Pensionen ausgezahlt – eine Summe, die von der konsumfreudigen Großelterngeneration meist direkt wieder in den Wirtschaftskreislauf gepumpt wird. Die Rentner bestreiten allein knapp ein Drittel des Handels mit Immobilien, Städte und Gemeinden umwerben die silberhaarigen Zuwanderer mit seniorenfreundlichen Bauten. In der Lokalpolitik, die viele Ruheständler zu ihrem

›Snowbirds‹ nennt man die Senioren, weil sie dem Schnee des Nordens entfliehen

Hobby machen, werden sie ebenfalls geschätzt und oft genug sogar zu Bürgermeistern gewählt.

Das Leben in ›Gottes Wartesaal‹, wie Florida manchmal spöttisch genannt wird, gehorcht merkwürdigen Gesetzen. Jede Region scheint Pensionäre aus unterschiedlichen Gegenden der USA und aus unterschiedlichen sozialen Schichten anzulocken. Das Prinzip lautet: Gleich und gleich gesellt sich gern. Wo man Leute mit ähnlichem Hintergrund vorfindet, fühlt man sich eben am wohlsten. Jacksonville im Nordosten und Pensacola im äußersten Westen sind fest in der Hand von pensionierten Militärs und farbigen Rentnern. Die Upper Class lässt sich in Palm Beach nieder. Konservative Senioren aus dem Mittleren Westen zieht es an die mittlere Golfküste zwischen Tampa und Fort Myers. Liberale Großstädter aus dem Nordosten siedeln im Südosten in Städten wie Fort Lauderdale und Miami.

Der Zuzug der Rentner nach Florida hat schon Tradition. Möglich gemacht hat ihn der technische Fortschritt. Der Run auf den Süden begann, als in den 1930er Jahren Ventilatoren und elektrische Klima-Anlagen allgemein erschwinglich wurden. Zuvor war es für den ganzjährigen Ruhestand in Florida einfach zu heiß. Viele Pensionäre kommen auch heute nur im Winterhalbjahr und wohnen dann in ihren *mobil homes.* Diesem Zugvogelverhalten verdanken die Überwinterer übrigens ihren Spitznamen *snowbirds.*

Das rosarote Don CeSar Beach Resort wurde schon in den 1920ern gebaut

Unterhaltungsviertel im Stil spanischer Kolonialarchitektur.

Ringside Café: 2742 4th St. N., St. Petersburg. Gute Jazz- und Blues-Musik.
Cha-Cha Coconuts: 800 2nd Ave., St. Petersburg. Pop und Rock mit Live-Gruppen und DJ auf dem *Pier*.

Festival of States: Anfang April. Das Musik- und Kunstfestival schließt mit einem großen Feuerwerk am Strand ab.

Strand: Die schönsten und einsamsten Strände liegen am südlichen Ende von St. Petersburg Beach auf Mullet Key und Pass-a-Grille, die Strände von Indian Rocks und Redington werden von Familien bevorzugt.

Clearwater

Florida-Atlas: S. 236, A2
Den Anstoß für den Strom von Zuwanderern und Besuchern gab einst Henry Plant, der 1897 das Belleview Hotel an der Clearwater Bay errichten ließ. Das mächtige, aus Holz erbaute Luxushotel beherbergt nach wie vor betuchte Gäste in seinen Zimmern. Der Garden Memorial Causeway führt mit einer Brücke vom Festland über den Clearwater Harbor genannten Sund auf die vorgelagerte Insel **Clearwater Beach.** Die Strandhotels, Bars, Diskotheken sowie die während des ganzen Jahres nicht abreißenden Veranstaltungen und Events ziehen vor allem jüngere Besucher in das lebhafteste Ferienzentrum der Bay-Region. An Wochenenden bevölkern die Studenten der Universität von Südflorida ihren Hausstrand. Das **Clearwater Marine Aquarium** ist neben Homosassa Springs die einzige Einrichtung an der Westküste von Florida, in der verletzte und kranke Meeressäugetiere sowie Meeresschildkröten gepflegt werden (249 Windward Passage, Mo–Fr 9–17, Sa 9–16, So 11–16 Uhr).

Clearwater Visitor Information: Causeway Blvd., Clearwater Beach Marina Building, Tel. 727-462-6531, www.clearwaterflorida.org.

Belleview Biltmore Resort Hotel: 25 Belleview Blvd., Tel. 727-373-3000, Fax 727-441-4173, www.belleview biltmore.com. Viktorianische Hotelanlage, 240 Wohneinheiten ab 90 $.

Sun West Beach Motel: 409 Hamden Dr. S., Tel. 727-442-5008, Fax 727-461-1395. 5 Min. zu Fuß zum Strand, floridianische Einrichtung, Pool, 15 Zi. ab 45 $.

Camping:

Clearwater/Tarpons Springs KOA: 37061 US 19 N., Palm Harbour, Tel. 727-937-8412. Für Campmobile und Zelte, schattige, gut ausgestattete Anlage.

Bob Heilman's Beachcomber: 447 Mandalay Ave., Tel. 727-442-4144, Mo–Sa 11.30–23, So 12–22 Uhr. Frische Meeresfrüchte, exzellente Steaks und Hähnchen, Hauptgerichte ab 13 $.

Seafood & Sunset at Julie's: 351 S. Gulfview Blvd., Tel. 727-441-2548, tgl. 11–22 Uhr. Meeresfrüchte, Hummer oder Muschelsuppe auf der Terrasse oder im Speiseraum, Hauptgerichte ab 10 $.

Joe Dugan's: 420 Park Place Blvd. DJs legen Disko- und Alternative-Musik zum Tanzen auf.

Gasoline Alley: 17928 US 19. Präsentiert Rock-Klassiker.

Jazz Holiday nennt sich das Free Jazz Festival, das alljährlich am dritten Wochenende im Okt. im Coachman Park stattfindet.

Schiffsausflüge: Clearwater Ferry Service, Tel. 727-442-7433. Nach Dunedin und Caladesi Island (s. S. 51).

DIE UNBEKANNTE GOLFKÜSTE

Die Fischerorte an der Küste liegen isoliert, umgeben von Marschen, Wasserstraßen und Inseln. Kein Wunder, wenn die Zeit stehen geblieben scheint. Hektik und Unrast sind hier unbekannt, je weiter man sich von der Tampa Bay nach Norden entfernt, desto dünner ist die Besiedlung. An einigen Flussmündungen tummeln sich größere Populationen von Manatees. Ab Perry gewinnen ausgedehnte Kiefernwälder die Oberhand, die Landschaft legt sich auf dem Weg nach Tallahassee in leichte Wellen.

Tarpon Springs

Florida-Atlas: S. 236, A2
Zu Beginn des 20. Jh. machten sich die griechischen Schwammtaucher aus Key West auf den Weg nach Tarpon Springs, da hier besonders ergiebige Schwammbetten unmittelbar vor der Küste entdeckt worden waren. Außerdem versprach die Eisenbahn, die gerade die Golfküste bei Tampa und St. Petersburg erreicht hatte, direkten Anschluss an die wichtigen Märkte im Norden der USA. Die Griechen, die überwiegend von der kleinen Dodekanes-Insel Chalki stammten, waren schon in ihrer Heimat Schwammtaucher gewesen.

Um die Ausbeute zu vergrößern, mussten sie in tiefere Gewässer vordringen. Die ersten Taucheranzüge mit Kupferhelmen, die an frühe Verfilmungen von Jules Vernes Roman »20 000 Meilen unter dem Meer« erinnern, waren keineswegs sicher und führten immer wieder zu tödlichen Unfällen. In den 1940er Jahren zerstörte eine Seuche viele Schwammbetten in der gesamten Karibik. Später eroberten preisgünstige Synthetik-Schwämme den Markt. Heute ist der gute alte Naturschwamm wieder in Mode gekommen.

Das **Spongeorama Exhibit Center** widmet sich der Geschichte des Schwammtauchens und präsentiert einen informativen halbstündigen Film (510 Dodecanes Blvd., tgl. 10–17 Uhr). Am Dodekanes Boulevard und beim Dock bieten zahlreiche Geschäfte Naturschwämme und allerlei Kitsch an.

Krabbenfischer, Bootsbauer und der Tourismus, der vom griechischen Ambiente des Ortes zehrt, haben die wirtschaftliche Bedeutung des Schwammtauchens inzwischen überflügelt. Tarpon Springs unterstreicht sein griechisches Image mit allgegenwärtigen weiß-blauen Farben. In der St. Nicolas-

Schwammtaucher in Tarpon Springs

Kirche, die wie eine verkleinerte Hagia Sophia in Istanbul anmutet, wird der Gottesdienst nach griechisch-orthodoxem Ritual abgehalten. In den vielen griechischen Lokalen kann man Bauernsalat mit Schafskäse, Moussaka und andere griechische Spezialitäten bestellen. Zum Nachtisch gibt es zuckersüßes Baklava und natürlich einen Ouzo.

Tarpon Springs Chamber of Commerce: 11 E. Orange St., Tel. 727-937-6109, Fax 727-937-2879, www.tarponsprings.com.

Weeki Wachee, Homosassa Springs, Crystal River

Florida-Atlas: S. 236, B1
Wenn Pocahontas, die hehre indianische Maid, in dem Unterwasser-Theater auf die kleine Meerjungfrau von Hans Christian Andersen trifft, bleibt in **Weeki Wachee Springs** kein Auge trocken. Ab und zu nehmen die Darstellerinnen und Darsteller einen tiefen Zug aus dem bereitstehenden Luftschlauch, dann geht es weiter in der Dramaturgie, die ähnlich unergründlich scheint wie die tiefe Quelle von Weeki Wachee. Die Wartezeit bis zur nächsten Vorstellung lässt sich in den großen Geschenkeläden oder bei einer Fahrt entlang dem Quellfluss zu Reihern und Waschbären überbrücken. Eine Birds of Prey-Show mit Raubvögeln, die einst verletzt in die Obhut von Tierpflegern genommen wurden, gehört zu den angenehmen Überraschungen des Vergnügungsareals (US 19 bei der Abzweigung der SR 50, tgl. 9.30–17.30 Uhr), neben dem Wasserpark **Bucaneer Bay** in der Nachbarschaft, der im Sommer öffnet (März–Sept. 10–17 Uhr).

Schwimmen mit Manatees

Auch im Winter beträgt die Temperatur der Quellen von **Crystal River** nicht weniger als 22 °C. Das wissen die Manatees zu schätzen, die sich in der kühleren Jahreszeit gern im Mündungsgebiet des Quellflusses aufhalten. Bootsfahrer sind dann angehalten, besonders vorsichtig zu fahren. Die in ihrem Bestand gefährdeten Meereskühe stehen unter strengem Naturschutz. Mutige Schwimmer gesellen sich zu den freundlichen Riesen ins Wasser der Kings Bay, um mit ihnen gemeinsam zu baden und zu tauchen. American Pro Diving Center, 821 SE/US 19, Tel. 352-563-0041, Fax 352-563-5230, www.americanprodive.com

Im Quelltopf einer artesischen Quelle, die ganzjährig erstaunliche 23 Mio. l pro Stunde ausschüttet, bringt eine Bootsfahrt die Besucher vom Anleger durch einen Mangrovendschungel bis zum Eingang des State Park, in dem Schlangen, Schildkröten und Alligatoren gehalten werden. Manatees, die sich an den Antriebsschrauben von Motorbooten verletzen, werden im **Homosassa Springs Wildlife State Park** gesund gepflegt. Die massigen, allseits geliebten Wassersäugetiere zeigen sich als erstaunlich wendig, wenn sie mit Kohlköpfen und Karotten gefüttert werden. Von einem Unterwasserobservatorium, der *Fishbowl*, kann man Manatees durch das Wasser gleiten sehen. Der Blick unter die Wasseroberfläche offenbart den Fischreichtum in dem nährstoffreichen Mischgebiet von Süß- und Salzwasser. (9225 W. Fishbowl Dr., tgl. 9–17.30 Uhr, www.floridastateparks.org/homosassasprings).

Auf der **Crystal River State Archeaological Site** am Ufer des Flusses sind pyramidenförmige Tempel-, Wohn- und Begräbnishügel erkennbar. Die Fundstücke aus bislang 450 ausgewerteten Gräbern zeigen differenziertes Kunsthandwerk. Geschnitzte und aus Ton gebrannte rituelle Formen sowie Schmuck belegen, dass es zwischen der indianischen Siedlung in Florida, den Maya in Mittelamerika und Indianergruppen am Mississippi kulturellen Austausch gegeben hat. Im gut ausgestatteten, kleinen Besucherzentrum rekonstruiert eine Reliefkarte die Anlage der Siedlung und gibt Hintergrundinformationen zu den indianischen Kulturen in Florida vor der Invasion der Europäer (3400 N. Museum Point Rd., tgl. 8–18 Uhr).

Homosassa Springs Area Chamber of Commerce: 4150 S. Suncoast Blvd., Homosassa Springs, FL 34447, Tel. 352-628-5343.
Citrus Country Chamber of Commerce: 28 N.W. Hwy. 19, Crystal River, FL 34428, Tel. 352-795-3149, Fax 352-795-4260, www.citruscountrychamber.com.

Best Western Crystal River Resort: 614 NW. US 19, Tel. 352-795-3171, Fax 352-795-3179, www.crystalriverresort.com. Ordentliches Urlaubshotel mit Tauch- und Schnorchelbasis, 114 Zi. ab 82 $.

Charlie's Fish House, 224 US 19 N.W., Tel. 352-795-2468, tgl. 11–23 Uhr. Herzhafte Fischgerichte, serviert an langen Tischen, Gerichte ab 4 $.

Cedar Key

Florida-Atlas: S. 234, B4
Die Insel ist mit dem Auto nur über eine gut 20 Meilen lange Stichstraße durch nahezu unbewohntes Gebiet und über eine Brücke zu erreichen. In der zweiten Hälfte des 19. Jh. hatte der ›Bleistiftkönig‹ Eberhard Faber die Zedernwälder der Insel zu Bleistiften verarbeiten lassen. 1885 lebten 5000 Menschen auf der Insel. Als die Holzvorräte erschöpft waren, schlossen die Papiermühlen und Sägewerke. Ein Wirbelsturm 1896 tat ein Übriges.

Die gemütliche Siedlung hat heute etwa 700 Einwohner, Bürgermeister, Polizei, Feuerwehr und öffentliche Bücherei teilen sich ein Gebäude. Es gibt einige kleinere Hotels, nette Restaurants, in denen vorzüglicher Fisch serviert wird und Bars, in denen man sich abends über die Angelerfahrungen austauschen kann. Dazu sind eine Reihe von Kunstgalerien entstanden, die Besucher aus Tampa und anderen Orten anziegen. Touristisches Zentrum ist der Pier, von dem ein Steg mit Andenkenläden und Restaurants abzweigt.

Das **Cedar Key Historical Society Museum** hat die abwechslungsreiche Geschichte der Region von der indianischen Besiedlung bis heute aufbereitet (SR 24/2nd St., Mo–Sa 11–16 Uhr, So 13–16 Uhr), im **Cedar Key State Museum** am nördlichen Ortsrand besticht vor allem die fantastische Muschelsammlung (12231 S.W. 166th St., Do–Mo 9–17 Uhr).

Die Inseln vor Cedar Key wurde zum Vogelschutzgebiet erklärt, in dem Pelikane, Kormorane, Reiher und See-Adler leben. Auf Snake Key gibt es seltene Schlangenarten, darunter einige Klapperschlangen.

Cedar Key Area Chamber of Commerce: 2nd St., Cedar Key, FL 32625, Tel./Fax 352-543-5600, www.cedarkey.org.

Island Hotel: 2nd/B St., Tel. 352-543-5111, Fax 352-543-6949, www.islandhotel-cedarkey.com. Gemütliches Hotel von 1859 mit einem Fernseher in der Bibliothek. Im Restaurant wird abends frisch gefangener Fisch serviert, 10 Zi. inkl. Frühstück ab 80 $.
The Island Room at Cedar Cove: im Beach and Yacht Club am Hafen, Tel. 352-543-6520, Mo–Fr 17–22, Sa ab 14, So 10–21 Uhr. Ausgezeichnete Fisch- und Pasta-Gerichte mit Blick auf den Golf, Hauptgerichte ab 11 $.
The Captain's Table: 222 Dock St., am Westende des Piers, Tel. 352-543-5441. Köstliche Fischgerichte mit Blick auf den Sonnenuntergang.
Camping:
Cedar Key Sunset Isle RV Park: 11850 S.W. SR 24, Tel. 352-543-5375, http://cedarkeyrv.com. An der Golfküste, ganzjährig geöffnet.

Orlando und Zentralflorida

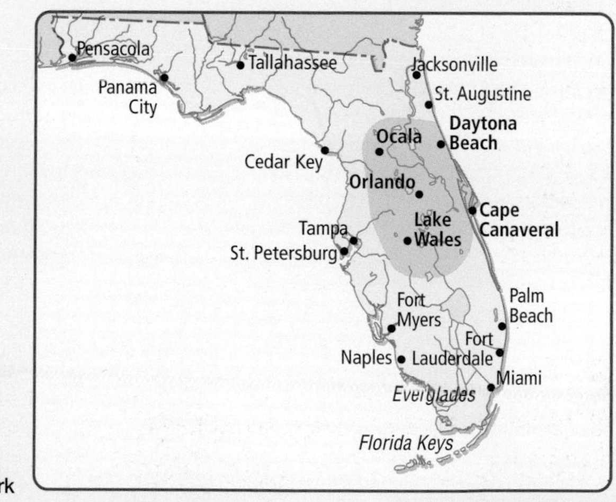

Nervenkitzel im Vergnügungspark in Orlando

Florida-Atlas S. 235–237

ORLANDO: WELTMETROPOLE DER VERGNÜGUNGSPARKS

Der Prinz, der Orlando wach küsste, hieß Walt Disney. Nachdem 1971 sein Magic Kingdom eröffnet hatte, folgten viele weitere Vergnügungsparks und Attraktionen. Heute bieten fast 500 Hotels 110 000 Betten an, verköstigen 3000 Restaurants täglich mehrere hunderttausend Touristen. Orlando und Kissimmee selbst, ihr nördlicher Vorort Winter Park und die umgebenden Wälder, Seen, Zitrusplantagen und Rinderranches bieten den von Vergnügungsparks gestressten Reisenden beschauliche Alternativen.

Kissimmee und Orlando

Kissimmee

Florida-Atlas: S. 237, D2
Die meisten Touristen besuchen Orlando und Kissimmee wegen der Vergnügungsparks, vor allem wegen Walt Disney World. Viele verlassen während ihres Aufenthalts nicht einmal den Kreuzungsbereich der US-192, dem Irlo Bronson Memorial Parkway, mit dem International Drive, in dem die meisten Attraktionen, Hotels und Restaurants der Region liegen. Wem es gelingt, der US-192, auch *Tourist Trap Trail* (Pfad der Touristenfallen) genannt, bis nach Kissimmee zu folgen, wird für seine Standhaftigkeit belohnt. Um die alte Main Street und den Broadway Boulevard findet man Straßen mit Kopfsteinpflaster und restaurierte ältere Gebäude wie das **Osceola Courthouse** von 1889.

Die Rinderauktionen, die mittwochs auf dem Gelände des **Live Stock Market** stattfinden, und die Ankündigungsplakate für Rodeos der Florida Cattlemen Association zeigen, dass südlich von Kissimmee eines der größten Rinderzuchtgebiete der USA liegt. Abseits der Hauptstraßen beginnt recht schnell das ländliche, beschauliche Florida, und man wundert sich nicht mehr über den Namen Kissimmee, dessen Übersetzung aus der Sprache der Calusa-Indianer ›Himmel auf Erden‹ bedeutet.

Orlando

Auch Orlando hat mehr zu bieten als die Maus mit den großen Ohren. Zwischen den glitzernden Hochhausbauten aus Metall und Glas verstecken sich einige Gebäude aus der Vor-Disney-Ära. In der Orange Avenue stehen das **Kress Building,** das mit ›ägyptischen‹ Ornamenten verzierte Gebäude der **First National Bank** sowie das **McCroy's Building** im Art-déco-Design. Nicht weit davon in der Church Street blieb ein Häuserblock aus viktorianischer Zeit erhalten.

Das Stadtgebiet von Orlando wird durch 54 Seen wie den Lake Eola im Zentrum, der von einem schönen Park mit einer Pagode und alten Eichen umgeben ist, aufgelockert. Im Stadtviertel von Loch Haven Park im Norden zeigen das **Orange County Historical Museum** 1 (812 E. Rollins St., Mo–Sa 9–17, So 12–17 Uhr), das **Orlando Science Center** 2 (810 E. Rollins St., Mo–Do, Sa 9–17, Fr 9–21, So 12–17 Uhr) und das **Orlando Museum of Art** 3 (2416 N. Mills Ave., Di–Sa 9–17, So 12–17 Uhr), dass Museen auch für Kinder kurzweilig und spannend sein können. Etwas weiter östlich wurde um das zu Beginn des 20. Jh. erbaute und nun zum Museum umgestalteten Wohnhaus der Familie Leu die weitläufige Anlage von **Harry P. Leu Gardens** 4 am Ufer des Lake Rowena angelegt (tgl. 9–17, Touren 10–15.30 Uhr). Wer von Achterbahnen, 3-D-Animationen und Salto schlagenden Delphinen eine Erholungspause braucht, wird auf einem Spaziergang durch die üppige Blütenpracht von Azaleen, Rosen, Kamelien und Orchideen bald wieder eine ausgeglichene Gemütslage finden (1730 N. Forest Ave.).

Schon viele Meilen vor Orlando wird Autofahrern deutlich, was sie erwartet. Riesige Werbetafeln an den Highways versprechen Nervenkitzel, preisgünstige Hotels und üppige Mahlzeiten. Dabei hatte alles einmal ganz klein und unbedeutend angefangen. Aus Fort Gatlin, einem 1837 während des Zweiten Seminolen-Krieges in dem von Indianern besiedelten *Mosquito Country* errichteten Außenposten, entwickelte sich erst 50 Jahre später ein nennenswerter Ort. Die Siedler hatten entdeckt, dass sich der Boden und das Klima zur Orangenzucht eigneten, und als 1880 die Eisenbahnverbindung von Sanford nach Orlando verlängert wurde, zählte das Städtchen bald 4000 Einwohner.

Mitte des 20. Jh. war es plötzlich mit dem beschaulichen Landleben vorbei, änderte die Region innerhalb weniger Jahre ihr Gesicht. Vom Luftwaffentestgelände auf dem nahe gelegenen Cape Canaveral starteten in den 1950er Jahren erste Raketen. Nach dem so genannten Sputnik-Schock von 1957 und nachdem die Sowjetunion mit Juri Gagarin den US-Amerikanern bei der bemannten Weltraumfahrt wieder zuvorgekommen war, flossen gewaltige Summen nach Florida. Präsident Kennedy verkündete 1961, die USA würden innerhalb von zehn Jahren Menschen auf dem Mond landen. Viele Unternehmen der Luftfahrt- und Welt-

Der Super-Flohmarkt

An den 1600 Ständen von **Flea World** wird von Gourmet-Kaffee, Autoreifen und Vogelspinnen bis zur Reizwäsche alles verkauft (US 17/92, zwischen Orlando und Sanford, Fr–So, 9–18 Uhr).

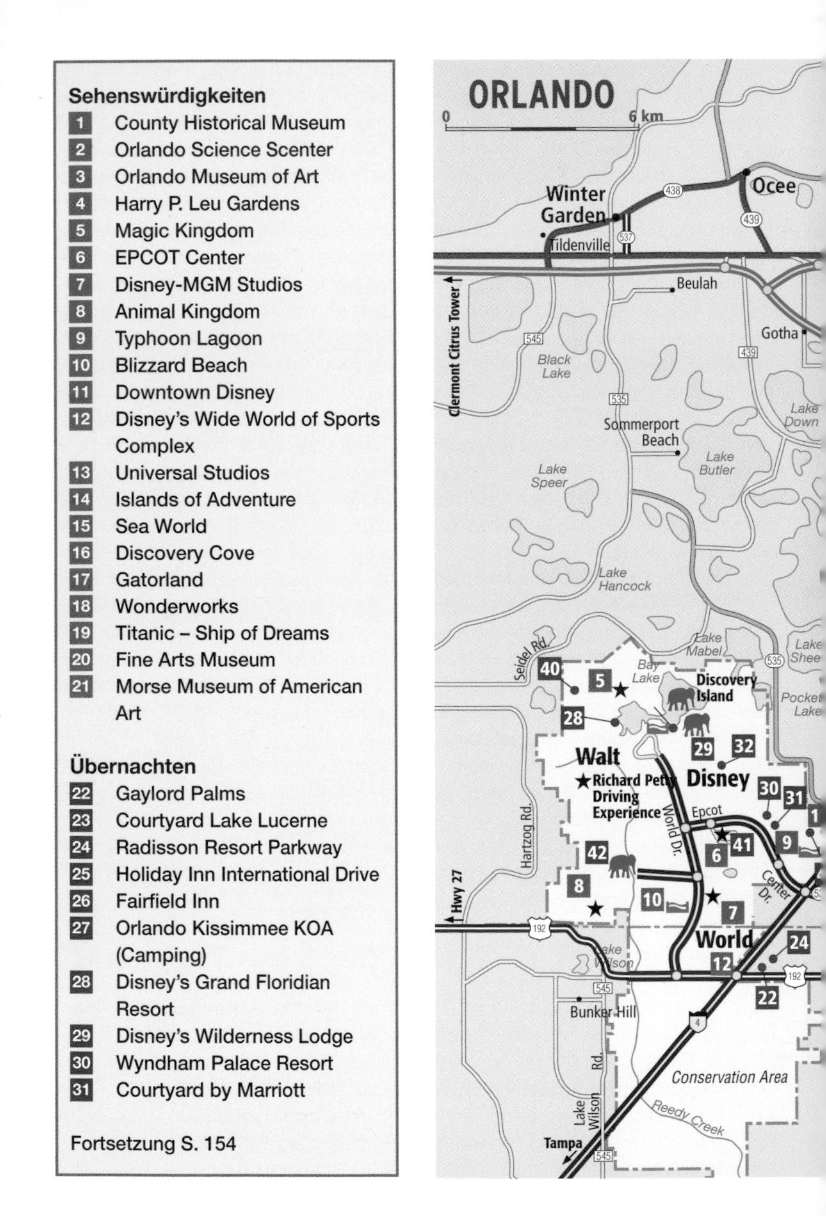
Sehenswürdigkeiten
1 County Historical Museum
2 Orlando Science Scenter
3 Orlando Museum of Art
4 Harry P. Leu Gardens
5 Magic Kingdom
6 EPCOT Center
7 Disney-MGM Studios
8 Animal Kingdom
9 Typhoon Lagoon
10 Blizzard Beach
11 Downtown Disney
12 Disney's Wide World of Sports Complex
13 Universal Studios
14 Islands of Adventure
15 Sea World
16 Discovery Cove
17 Gatorland
18 Wonderworks
19 Titanic – Ship of Dreams
20 Fine Arts Museum
21 Morse Museum of American Art
Übernachten
22 Gaylord Palms
23 Courtyard Lake Lucerne
24 Radisson Resort Parkway
25 Holiday Inn International Drive
26 Fairfield Inn
27 Orlando Kissimmee KOA (Camping)
28 Disney's Grand Floridian Resort
29 Disney's Wilderness Lodge
30 Wyndham Palace Resort
31 Courtyard by Marriott
Fortsetzung S. 154
ORLANDO
0
6 km
Winter Garden
Ocee
Tildenville
Beulah
Clermont Citrus Tower
Gotha
Black Lake
Sommerport Beach
Lake Butler
Lake Speer
Lake Hancock
Lake Mabel
Seidel Rd.
Bay Lake
Discovery Island
Pocket Lake
Walt Disney World
Richard Petty Driving Experience
Epcot
World Dr.
Center Dr.
Hartzog Rd.
Hwy 27
Lake Wilson
Bunker Hill
Lake Wilson Rd.
Conservation Area
Reedy Creek
Tampa

Ocala
Daytona Beach
Winter Park
Aloma Ave.
Aloma
Amtrak
Mead Botanical Gardens
University Blvd
Lake Irma
Eastern Beltway
Orlando Sports Stadium
Lake Baldwin
Semoran Blvd.
Goldenrod Rd.
Hiawassee Rd.
Pine Hills Rd.
John Young Pkwy
Lake Orlando
Lake Fairview
Edgewater Dr.
Orange
Silver Star Rd.
Lawne Lake
Fairvilla
E Colonial Dr.
Titusville
Pine Hills
Bob Carr Performing Arts Center
Orlando Executive Airport
Azalea Park
W Colonial Dr.
Church Street Station
Lake Eola Park
Orlovista
Holland East-West Expwy
Greyhound
City Hall
Lake Underhill Rd.
Lake Mann
Lake Hiawassa
Kirkman Rd.
Clear Lake
Amtrak
ORLANDO
Curry Ford Rd.
Turkey Lake
Orange Ave.
Conway Rd.
Lake Holden
Curry Ford Rd.
Conroy Rd.
Lake Catherine
Pershing Ave.
Gatlin Ave.
Gatlin Ave.
Lake Cain Hills
Americana Blvd
Edgewood
Little Lake Conway
Hoffner Ave.
Conway
Hoffner Ave.
Lake Marsha
Lake Jessamine
Orange Blossom Trail
Lake Conway
Narcoossee Rd.
Merritt Island
Wet 'n' Wild
Lake Ellenore
Pine Castle
Judge Rd.
Spring Lake
Turkey Lake Rd.
Sand Lake Rd.
Sky Lake
Belle Isle
Lake Mary Prairie
Beeline Expwy (Toll)
Tangelo Park
Morningside Park
International Dr.
Big Sand Lake
Taft
Bee Line Expwy (Toll)
Orlando International Airport
Buck Lake
Lake Nona
Central Florida Pkwy
Lake Willis
Florida Turnpike (Toll)
Shingle Creek
John Young Pkwy
Red Lake
Lake Buena Vista
Flamingo
Mud Lake
Lake Bryan
International
Central Florida Greeneway (Toll)
ORANGE CO
OSCEOLA CO
Xanadu House of the Future
Old Dixie Hwy
Fells Cove
Boggy Creek Rd.
Boggy Creek Rd.
Lake Cecile
Alligatorland Safari Zoo
Vine St.
Main St.
Medieval Times
Kissimmee Municipal Airport
Bermuda Ave.
Kissimmee
Monument of the States
Osceola County Art and Culture Center
East Lake Tohopekaliga
Poinciana Blvd.
Tampa, Lake Wales

Übernachten
- 32 Disney's Fort Wilderness Resort & Campground
- 33 Renaissance at Seaworld
- 34 AmeriSuites at Universal

Essen und Trinken
- 35 Charlie's Lobster House
- 36 Le Coq au Vin
- 37 Numero Uno
- 38 Little Saigon
- 39 White Wolf Café
- 40 Victoria & Albert's
- 41 San Angel Inn
- 42 Rain Forest Café
- 43 Emeril's

raumindustrie verlegten Produktionsstätten nach Titusville und Orlando.

Im Jahr 1963 fiel zudem im fernen Kalifornien die Entscheidung, in Florida südlich von Orlando nach Disneyland in Los Angeles einen weiteren großen Freizeitpark – Walt Disney World – zu schaffen. Unbemerkt von der Öffentlichkeit kauften Beauftragte 113 km^2 Land, ein Areal fast von der Grundfläche der Stadt Boston. Nachdem zwei Jahre später Disneys Pläne ruchbar wurden, war Orlando von einem Tag auf den anderen nicht mehr das gleiche. Land, das 500 Dollar pro Hektar gekostet hatte, war, wenn es an Disney World grenzte, nicht mehr unter 150 000 Dollar zu haben. Die Einwohnerzahl von Orlando verdoppelte sich innerhalb der nächsten 15 Jahre; Hunderte von Hotels wurden eröffnet, ein neuer Flugplatz eingeweiht. Als Disneys Magic Kingdom 1971 eröffnet hatte, folgten andere Vergnügungsparks. Heute zählt das Einzugsgebiet von Orlando und Kissimmee mehr als 1 Mio. Einwohner. Über 150 000 Menschen sind in Freizeitparks, Hotels und Restaurants beschäftigt; gut 40 000 davon arbeiten allein bei Walt Disney World. Alle profitieren von den über 6 Mrd. Dollar, die Besucher in Orlando jährlich für ihr Vergnügen ausgeben.

Kissimmee-St. Cloud Convention & Visitors Bureau: 1925 E. Irlo Bronson Memorial Hwy., Kissimmee, FL 34742-2007, Tel. 407-847-5000, Fax 407-847-0878, www.floridakiss.com.
Orlando/Orange County Convention & Visitors Bureau: 8723 International Dr., Suite 101, Orlando, FL 32819, Tel. 407-363-587, Fax 407-354-0874, www.orlandoinfo.com.

Gaylord Palms 22: 6000 Osceola Pkwy., Tel. 407-586-0000, Fax 407-239-4822, www.gaylordpalms.com. Im Ambiente verschiedener Regionen von Florida gegliedertes Hotel, gewaltiges Glasatrium, 1410 Wohneinheiten ab 180 $.
Courtyard Lake Lucerne 23: 211 N. Lucerne Circle E., Tel. 407-648-5188, Fax 407-246-1368, www.orlandohistoricinn.com. Gepflegtes Bed & Breakfast in mehreren historischen Villen, 30 Wohneinheiten ab 90 $.
Radisson Resort Parkway 24: 2900 Parkway Blvd., Tel. 407-634-4774, Fax 407-396-6792, www.radissonparkway.com. Große tropische Park- und Badelandschaft, 718 Suiten und Zimmer ab 80 $.
Holiday Inn International Drive 25: 6515 International Dr., Tel. 407-351-3500, Fax

407-351-5757, http://hiorlando-internationaldrive.felcor.com. Günstige Lage, nette Pool-Landschaft, 652 Zi. ab 75 $.
Fairfield Inn 26: 8342 Jamaican Court/International Dr., Tel./Fax 407-363-1944, www.fairfieldinn.com. Ordentliche Lage, abseits des Hauptverkehrs, guter Service, 135 Zi. ab 70 $.
Camping:
Orlando Kissimmee KOA 27: 4771 W. Irlo Bronson Memorial Hwy., Tel. 407-396-2400, Fax 407-396-7577, kissimmee@koa.net. Nicht weit von den Vergnügungsparks, guter Standard, Fahrradverleih.

Charlie's Lobster House 35: 8445 International Dr., im Mercado Shopping Village, Tel. 407-352-6929, tgl. 17–22 Uhr. Köstliche Hummer, Krebse, Fisch und Muscheln, einige Steaks, Hauptgericht ab 20 $.
Le Coq au Vin 36: 4800 S. Orange Ave., Tel. 407-851-6980, Di–Fr 11.30–22, Sa–So 14–22 Uhr. Traditionelle französische Küche im Süden der Stadt, Hauptgerichte 17 ab $.
Numero Uno 37: 2499 S. Orange Ave., Tel. 407-841-3840, Mo–Do 11–21.30, Fr 11–22, Sa 14–22 Uhr. Herzhafte spanische und kubanische Gerichte, Hauptgerichte ab 10 $.
Little Saigon 38: 1106 E. Colonial Dr., Tel. 407-423-8539, tgl. 10–21 Uhr. Ausgezeichnetes vietnamesisches Restaurant mit großer Auswahl, Gerichte ab 5 $.
White Wolf Café 39: 1829 N. Orange Ave., Tel. 407-895-5590, Mo 11–16, Di–Do 11–22, Sa–So 11–23 Uhr. Einfallsreiche Bistroküche im Zentrum, Hauptgerichte ab 9 $.

Florida Mall: 8001 S. Orange Blossom Trail, 5 Meilen östl. der I-4/International Dr. Riesiges Einkaufszentrum mit über 200 Geschäften und mehreren Kaufhäusern.
Beltz Factory Outlet: 5401 W. Oakridge Rd. Mit 170 Geschäften das größte Konglomerat von Direktverkaufsstellen (Outlet Malls) in der Region um Orlando.

Independent Bar: 70 N. Orange Ave. Disko mit Alternative Music zum Abtanzen.
Club at the Firestone: 507 N. Orange Ave. Tanzclub mit House Music im ehemaligen Reifenlager.

Bob Carr Performing Arts Center: 401 W. Livingston St., Orchester, Ballettgruppen, internationale Showstars und Broadway-Inszenierungen

Mietwagen: Alle großen Mietwagenfirmen sind am Flughafen vertreten.
Zug: Amtrak hat eine Haltestelle in Orlando, 1400 Sligh Blvd., und in Kissimmee, 416 Pleasant St.

Walt Disney World und die Vergnügungsparks

Florida-Atlas: S. 236, C1
Der mit Abstand wichtigste Zuschauermagnet Orlandos ist und bleibt Walt Disney World, dessen Unternehmensstrategie darauf abzielt, immer neue Attraktionen zu entwickeln und die Zahl der Hotels im eigenen großflächigen Areal zu erhöhen. Urlauber sollen das Disney-Gelände nicht mehr verlassen müssen, um ihr Hotel oder andere Shows aufzusuchen.

So wurde 1997 ein ausgedehntes Sport- und Freizeitgelände gegründet, der Disney's Wide World of Sports Complex. Und 1998 entstand mit dem 200 ha großen Animal Kingdom ein vierter Vergnügungspark in Disney World, eine Mischung aus Zoo und computergesteuerten Animationen, die heutige, frühere und mythische Tierwelten miteinander verbindet.

Unterhaltungsangebote, die Konkurrenten entwickelt haben, werden von Disney aufgegriffen und perfektioniert. Water Mania und Wet'n Wild, zwei große Bade-Anlagen, sehen sich den zwei Wasserparks Typhoon Lagoon und Blizzard Beach von Disney gegenüber.

Magic Kingdom

Das **Magic Kingdom** 5**,** nach wie vor der Klassiker für Kinder, wurde 1971 als erster Vergnügungspark eröffnet. Von der Anlegestelle der Fähre über die Seven Seas Lagoon oder vom Bahnsteig der Magnetschwebebahn geht es auf den Rathausplatz und die von Souvenirgeschäften gesäumte Main Street USA hinunter. Die Straße, dem Bild einer US-Kleinstadt um die Wende vom 19. zum 20. Jh. nachempfunden, wurde auf 60 % verkleinert errichtet und erweckt so den Eindruck einer begehbaren Spielzeuganlage.

Cinderella Castle, die verniedlichte Version des Schlosses Neuschwanstein von König Ludwig II. von Bayern, steht im Zentrum des Magic Kingdom, dessen verschiedene ›Unterkönigreiche‹ sternförmig von dort erreichbar sind.

Im **Adventureland** werden erbarmungslos tropische Landschaften von Amerika, Afrika, Polynesien und Asien gemischt, gleichzeitig ertönen Urwaldtrommeln, das Trompeten von Elefanten und das Gekrächze von Papageien. Die Jungle Cruise führt in kleinen Booten auf einem Fluss, der Nil, Mekong, Niger und Amazonas in einem ist, durch einen Urwald, vorbei an Wasser spritzenden Elefanten, gefährlichen Krokodilen und plötzlich auftauchenden Flusspferden. Bei der Bootsfahrt Pirates of the Caribbean erlebt man eine Seeschlacht und passiert eine Karibik-Insel, die gerade einen Überfall verwegener Piraten erlebt.

Hauptattraktionen von **Frontierland,** einer Mischung aus Wildwest-Szenerie und Mississippi-Landschaft, sind die Wildwasserfahrt Splash Mountain und die Achterbahn Big Thunder Mountain. Mit einem Floß kann man sich zur Tom Sawyer-Insel übersetzen lassen.

Auf dem **Liberty Square,** im kolonialen Nordosten der USA angesiedelt, geht es etwas ruhiger zu. Die Hall of the Presidents, in der alle bisherigen US-Präsidenten gemeinsam in einem Multi-Media-Schauspiel die politische Botschaft der amerikanischen Verfassung präsentieren, erzeugt keinen Nervenkitzel. Im Haunted Mansion, einem Spukschloss mit 3-D-Effekten und Geisterhologrammen, wird dies schon eher der Fall sein.

Fantasyland gehört den Kindern und ihrer Fantasie. Die Reitpferde von Cinderella's Golden Carrousel, die Bühnenshow nach dem Film »König der Löwen«, ein Flug mit Peter Pan über das nächtliche London, die Fahrt mit Käpt'n Nemos U-Boot durch die Tiefsee oder auf einer Barke durch ein

Cinderella Castle im Magic Kingdom

Land mit Kindern vieler Nationen, die das Lied »It's a small world after all« in ihrer Sprache singen, gehören zu den unspektakulären Attraktionen, die gleichwohl zahlreiche junge Besucher faszinieren. In Mickey's Starland können die Häuser von Mickey Mouse, von Donald und seinen Neffen sowie die Farm von Oma Duck besichtigt werden.

Im **Tomorrowland,** dem Land der Zukunft, stellen Attacken außerirdischer Horrorwesen die Nerven im Extra›terror‹estrial Alien Encounter auf eine harte Probe. Im Astro Orbiter kann man zu einem Flug durch den Weltraum starten, bei Buzz Lightyear's Space Ranger Spin helfen Besucher mit Hilfe von Buzz und einer Laserkanone das Universum zu retten. Im Space Mountain spielt die Fantasie die größte Rolle, wenn die ›Achterbahn‹ in schneller Fahrt zunächst durch die Dunkelheit und dann mit Überlichtgeschwindigkeit durch die Galaxien des Weltraums jagt.

EPCOT Center

Das **EPCOT Center** [6] ist eher etwas für Jugendliche und all jene Erwachsenen, die in ihrem Innern Kind geblieben sind. Der Traum von Walt Disney, hier das Modell einer konfliktfreien Zukunftsgesellschaft, eine ***E****xperimental* ***P****rototype* ***C****ommunity* ***o****f* ***T****omorrow,* zu präsentieren, die optimistisch die Früchte modernster Technologie erntet und einen ›sauberen‹ Lebensstil pflegt, wurde nach dem Tod des Firmengründers 1966 mitbegraben. Gleichwohl ist EPCOT etwas Besonderes geblieben. Auch wenn sich im World Showcase die Präsentation verschiedener Kulturkreise der Welt meist auf folkloristische Beiträge reduziert, so ist doch das Bemühen zu erkennen, Verständnis für die Unterschiede der Menschen zu fördern, für Toleranz zu werben.

Der Anspruch von **Future World,** dem zweiten großen Komplex von EPCOT, moralische Werte neben Informationen von naturwissenschaftlichen und gesellschaftlichen Zusammenhängen zu vermitteln, ist offenkundig. Die einzelnen Bereiche der Zukunftswelt werden in Zusammenarbeit mit einem in der jeweiligen Branche führenden Großkonzern gestaltet. So bleibt das aktuelle technische und wissenschaftliche Niveau gewahrt, industriekritische Töne sind jedoch ausgespart.

Im **Spaceship Earth,** einer silbrigen Kugel mit 54 m Durchmesser, führt eine Zeitreise durch die Geschichte der menschlichen Informationsübermittlung, von den Höhlenzeichnungen der Cro-Magnon-Menschen bis zur simulierten Fahrt durchs Internet.

Etwa 4000 Fische, Krebse und Meeressäugetiere leben in einem mit 23 Mio. l Salzwasser gefüllten Tank im Komplex **Living Seas.** Von der Unterseestation Seabase Alpha erforscht man die Wunderwelt der Korallenriffe, die Lebensbedingungen der Meerestiere und die Nahrungsreserven, die in den Ozeanen verborgen sind.

Das Land und die Nahrung, die es den Menschen bieten kann, sind die Hauptthemen von **The Land.** Bei einer Bootsfahrt passiert man tropischen Regenwald, eine afrikanische Wüste und die amerikanische Prärie. Das Harvest Theater zeigt einen Film mit fantastischen Aufnahmen zum Umgang des Menschen mit der Natur aus der Werkstatt der renommierten Zeitschrift »National Geographic«.

Im Pavillon **Imagination!,** der Reise in die Fantasie, wähnen sich die Betrachter des 3-D-Filmes »Honey, I shrunk the audience« zu Daumengröße geschrumpft, während Tiere und Menschen von der Leinwand in den Zuschauerraum vorzudringen scheinen.

Test Track, präsentiert von General Motors, zeigt mit echten Fahrzeugen und virtueller Realität Testserien für Autos von Konzeption bis zum Verkauf.

Die Wundor des Lebens, **Wonders of Life,** werden auf erstaunlich unterhaltsame Weise präsentiert. Bedenkt man die prüde öffentliche Meinung in Nordamerika, ist die eigentliche Sensation in diesem Pavillon ein Kino, in dem versucht wird, Kinder über Zeugung und Geburt eines Menschen aufzuklären. Body Wars heißt die atemberaubende Reise durch das menschliche Immunsystem, bei der Anschnallen Pflicht ist. In Cranium Command versucht sich ein ›Gehirnpilot‹ an der unmöglichen Aufgabe, das Denkzentrum eines zwölfjährigen Jungen unter seine Kontrolle zu bringen. Wie auch andere Attraktionen führt das Universum der Energie das Publikum auf eine Zeitreise. Der Zuschauerraum bewegt sich einige Millionen Jahre in die Vergangenheit, zu Dinosauriern und in Vulkane hinein. Der wachsende Energiebedarf der Gegenwart erscheint nur als Herausforderung auf dem Weg in eine Zukunft des Energie-Überflusses, nicht aber als ein Problem schwindender Ressourcen. Wer wie Astronauten in einem Beschleunigungssimulator trainieren möchte, kann dies im Pavillon von **Mission: SPACE** tun. Besucher können sich einer virtuellen Reise zum Mars anschließen und eine Vorstellung von Schwerelosigkeit entwickeln.

World Showcase, Schaufenster der Welt, heißt die Ausstellung von elf Ländern. Historische und moderne Bauwerke sowie Landschaften von Norwegen, China, Deutschland, Italien, den USA, Japan, Marokko, Frankreich, Großbritannien und Kanada sind auf engem Raum komprimiert. Einige Restaurants mit landestypischen Spezialitäten sind zu Recht sehr beliebt und daher häufig schon vormittags durch Vorbestellungen ausgebucht. Im deutschen Biergarten, in dem eine Blaskapelle deutsches Kulturgut in die Welt hinausposaunt, gibt es Sauerkraut und Sauerbraten, Rotkohl und Heringssalat. Süßlicher Weißwein und bremisches Bier in bajuwarischen Krügen sorgen vor einer Rothenburg-ob-der-Tauber-Kulisse für eine gelöste Atmosphäre, die Kaufentscheidungen für Butterkekse, Kuckucksuhren und bemalte Hummel-Figuren erleichtern hilft. Seit kurzem wird auch eine leichtere, frische deutsche Küche serviert, die den Besuchern zeigt, dass sich auch Deutschland kulinarisch weiterentwickelt.

Disney-MGM Studios

Im dritten großen Themenpark, den **Disney-MGM Studios** [7], wo sich die Zuschauer an Kulissen und Nachbauten wie dem Sunset Boulevard oder

TIPPS FÜR WALT DISNEY WORLD

Eine gute Planung hilft, stundenlange Wartezeiten und demzufolge Frust, vor allem bei einem Besuch mit Kindern, zu vermeiden.
– Wer es einrichten kann, sollte folgende Zeiten meiden: In den Sommerferien sind auch viele amerikanische Kinder mit ihren Eltern bei Disney. Ein großes Gedränge herrscht zu Ostern und um die Weihnachtszeit. Den geringsten Besucherstrom findet man zwischen Mitte Oktober und der Woche vor Weihnachten sowie der Woche nach Neujahr und Ende Februar.
– Die geschäftigsten Tage in allen Parks sind Samstag und Sonntag, dazu Montag und Donnerstag im Magic Kingdom, Dienstag und Freitag bei EPCOT, Mittwoch in den MGM Studios sowie Montag bis Mittwoch im Animal Kingdom. Die langen Wochenenden der Public Holidays (Independence Day, Columbus Day, Labor Day u. a.), die von den Amerikanern häufig zum Kurzurlaub genutzt werden, sind keine guten Besuchstage.
– Für den Besuch der vier Parks sollte man je einen Tag einplanen. Gleiches gilt auch für die Universal Studios. Wer weniger Zeit hat, sollte den Besuch auf einen oder zwei Parks reduzieren.
– Wer eine halbe Stunde vor der offiziellen Öffnungszeit (9 Uhr) am Eingang ist, macht diese Zeit schnell bei den Wartezeiten wieder wett, da viele Besucher erst im Laufe des Vormittags eintreffen.
– Wer weniger Zeit in den Schlangen vor den beliebtesten Attraktionen (bis über eine Stunde) verbringen will, sollte diese morgens oder zum Schluss des Aufenthaltes einplanen. An ›Fastpass‹-Automaten kann man sich ein Zeitfenster geben lassen, um dann in der Schlange für Reservierungen kürzer zu warten.
– Um lange Wartezeiten beim Mittagessen zu vermeiden, sollte man Plätze in einem der Restaurants vorbestellen oder möglichst frühzeitig (bis 11 Uhr) einen Imbiss zu sich nehmen. Mittags kann man dann mit kürzeren Wartezeiten bei den Attraktionen rechnen.
– Planen Sie Pausen ein. Entweder richtig, etwa am Hotelpool, oder in einem Wasserpark, ansonsten kann besonders bei heißem Wetter die Ruhezeit in einem klimatisierten Raum während einer Show schon recht angenehm sein.
– Bequeme Schuhe und Sonnenschutz sind wichtig, da Sie viel und unter freiem Himmel laufen werden.
– Sollten Sie den Park zwischendurch verlassen, berechtigt ein auf die Hand gedrückter Stempel mit der Eintrittskarte zur kostenlosen Rückkehr. Auch die Parkplatzquittung gilt für den gesamten Tag. Merken Sie sich, wo auf den riesigen Parkplätzen Ihr Auto geparkt ist.
– Beim Eingang der Parks können kostenlos Buggies *(strollers)* und Rollstühle *(wheelchairs)* entliehen werden. Hier befinden sich auch der Gäste-Service und eine Fundstelle für Verlorengegangenes.

Mann's Chinese Theater in Hollywood, an aktuellen und früheren Filmproduktionen erfreuen können, wird auch, vor allem für das Fernsehen, gedreht. Während einer Backstage Tour geht es zu Drehorten, zum Kostümfundus, den Studiohandwerkern und in den Katastrophen-Canyon, in dem Besucher von einem plötzlichen Erdbeben, von explodierenden Öllagern, Wolkenbrüchen und Flutwellen bedroht werden.

In der Achterbahn **Rock'n'Roller Coaster** jagt man in Stretchlimousinen zum Soundtrack der Rockgruppe Aerosmith mit 3D-Animation durch das Straßenlabyrinth Hollywoods.

Zu den beliebtesten Attraktionen gehören der **Tower of Terror,** in dem eine Episode aus der amerikanischen Fernsehserie »Twilight Zone« Wirklichkeit zu werden scheint. Ein Fahrstuhl voller Menschen im Hollywood Tower Hotel stürzt nach einem Blitzeinschlag während eines Gewitters in die Tiefe und verschwindet. In der Monster Sound Show und dem SuperstarTelevision werden Zuschauer als Darsteller und Toningenieure in verschiedene Produktionen einbezogen.

Das **Indiana Jones Epic Stunt Spectacular** zeigt Stunts nach Motiven aus den »Indiana Jones«-Filmen. In der Show über die kleine **Meerjungfrau Arielle** agieren Schauspieler mit animierten Puppen, Filmclips und 3-D-Projektionen. Das der Hollywood Bowl in Los Angeles nachempfundene **Theater of the Stars** bringt »Best Of«-Kurzfassungen bekannter Broadway-Musicals.

Miss Piggy und ihre Kollegen von der **Muppet Show** überraschen in einer technisch perfekten 3-D-Show mit ihren Einfällen. Kermit der Frosch weiß als Arnold Schwarzenegger zu überzeugen. Miss Piggy ist der Freiheitsstatue zum Verwechseln ähnlich.

Animal Kingdom

Der 14 Stockwerke hohe (künstliche) **Baum des Lebens** ist das Wahrzeichen und der Mittelpunkt im **Animal Kingdom** 8, dem vierten Themenpark in Walt Disney World. Im **Countdown to Extinction** des virtuellen Dinoland USA versuchen Zuschauer die Riesenechsen im Zeitalter der Saurier vor 65 Mio. Jahren vor dem Aussterben zu bewahren, als ein gigantischer Asteroid auf die Erde zurast. Der **Maharaja Jungle Treck** im nachgebauten Asien führt zu bengalischen Tigern, die durch geheimnisvolle Ruinen streifen, und schließlich auf den Kali River Rapids einen schäumenden Fluss hinunter. Die abenteuerliche **Kilimanjaro Safari** in Afrika sollte man am besten gleich morgens unternehmen, wenn viele der freilaufenden Tiere noch wach sind. Ein Wildlife Express bringt Besucher zu einer Wildschutzstation, und auf dem Gorilla Falls Trail wandert man durch den Dschungel.

Weitere Attraktionen

Zwei ausgedehnte Bade-Anlagen mit Rutschen und künstlichen Flüssen, das riesige Wellenbad **Typhoon Lagoon** 9 und **Blizzard Beach** 10, das wie eine in die Subtropen verpflanzte Slalom-Ski-Anlage aussieht, können auch unabhängig vom Eintritt in die Themenparks besucht werden. Auf Pleasure Island in **Downtown Disney** 11 an der Lake Buena Vista Lagoon ist immer *Party Time,* pünktlich um 24 Uhr wird jede Nacht Silvester gefeiert. Einige Dutzend Nachtklubs, Kinos, Diskotheken, Bars und Restaurants, darunter eine Filiale von Planet Hollywood, sind für die erwachsenen Besucher gedacht, die sich auch abends noch ein wenig amüsieren wollen.

Nicht weit entfernt, ebenfalls am Ufer der Lagune, verlocken im Disney Village Marketplace und im Disney West Side einige Restaurants sowie diverse Geschäfte von der Boutique für Designer-Mode bis zum riesigen Laden für Disney-Memorabilia, alles getreu dem Motto: Lassen Sie Ihr Auto stehen, bleiben Sie im Disney-Königreich. Im **Disney's Wide World of Sports Complex** 12 lassen sich über 30 verschiedene Sportarten betreiben. Das ganze Jahr über finden hier Sportwettkämpfe statt, die Baseball Profis der Atlanta Braves haben hier ihr Winterquartier aufgeschlagen.

Mit dem Fastpass ohne Wartezeit

Gehen Sie mit ihrer Eintrittskarte zu einer Attraktion mit besonders langer Wartezeit, schieben Sie sie in den Fastpass-Automaten und Sie erhalten ein Zeitfenster für einen Besuch vorbei an den ›normalen‹ Schlangen. Nach 2 Std. können Sie das gleiche erneut für eine zweite Attraktion arrangieren.

Zu den Themenparks allgemein: Tel. 407-943-7639; zu Eintrittstickets: Tel. 407-824-4321; Reservierung für die Restaurants: Tel. 407-939-3463. Die Themenparks öffnen um 9 Uhr (World Showcase ab 11 Uhr, die Schließzeiten variieren zwischen 19 und 24 Uhr je nach Jahreszeit und Feiertagen. Kostenloser Transfer von den Parkplätzen zu den Haupteingängen. Es werden etwa ein Dutzend verschiedene Kombinationstickets für einzelne und mehrere Tage und Parks angeboten, auch im Paket mit Hotelübernachtungen. Einige von ihnen kann man über Reiseveranstalter bereits daheim buchen, ansonsten geht es auch über die Disney World Travel Co., Tel. 407-934-7639, www.disneyworld.com.

Disney's Grand Floridian Resort 28**:** 4401 Floridian Way, Tel. 407-934-7639, Fax 407-824-3186, www.disneyworld.com. Nostalgischer Luxus aus der guten alten Zeit, 900 Zi. ab 340 $.
Disney's Wilderness Lodge 29**:** 901 W. Timberline Dr., Tel. 407-407-934-7639, Fax 407-824-3232, www.disneyworld.com. Im rustikalen Blockhaus-Nationalpark-Stil, mit einem Geysir vor der Tür, 910 Wohneinheiten ab 200 $.
Wyndham Palace Resort 30**:** 1900 Buena Vista Dr., Tel. 407-827-2727, Fax 407-822-6034, www.wyndham.com/hotels/MCOPV/main.wnt. Von den Balkonen in den oberen Etagen geht der Blick über Downtown Disney, gute Wellnesseinrichtungen, 1015 Wohneinheiten ab 140 $.
Courtyard by Marriott 31**:** 1805 Hotel Plaza Blvd., Tel. 407-828-8888, Fax 407-827-4626, www.downtowndisneyhotels.com. Vom 8.–14. Stock hat man den besten Blick auf das abendliche Feuerwerk von Disney, 320 Zi. ab 100 $.
Camping:
Disney's Fort Wilderness Resort & Campground 32**:** Tel. 407-824-2900, Fax

Drive-In in den Universal Studios

407-824-3508, www.disneyworld.com. Perfekt ausgestatteter Platz am Bay Lake, 800 Stellplätze, ab 35 $, 400 Blockhäuser ab 230 $.

Victoria & Albert's 40: Sept–Juni Reservierungen für 17.45–18.30 u. 21–21.45, Rest d. Jahres 18.45–20 Uhr, im Disney's Grand Floridian Resort gilt als eines der besten Restaurants des Bundesstaates, 6-Gang-Menü 85 $.
San Angel Inn 41: im World Showcase, vorzügliche mexikanische Gerichte, Hauptgerichte mittags ab 10$, abends ab 20 $.
Rain Forest Café 42: ab 8.30 Uhr, im Animal Kingdom sowie ab mittags in Downtown Disney, serviert in tropischer Dschungelatmosphäre, Hauptgerichte ab 9 $, Kinderkarte ab 6 $.

Pleasure Island: mit diversen Clubs, Restaurants, Kinos, jeweils um Mitternacht startet eine Sylvester-Party mit Feuerwerk.
Downtown Disney Westside mit dem **House of Blues** in einem wie eine Riesenscheune gebauten Veranstaltungshaus mit Bühne und Tanzfläche (Tel. 407-934-2583). Dazu führt der weltberühmte **Cirque du Soleil** in einem eigenen Theater sein zauberhaftes artistisches Programm auf (Tel. 407-939-7600, www.cirquedusoleil.com).

Universal Studios

Die **Universal Studios** 13, bekannt durch zahlreiche Filmproduktionen und den gleichnamigen Studiobetrieb in Hollywood, befinden sich in direkter Konkurrenz zu den Disney-MGM Studios. Wer einen Rundgang durch das Gelände unternimmt, wird zahlreiche *Sets* von aktuellen Dreharbeiten aus-

Orca-Schwertwale im Shamu Stadion des Themenparks Sea World

machen können. Die Studios sind gleichzeitig ein Themenpark, der sich hinter Disney World nicht verstecken muss. Um die Lagune, in der auch das allabendliche **Dynamite Nights Stunt Spectacular** mit wilden Motorboot- und Wasserscooterjagden, explodierenden Bootsschuppen und durch die Luft fliegenden Menschen stattfindet, sind Kulissen und Attraktionen thematisch gruppiert.

Ägyptische Mumien erwachen im Psychothriller **Revenge of the Mummy** zu neuem, Furcht erregenden Leben. Besucher müssen sich einer Armee von Mumien und explodierender Feuerbälle erwehren. Dagegen sind die Abenteuer des populären **Shrek** und seiner Trickfilm-Gefährten in einer 4-D Animation ›nur‹ witzig und höchst unterhaltend. In der **Terminator 2: 3-D Battle** tritt der ›Gobernator‹ von Kalifornien, Arnold Schwarzenegger, noch in seinem alten Beruf als Kampfmaschine in Aktion. **Twister... Ride it Out** simuliert einen Furcht erregenden Wirbelsturm mitsamt unheimlichem Geheule. Im **Men in Black – Alien Attack** -Abenteuer können Besucher die Menschheit mit ihrer Laserkanone vor fiesen Aliens retten. **San Francisco/ Amity** ist Schauplatz eines anderen Horrorszenarios, wenn die Fahrgäste in der U-Bahn von San Francisco von einem gewaltigen Erdbeben überrascht werden, die Straßendecke einstürzt und ein Tanklastzug explodiert. Nicht weit entfernt attackiert der **weiße Hai** die Passagiere eines Bootes in einer neu-englischen Hafenkulisse.

In den Kulissen von Hollywood entführt **E.T.** die Besucher auf Fahrrädern ins Weltall. Der Flug durch Raum und Zeit mit dem Raketenauto von Doc Brown aus dem Film **»Zurück in die Zukunft«** im Expo Center ist nichts für

Leute mit schwachen Nerven oder kleine Kinder und gilt nicht nur in Orlando als einmalige Attraktion.

Islands of Adventure

Mit den **Islands of Adventure** 14 hat Universal 1999 einen zweiten Themenpark mit nervenaufreibenden Achterbahnen eröffnet, der Cartoonfiguren wie Spider Man, den schrecklichen Hulk oder den starken Popeye popularisiert sowie die Welt der Dinosaurier im Jurassic Park zu scheinbarem Leben erweckt. Dazu gibt es Abenteuer und Fahrten mit den in den USA überaus populären Figuren aus den Kinderbüchern von Dr. Seuss (1000 Universal Studio Plaza, Tel. 407-363-8000, www.universalorlando.com, tgl. 9–19 Uhr, am Wochenende und feiertags länger).

Sea World

Der Meeres-Themenpark **Sea World** 15 gehört zum Brauerei-Konzern Anheuser-Busch, der mit Busch Gardens in Tampa und mit dem inzwischen geschlossenen Cypress Gardens im nahen Winter Haven schon viele Dollars in das Geschäft mit dem Spaß in Florida investiert hat. Sea World bemüht sich inzwischen, seinen Besuchern über die reine Unterhaltung mit den akrobatischen Künsten der Wassertiere hinaus Verständnis für deren von den Menschen gefährdeten Lebensbedingungen zu vermitteln.

Die Attraktion des Parks und der über ein Dutzend Programme ist die Show im **Shamu Stadion,** in der zwei ausgewachsene Orca-Schwertwale und deren Nachkömmlinge durch das Wasser und die Luft jagen und ihre Kunststücke vorführen. Im **Key West Delphinstadion** springen die Meeressäuger gleichfalls auf Kommando in die Luft und durch Reifen, schlagen Saltos und drehen Pirouetten. Das wird den massigen, vom Aussterben bedrohten Meereskühen nie gelingen. Den **Manatees** wurde ein ruhiger Lebensraum in sauberem Wasser ohne den Motorbootsverkehr eingerichtet, der in der freien Natur jährlich Dutzende Opfer unter den schwergewichtigen Vegetariern fordert.

Auch Pinguinen und Vögeln der Polarregionen im **Penguin Encounter** werden glücklicherweise keine Kunststücke abverlangt. Die sind nur erstaunt und nicken dankbar, dass täglich 9 t Schnee im subtropischen Florida auf sie herniederrieseln. Bei einem simulierten Hubschrauberflug in die **Wild Arctic** erhält man Einblicke in das Leben von Polarbären. Tunnel aus Acryl ermöglichen direkten Blickkontakt mit Haien, Muränen und Barrakudas, die mit einigen hundert anderen Fischen in einem künstlichen Korallenriff leben. **Journey to Atlantis** heißt die spektakuläre Attraktion des Meeresparks, eine atemberaubende Wasser-Achterbahn, die in das mysteriöse Labyrinth des sagenumwobenen Atlantis führt. Nichts für schwache Nerven ist der genau 3 Minuten und 39 Sekunden lange nervenzerfetzende Ritt auf dem **Kraken,** einer Achterbahn der Superlative mit einem 44 m tiefen freien Fall (7007 Sea World Dr., Tel. 407-351-3600, www.seaworld.com, tgl. 9–19 Uhr, an manchen Tagen länger).

DIE VERGNÜGUNGSINDUSTRIE IN FLORIDA

Es geht um 6 Mrd. Dollar. So viel geben die Besucher von Orlando im Jahr aus, um sich zu amüsieren, in einem der Hotels zu schlafen und zu essen. Bei dieser Summe hört beim Geschäft mit der Unterhaltung der Spaß schon mal auf. Die Zeiten von Dick und Julia Pope, die in den 30er Jahren Cypress Gardens in Winter Haven aufbauten, sind passé. Selbst Walt Disney, der 1966, fünf Jahre vor der Eröffnung des Magic Kingdom, in Florida starb, würde heute wie von gestern wirken. Zeitvertreib und Vergnügen sind zum Big Business geworden, nur große Kapitalgesellschaften bringen die Milliardenbeträge auf, die man investieren muss, um ganz oben mitzumischen. Und die *stockholder* lachen nur bei entsprechenden Renditen, nicht über die Witze von Onkel Donald.

Die Disney Corporation gibt seit Beginn das Tempo an. Das riesige Gelände südwestlich von Orlando, das 1963 unbemerkt von der Öffentlichkeit zusammengekauft wurde, bietet noch immer reichlich Platz für zukünftige Aktivitäten. Gleichzeitig konnte Disney erreichen, dass seiner Company als Ausgleich für die Entscheidung, einen Vergnügungspark in Florida aufzubauen, weit reichende Sonderrechte eingeräumt wurden.

Die Steuerregion des Reedy Creek Improvement District, in der allein dessen Einwohner, alles Angehörige der Disney Company, stimmberechtigt sind, entscheidet über Frisch- und Abwasser, Feuerwehr, Verkehrssystem und Bauanträge. Diese Regelung hat Walt Disney World nicht nur einige Zigmillionen Dollar an Gebühren für Baugenehmigungen erspart, als wichtiger noch hat sich erwiesen, dass durch das unkomplizierte, selbst gewählte Genehmigungsverfahren langfristige Bearbeitungszeiten, welche die Konkurrenten einkalkulieren müssen, vermieden werden. So konnten die Disney-MGM Studios ein Jahr vor den Universal Studios eröffnen, obwohl deren Planungen zwölf Monate vor Disney begonnen hatten. Kein Wunder, dass nicht alle in Orlando von Mickey Mouse schwärmen.

Dass nicht jeder Themenpark in Orlando zum Erfolg verdammt ist, musste die Anheuser-Busch-Gruppe erfahren, welche die größte Brauerei in den USA betreibt und für Sea World in Orlando, Cypress Gardens in Winter Haven und Busch Gardens in Tampa mehr als 11 Mio. Eintrittsbillets jährlich verkauft. Nachdem man es als thematischen Schwerpunkt zunächst mit der Zirkuswelt, dann mit dem in den USA populären Baseball-Spiel vergeblich versucht hatte, wurde der Park ›Baseball & Boardwalk‹ mangels ausreichender Einnahmen endgültig geschlossen. Gleiches passierte ›Splendid China‹, das mit Miniaturausgaben der chinesischen Mauer und anderer berühmter Bauwerke, Akrobaten und Folkloreshows nie genug Besucher anziehen konnte und Ende des Jahres 2003 schließen musste.

Um am großen Geschäft ausreichend teilzuhaben, müssen sich die Betreiber der Vergnügungsparks immer wieder etwas Neues einfallen lassen und das Alte neu verpacken. Dinner-Shows mit Rittern, Detektiven oder Meerjungfrauen, Was-

Merchandising Store in Walt Disney World

serparks, originelle Restaurants, Hotels und Einkaufstempel, Orchideengärten, Schlangen und Alligatoren werden als Attraktionen verkauft. In den Marktlücken und Nischen können auch kleine und mittlere Unternehmen gedeihen, zumindest so lange, bis sich einer der Megaparks ernsthaft ihrem ›Thema‹ zuwendet.

Der Konkurrenzkampf zwischen der Disney Corporation und dem Verbund der Unterhaltungskonzerne MCA und Rank Organisation, welche die Universal Studios betreiben und auch an der Odeon Kinokette und den Hard-Rock Cafés beteiligt sind, begann schon, bevor Universal in Orlando startete, und hält weiterhin mit unverminderter Schärfe an. Nachdem Disney in den Jahren 1997 bis 1999 einen ausgedehnten Sportkomplex und mit dem Animal Kingdom einen vierten Themenpark eröffnet sowie das Shopping- und Amüsierareal Downtown Disney stark ausgeweitet hatte, eröffnete Universal 1999 vorzeitig seinen zweiten Themenpark Islands of Adventure. Hier sind abenteuerliche Achterbahnen, innovative Restaurants, Konzertbühnen, Attraktionen um verschiedene populäre Cartoonfiguren wie Spiderman oder Hulk Hogan integriert. Disney eröffnete im Herbst 2003 den 150 Mio. US-Dollar Komplex »Mission: Space«, Universal konterte mit »Revenge of the Mummy«, einer virtuellen Schreckensreise nach Motiven des erfolgreichen Hollywood Films und einem 3-D Movie »Shrek«. Disney kündigt für 2006 »Everest« an, eine ultimative Achterbahnfahrt zum ›schrecklichen Schneemenschen‹. Letztlich entscheiden wieder die Besucher, wer im Wettbewerb um Gunst und Geld die Nase vorn behält – Ring frei zur nächsten Runde!

Discovery Coves, Gatorland Wonderworks und Titanic

Mit dem **Discovery Cove** 16 hat SeaWorld einen weiteren Themenpark eröffnet, der nach Voranmeldung nur 1000 Gästen pro Tag das Schwimmen und Tauchen in einer von Tieren bevölkerten tropischen Landschaft mit Lagunen, Flüssen und Wasserfällen erlaubt. Höhepunkt des Tagesaufenthalts ist ein gemeinsames Badeerlebnis mit einem Delphin (Exit 71 u. 72 von der I-4, Tel. 877-434-7268, www.discoverycove.com, tgl. 9–17.30 Uhr).

Gatorland 17 zeigt mehrere tausend Alligatoren, Krokodile und andere Reptilien. Beliebt sind auch ihre Shows, darunter Alligator Catchen oder deren Fütterung, bei denen die Reptilien erstaunliche Sprünge vollführen (14501 S. Orange Blossom Trail/US 441, Tel. 407-855-5496, www.gatorland.com, tgl. ab 9 Uhr, Schlusszeiten unterschiedlich).

Wonderworks 18 fällt jedem vorbeifahrenden Auto auf. Es scheint, als wäre ein Haus durch die Luft geflogen und kopfüber auf ein anderes gekracht. Im Inneren herrscht modernste Technik, mit Experimenten für Besucher, verblüffender virtueller Realität und Simulationen von Erdbeben, einem Hurrikan und elektrischer Hochspannung (9067 International Dr., tgl. 9–24 Uhr).

Titanic – Ship of Dreams 19 nennt sich die Ausstellung rund um den berühmten Luxusliner, seine Ausstattung, seinen Untergang und die Wiederentdeckung, die rund um die Welt gegangen ist (8455 International Dr., tgl. 11–22 Uhr).

Renaissance at Seaworld 33: 6677 Sea Harbour Dr., Tel. 407-351-5555, Fax 407-351-1991, www.renaissancehotels.com. Vis-à-vis vom Meeresthemenpark, 780 Zi. ab 150 $.

AmeriSuites at Universal 34: 5895 Caravan Court, Tel. 407-351-0627, Fax 407-331-3317, www.amerisuites.com. Direkt beim Themenpark, 150 geräumige Minisuiten ab 90 $.

Emeril's 43: 6000 Universal Blvd., Tel. 407-224-2424, tgl. 11.30–14.30 u. 17.30–22/23 Uhr. Ableger des sündhaft guten creolischen Restaurants aus New Orleans, Hauptgerichte ab 18 $.

Citywalk: zwischen den Universal Studios und den Islands of Adventure. Vergnügungsdistrikt mit Clubs, Restaurants und einem Cineplex-Kinopalast, darunter dem Hard Rock Café in der Form einer überdimensionalen Gitarre, einem Reggae Joint, Jimmy Buffet's Margaritaville und einem Latin Quarter mit Salsa und Samba Musik.

Winter Park

Florida-Atlas: S. 237, D1

Die wohlhabende Gemeinde von Winter Park nördlich von Orlando bietet sich nicht nur als entspannte Übernachtungsalternative zu den Hotels am International Drive und der US-192 an. Entlang der Park Avenue mit eleganten Geschäften und Galerien lässt sich nett bummeln. Eine Bootsfahrt durch Kanäle und über die drei Seen des Städtchens führt vorbei an herrschaftlichen Villen und dem Campus des Rollins College, dessen in mediterranem Stil errichtete Gebäude vom Wasser gut zu sehen sind. Das **Fine Arts Museum** 20 auf dem Hochschulgelände zeigt wechselnde Ausstellungen zeitgenössischer amerikanischer und europäischer Kunst (1000 Holt Ave., Di–Fr 10–17, Sa–So 13–17 Uhr).

Das **Morse Museum of American Art** 21 beherbergt unter anderem die weltweit umfangreichste Sammlung von Glas- und Schmuckarbeiten aus der Werkstatt von Louis Comfort Tiffany (445 Park Ave./Canton St., Di–Sa 9.30–16, So 13–16 Uhr).

Winter Park Chamber of Commerce: 150 N. New York Ave., Winter Park, FL 32790, Tel 407-644-8281, Fax 407-644-7826, www.winterpark.org.

Lake Wales

Florida-Atlas: S. 236, C2

Ein singender Turm und ein verwunschener Hügel, Lake Wales hat seltsame Attraktionen zu bieten. Wer seinen Wagen am North Wales Drive/ Ecke North Avenue stoppt und dann die Bremse löst, scheint eine leichte Steigung im Leerlauf bergauf zu rollen. Die einen halten Spook Hill, den ›Spukhügel‹, für eine optische Täuschung, andere verweisen als Ursache auf die starke Ausstrahlung des irgendwo in der Nähe begrabenen legendären Seminolen-Häuptlings Cufcowellax. Mit dem Pulitzer-Preis ausgezeichnet wurde der Journalist und langjährige Verleger der Frauenzeitschrift »Ladies' Home Journal«, der nach seiner Pensionierung in »The Americanization of Edward Bok« sein Leben nach der Einwanderung aus den Niederlanden beschrieb. Die **Bok Tower Gardens,** eine wunderschöne Parkanlage des großen Landschaftsarchitekten Frederick L. Olmsted, der auch den Central Park in New York gestaltete, bedeckt einen für Florida mächtigen, 90 m hohen Hügel. Die 57 bronzenen Glocken des rosafarbenen, aus Marmor und Muschelkalk erbauten 62 m hohen Turms lassen täglich um 15 Uhr ein 45-minütiges Potpourri aus populären Kompositionen erklingen. Das ganze Jahr über blühen unterschiedliche Blumen wie Gardenien, Azaleen, Magnolien und Kamelien (CR 17 A, 3 Meilen nördl. der US 27 A, tgl. 8–17 Uhr).

Westlich von Lake Wales erstreckt sich bis nach Bartow und darüber hinaus eine Landschaft von Abraumhalden. Hier wird mit riesigen Baggern Phosphat abgebaut, das in der Produktion von Kunstdünger Verwendung findet. Archäologen und Biologen förderten aus den freigelegten Ablagerungen Fundstücke früher indianischer Kulturen sowie Fossilien und Knochen längst ausgestorbener Tiere zutage.

Lake Wales Area Chamber of Commerce: 340 W. Central Ave., FL 33853, Tel. 941-676-3445.

Chalet Suzanne: Chalet Suzanne Dr., abseits der US 27, Tel. 941-676-6011, Fax 941-676-1814, www.chaletsuzanne.com. Hotelanlage im Schweizer Chalet-Stil mit Erkern und Türmen, ausgezeichnetes Restaurant (tgl. 8–11, 12–17, 17.30–20/21 Uhr, 4–6-Gang-Menü 59–79 $), 30 Zi. inklusive Frühstück ab 170 $.

OCALA NATIONAL FOREST

Das Waldgebiet des Ocala National Forest erstreckt sich über 1330 km² zwischen DeLand, Gainesville und Ocala. Hunderte von Seen, Teichen und Flussläufen, die von artesischen Quellen aus dem unterirdischen Wasserreservoir des Florida Aquifer gespeist werden, versorgen den subtropischen Wald mit ausreichender Feuchtigkeit. Um Ocala haben mehrere hundert Gestüte mit Vollblütern und Araberpferden ideale Bedingungen für die Zucht gefunden.

Ocala

Florida-Atlas: S. 235, D4

Vollblüter und Araber galoppieren über sattgrüne Weideflächen, die von Gattern eingefasst sind. An den Ufern der Seen und Teiche wachsen dekorative Baumgruppen. Geschwungene Privatwege führen zu großen Gestüten. Marion County und dessen Verwaltungssitz Ocala entwickelten sich innerhalb weniger Jahrzehnte zum Zentrum der floridianischen Pferdezucht. Mehrere hundert Gestüte des Bundesstaates liegen im Gebiet um Ocala. Florida gehört mittlerweile neben Kentucky und Virginia zu den bedeutendsten Zentren der Pferdezucht in den USA.

Frisches, mineralreiches Wasser im Überfluss, fruchtbares Weideland und ein warmes Klima mit nur wenigen kalten Tagen im Jahr sind ideale Voraussetzungen für einen Wirtschaftszweig, in dem über 40 000 Menschen beschäftigt sind. Ocala war einst der verschlafene Verwaltungssitz eines Bezirks mit weitläufigen Zitrusplantagen am Rande des Ocala National Forest. Um die Wende vom 19. zum 20. Jh. wurde die Ernte auf Schaufelraddampfern über den Silver- und den romantischen Oklawaha River zum St. Johns River und von dort bis nach Jacksonville transportiert.

Im Laufe der letzten Jahre entwickelte sich Ocala zum modischen Städtchen, in dem sich auch reiche Pferdebesitzer und -käufer aus dem Norden wohlfühlen. Das historische Viertel **Brick City** mit roten Backsteingebäuden um den restaurierten **Ocala Square** mit Restaurants und Boutiquen und mit einem zweistöckigen Kunsttempel aus Marmor, dem **Appleton Museum of Art,** machen Ocala auch für Reisende attraktiv, die nicht unbedingt Pferdenarren sind (4333 E. Silver Springs Blvd., Di–Sa 10–16.30, Do 13–17 Uhr).

Ocala/Marion County Chamber of Commerce: 110 East Silver Springs

Boulevard, Ocala, FL US 34470, Tel. 352-629-8051, Fax 352-629-7651, www.ocalacc.com. Auch Informationen über Besichtigungsmöglichkeiten von Gestüten.

Seven Sisters Inn: 820 S. E. Fort King St., Tel. 352-867-1170, Fax 352-867-5266, www.7sistersinn.com. Bed and Breakfast in restauriertem Herrenhaus, 14 Zi. und Suiten ab 119 $.

Arthur's: im Ocala Hilton, 3600 S. W. 36th Ave., Tel. 352-854-1400, 6.30–11, 11–14, 18.30–22 Uhr. Regionale amerikanische Küche, gute Weinkarte, Hauptgerichte ab 14 $.

Silver Springs und Ocala National Forest

Florida-Atlas: S. 235, D–E4
Schon seit über 100 Jahren ist **Silver Springs** ein beliebtes Ziel für Touristen aus dem Norden. Hier wurden die Glasbodenboote erfunden, auf deren heutigen Modellen fast 2 Mio. Besucher jährlich das kristallklare Wasser befahren. Sie bestaunen den Pflanzen- und Fischreichtum des Quellgebiets ebenso wie zahlreiche zurückgelassene Requisiten aus »Tarzan«- und »James Bond«-Filmen. Mit einer Dschungelkreuzfahrt, einer Jeep-Safari, einem Zoo mit Tieren zum Anfassen und allerlei weiteren ›Attraktionen‹ ist die Vermarktung der Riesenquelle inzwischen ausgereizt (Silver Springs Blvd., 2 Meilen östl. von Ocala an der SR 40, Tel. 352-236-2121, tgl. 9–17.30 Uhr).

Im riesigen Waldgebiet des **Ocala National Forest** wechselt undurchdringliches Dickicht mit Eichen, Stechpalmen und Zypressen. Sand Pine-Kiefern wachsen auf sandigem Boden im höher gelegenen, nordwestlichen Teil. Das Terrain bietet vielen Tierarten einen Lebensraum: Alligatoren, Schildkröten, Schlangen, Rotwild, Otter, Luchs, Reiher und auch seltenen Spezies wie dem Schwarzbären, dem Weißkopfadler oder einzelnen Florida-Panthern. Mehrere hundert Rhesusaffen, Nachkommen einst ausgebrochener Zootiere und die einzige freilebende Affenpopulation von Nordamerika, bevölkern die Wälder östlich von Silver Springs und wurden inzwischen zu einem Ärgernis für die Anwohner.

Sieben Meilen östlich von Ocala sprudelt seit vielen tausend Jahren täglich die gewaltige Menge von 2,8 Mrd. l Süßwasser mit einer konstanten Temperatur von 22 °C aus artesischen Quellen an die Oberfläche. Einige der riesigen Quellen im Ocala National Fo-

Wilde Feueröfen

Dragster, unproportionale Rennwagen mit fliegengewichtigem Bug und gewaltigen Antriebsrädern, beschleunigen auf nur 400 m langen Rennstrecken auf mehr als 400 km/Std. ›Big Daddy‹ Don Garlit, einst *Dragster*-Starpilot, hat im **Garlit's Auto Museum** 60 beeindruckende Exemplare aus verschiedenen Epochen sowie einige Dutzend Oldtimer ausgestellt. 13700 S. W. 16th Ave., 7 Meilen südöstl. von Ocala bei Belleview, tgl. 9–17.30 Uhr.

VON TRABERN UND DERBYGEWINNERN – PFERDEZUCHT IN FLORIDA

Restaurantnamen wie »Charlie Horse« oder »Horse and Hounds« legen die Vermutung nahe, dass in dieser Region Pferde eine wichtige Rolle spielen. In der Tat gehört das 45 000 Einwohner zählende Städtchen Ocala in Marion County 75 Meilen nordwestlich von Orlando zu den großen Zuchtgebieten der USA. Nur in Kentucky und Virginia werden mehr Pferde aufgezogen als in Florida.

Das ganzjährig milde Klima mit 21 °C im Jahresdurchschnitt, reines, kalziumreiches Wasser und fruchtbares Weideland schaffen ideale Bedingungen für die Pferdezucht. Inzwischen kommen sogar immer mehr Züchter aus Kentucky und Virginia mit ihren Tieren in das Winterquartier von Marion County. Weiße Gatter rahmen malerisch die grünen Koppeln ein; zu den Stallungen, zur Übungsbahn und zu den Farmgebäuden gelangt man durch herrschaftliche Tore auf schmalen, gewundenen Privatstraßen. Stuten und Fohlen liegen im Schatten ausladender Eichen, junge Vollbluthengste galoppieren auf ausgedehnten Weiden. Die parkähnliche Landschaft, durch Seen, Teiche, Flüsse, Baumgruppen und Wäldchen aufgelockert, vermittelt das Gefühl von gediegenem Wohlstand.

Die Pferdezucht in Florida ist noch jung. Aus den etwa ein Dutzend Gestüten, die es Mitte der 1950er Jahre gab, wurden inzwischen über 600 Pferde-Farmen, davon dreiviertel in Marion County. Etwa 30 000 Arbeitsplätze im Bezirk sind direkt von der Pferdezucht abhängig; allein die Vollblutzucht bringt jährlich über 1 Mrd. Dollar ein. Der Vollblüter Needles, im Frühjahr 1953 geboren, gewann 1955 und 1956 das nationale Championat. Dreijährig ging er als erstes floridianisches Pferd als Sieger über die Ziellinie von Churchill Downs und gewann damit die wichtigste Galopper-Prämie der USA, das Kentucky-Derby in Louisville. Die Siege floridianischer Pferde bei den bedeutendsten Rennen der USA haben entscheidend dazu beigetragen, den südlichsten Bundesstaat als bevorzugtes Zuchtgebiet zu etablieren.

Vollblüter wie Carry Back, der Needles als Derby-Gewinner nachfolgte, Pferde wie Preakness, Precisionist, Gate Dancer, Affirmed oder Unbridled, die alle große Rennen gewannen und zwischen 2 und 3,5 Mio. Dollar auf die Konten ihrer Besitzer galoppierten, setzten die Tradition der Gestüte aus Marion County fort. Silver Charm gewann 1997 das Kentucky Derby und die Preakness Stakes, ihm folgten Real Quiet und andere Pferde aus Marion County. Im Frühling zieht die fünfwöchige »Horse Show in the Sun« Besucher und Teilnehmer aus Nordamerika und sogar aus Europa nach Ocala.

Neben der Vollblutzucht entwickelte sich seit Mitte der 1960er Jahre die Zucht von Arabern und anderen Pferdearten wie Paso Fino oder Morgan. Die heute 200 Gestüte beherbergen mehrere tausend Pferde. Eine eigene Züchtervereinigung organisiert international beachtete Verkaufs- und Leistungsausstellungen jeden März in Ocala und die große Arabian Horse Show in Tampa zum Erntedankfest im November, die Tausende von Besucher anziehen. Auf den Rennbahnen von Tampa Bay Downs oder von Pompano Park im 95 Meilen südlich gelegenen Tampa werden inzwischen regelmäßig Galopprennen von Araberpferden ausgetragen, die in Florida aufgezogen wurden.

Die Pferdezucht hat das einst ländliche Marion County verändert. Mit den Pferden kamen reiche Besitzer und Käufer und mit ihnen elegante Sportwagen, Privatlandebahnen für Flugzeuge, modische Boutiquen, teure Hotels, schicke Restaurants und bislang 14 Golfplätze. Seit 1987 nennt die Stadt sogar einen Kunsttempel aus italienischem Marmor, das Appleton Museum of Art, ihr eigen. In der Nähe können Liebhaber hochgezüchteter Rennwagen Don Garlit's Auto Museum (13700 S.W. 16th Ave.) besuchen. Von den Brick City Days im März über das Amateur- und Profiradrennen Ocala Downtown Criterium bis zur Sunshine Christmas Parade und mehreren Rodeos erscheint das Jahr als Kette von Festtagen. Die inzwischen drastisch gestiegenen Grundstückpreise werden für manche Zucht- und Trainingsbetriebe bereits zu einem finanziellen Problem.

Einige Gestüte können nach Voranmeldung besichtigt werden. Die Handelskammer von Ocala hält Informationen bereit. Passionierten Reitern stehen in Marion County 160 km markierte Reitwege durch Wälder, über Prärien, entlang von Flüssen und Seen zur Auswahl. Auch wenn die bedeutendsten Rennen in Kentucky, New Jersey und New York ausgerichtet werden, finden auf immerhin sieben Galopperbahnen in Tampa, Fort Lauderdale, Miami und Orlando regelmäßig Rennen von Vollblütern und Arabern statt und dokumentieren somit Floridas Bedeutung für die Pferdezucht.

rest werden von den Bewohnern der umliegenden Ortschaften als Naherholungsgebiete genutzt. Das Quellbecken von **Juniper Springs** mit einem Ausstoß von täglich 75 Mio. l Wasser wurde zu einem beliebten Badeplatz ausgebaut (nördl. der SR 40). Im Quellgebiet von **Alexander Springs,** das von 300 Mio. l Wasser täglich gespeist wird, kann man schwimmen und Kanu fahren (an der CR 445). Nahe der Quelle von **Salt Springs,** die pro Tag knapp 200 Mio. l Salzwasser liefert, und dem Lake Kerr werden die als Delikatesse geschätzten *Blue Crabs* gezüchtet (an der SR 19).

Ocala National Forest Visitor Center: 3199 N. E. Hwy. 315, Silver Springs, Tel. 352-236-0288.

Sanford

Florida-Atlas: S. 237, D1
Sanford liegt am Südufer des Lake Monroe und am Oberlauf des St. Johns River, der von seiner Mündung bei

Im Ocala National Forest

Jacksonville bis hierhin schiffbar ist. Vor 100 Jahren durchpflügten Schaufelraddampfer die Fluten des breiten Stromes, um Passagiere und Fracht bis nach Zentralflorida zu befördern. Heute kann man See und Fluss per Schiffsausflug von Sanford erkunden. Am Amtrak-Bahnhof von Sanford endet der Autoreisezug aus dem fernen Virginia, der vor allem im Winterhalbjahr für steten Nachschub an Touristen aus dem Nordosten der USA sorgt.

Um den Lake Monroe herum und an Deltona vorbei führt der Weg zum **Blue Spring State Park,** dessen blaue Quellen in einer subtropischen Waldlandschaft nicht weit vom St. Johns River und dem kleinen Ort Orange City sprudeln. Von November bis März suchen viele der bis zu 1 t schweren Manatees in den klaren, konstant 22 °C warmen Gewässern des Quellgebiets Schutz vor dem abgekühlten St. Johns River. Von einer Plattform hat man einen guten Blick auf die friedlichen Säugetiere. Hügel aus Muschelschalen und Schneckengehäusen geben Auskunft über den Speiseplan der Timucuan-Indianer, die Jahrhunderte vor der weißen Besiedlung hier lebten (2100 W. French Avenue, 2 Meilen östl. der Kreuzung US 17/US 92, tgl. 8 Uhr bis Sonnenuntergang).

Wer über seine Zukunft Genaues wissen will oder mit Verstorbenen Kontakt sucht, sollte den kleinen Umweg nach **Cassadaga** nicht scheuen. Dort haben sich einige erprobte Medien niedergelassen, die ihre Dienste bei spiritistischen Sitzungen gegen Entgelt anbieten oder aus den Linien der Hand den weiteren Lebensweg deuten.

DeLand Area Chamber of Commerce: 336 N. Woodland Boulevard, DeLand, FL 32720, Tel. 386-734-4331, Fax 386-734-4333, www.delandchamber.org.

Hontoon Landing Marina: 2317 River Ridge Road, DeLand, FL 32720, Tel. 386-734-2474, Fax 386-738-9743. Vermietet Hausboote zur Fahrt auf dem über 80 km langen St. Johns River, ab 1200 $ pro Woche.

NÖRDLICH UND SÜDLICH DES WELTRAUMBAHNHOFS

Die Strände sind breit und teilweise zum Autofahren freigegeben. In der lang gezogenen Dünung des Atlantik kommen Wellenreiter auf ihre Kosten. Zwischen den beliebten Strandorten Cocoa Beach im Süden und Daytona Beach im Norden erstreckt sich ein riesiges Naturschutzgebiet. Es umrahmt das Raketenabschussgelände von Cape Canaveral, auf dem auch die Weltraummissionen der USA und die Space Shuttle Flüge gestartet werden.

Cape Canaveral

Florida-Atlas: S. 237, E1
Seit 1940 nutzt die US-Luftwaffe das weitläufige Gelände auf der Landspitze von Cape Canaveral zur Erprobung neuer Waffentechniken. Im Jahre 1950 stiegen von dort V-2 Raketen in den Himmel, die nach deutschen Konstruktionszeichnungen entwickelt worden waren. Doch erst nachdem die Sowjetunion am 4. Okt. 1957 mit dem »Sputnik« einen Satelliten in die Erdumlaufbahn geschickt hatte, gaben die durch den vermeintlichen technologischen Vorsprung der Russen geschockten USA den Startschuss für ein groß angelegtes eigenes Weltraumprogramm.

Am 31. Jan. 1958 schossen die USA vom Gelände der Cape Canaveral Air Force Station den Satelliten »Explorer« in den Himmel. Wenige Monate später wurde die Weltraumbehörde NASA gegründet. Doch der Start des Russen Juri Gagarin zum ersten bemannten Weltraumflug am 12. April 1961, 23 Tage bevor mit Alan Shephard der erste Amerikaner von Florida aus in einer Mercury-Kapsel die Erdatmosphäre verließ, machte die USA erneut zum zweiten Sieger. Präsident John F. Kennedy verkündete daraufhin den Plan, innerhalb des nächsten Jahrzehnts die sowjetische Weltraumtechnik zu überholen und einen Amerikaner auf den Mond zu schicken. Mit einem Etat von 80 Mrd. Dollar und mit bis zu 26 000 Beschäftigten in Zentralflorida wurde das Apollo-Programm entwickelt. Am 20. Juli 1969 betrat mit Neil Armstrong tatsächlich ein Amerikaner als erster Mensch den Mond.

Mit der Entwicklung des Space Shuttle Ende der 1970er Jahre schien die NASA eine Antwort auf die knapper werdenden öffentlichen Mittel gefunden zu haben. Mit angestrebten 30 bis 40 Starts jährlich sollte das Raumfahrtprogramm wirtschaftlich nutzbringend entwickelt und das Abschussgelände zu einem Raketenbahnhof ausgebaut werden.

Ulf Merbold startete 1983 als zweiter Deutscher – der erste war Siegfried Jähn aus der damaligen DDR an Bord einer sowjetischen Rakete – von Cape Canaveral in einem Space Shuttle in eine Umlaufbahn um die Erde. Zwei Space-Shuttle-Unglücke mit 14 getöteten Astronauten – 1986 explodierte die Challenger beim Start und 2003 verglühte die Columbia beim Eintritt in die Atmosphäre – haben das Weltraumprogramm der USA und die Konstruktion einer internationalen Raumstation beschädigt und verzögert.

Große Teile des Weltraumgeländes können besichtigt werden. Das Informationszentrum des **John F. Kennedy Space Center** auf Merritt Island wurde zu einer Besucherattraktion ausgebaut, die mehr als 3 Mio. Schaulustige jährlich besichtigen. In zwei riesigen IMAX-Filmtheatern mit fünf Stockwerke hohen Leinwänden werden atemberaubende Filme über die Space Shuttle-Missionen und die Erde gezeigt. Ausstellungen zur Geschichte der Weltraumfahrt erinnern an die Zeit, in der Astronauten in kleinen Kapseln um die Erde kreisten, andere zeigen technische Auswirkungen der Raumforschung auf das tägliche Leben. In einem ›Raketengarten‹ im Freien sind Trägerraketen verschiedener Generationen zusammengestellt. Ein Astronauts' Memorial erinnert an die Astronauten, die mit der Entwicklung des Raketenprogramms ums Leben kamen. Bustouren führen zu den Abschussrampen militärischer und ziviler Raketen, zum Air Force Space Museum und zu Einrichtungen des Space Shuttle-Programms. Im rekonstruierten Kontrollzentrum der Apollo-Flüge wird der Start einer Saturn V-Rakete simuliert. Von der riesigen, 111 m langen Mondrakete, die nicht weit entfernt auf einer Lafette liegend ausgestellt ist, kommt man sich winzig und unbedeutend vor (NASA-Pkwy./SR 405, Tel. 321-449-4444, www.kennedyspacecenter.com, tgl. 9–17.30 Uhr. Bustouren tgl. 9.45–14.15 Uhr zu den Mercury- und Gemini-Startrampen, den Einrichtungen des Apollo-Programms sowie zum Launch Complex 39 des Space Shuttle).

Das Gelände der NASA und der Luftwaffe auf Cape Canaveral sowie Merritt Island wird nur zu etwa 10 % für Raketentechnik, Straßen und Gebäude genutzt. Nach Norden schließen sich

Raketen, die zum Himmel fliegen

Auch wenn die Space Shuttle Flüge bis Mitte 2005 ausgesetzt sind, werden regelmäßig Satelliten von der Cape Canaveral Air Station in eine Erdumlaufbahn gebracht. Der öffentliche Jetty Park in Port Canaveral liegt ideal, um die Raketen in den Himmel donnern zu sehen (Infos über Raketenstarts beim Space Coast Visitor Center).

ENTLANG DER HURRIKAN-ALLEE – WILDE STÜRME UM FLORIDA

Huracan, böser Geist, nannten die Indianer die mächtigen Wirbelstürme, die in unregelmäßigen Abständen vom offenen Meer über die Küstenregionen hereinbrachen und eine Spur der Verwüstung hinter sich ließen. Sie konnten sich die ungeheure, zerstörende Kraft, der nichts entgegenzustellen war, nur als überirdische Macht vorstellen.

Die Menschen, die heute mit einem Hurrikan konfrontiert sind, haben mehr Erkenntnisse über Luftdruck und Erdrotation. Zwar können sie die Windgeschwindigkeit und den Radius des Wirbelsturmes messen, jedoch ist es nicht möglich, seine Bahn oder seine Stärke zu beeinflussen, geschweige denn sie detailliert vorherzusagen. Wenn der Hurrikan näher kommt, bleibt ihnen wie den Indianern vor 10 000 Jahren nur die Flucht.

Eine Hoffnung auf übersinnliche, helfende Kräfte mag auch die Spanier bewogen haben, die Wirbelstürme in der Karibik nach dem Datum ihres Eintreffens mit dem Namen des jeweiligen Tagesheiligen des katholischen Kalenders zu belegen. Metereologen der US-Luftwaffe und -Marine begannen während des Zweiten Weltkriegs, die Vornamen ihrer Freundinnen an die tropischen Stürme zu verteilen. Im Jahre 1978 setzten Feministinnen in den USA durch, dass für die Bezeichnung der stürmischen ›bösen Geister‹ abwechselnd Männer- und Frauennamen gewählt wurden.

Damit aus einem atlantischen Tiefdruckgebiet ein Hurrikan Andrew oder Betsy wird, müssen einige Bedingungen zusammenkommen. Enorme Mengen des von der heißen Sommersonne erwärmten Wassers des Atlantik verdunsten und steigen auf. In großer Höhe kondensiert die feuchtwarme Luft, kumuliert bis zu 10 km hohen Wolkentürmen, die von der Erdrotation in eine langsame Drehung entgegen dem Uhrzeigersinn versetzt werden. Für steten Nachschub an Energie sorgt der 25–30 °C warme Ozean. Der Wolkenwirbel um seine Drehachse, das windstille Auge des Hurrikans, wird größer, rotiert schneller und beginnt sich auf einer gebogenen Bahn nach Westen zu bewegen. Gerät der Wirbelwind dabei zu weit nach Norden, erstirbt er an kühleren Meeres- und Luftströmungen, bleibt er auf seinem Weg in den West-Atlantik jedoch in der warmen Zone zwischen Äquator und dem nördlichen Wendekreis, besteht die Gefahr, dass sich seine Energie weiter auflädt und die karibischen Inseln, Mittelamerika oder die Südstaaten der USA von der zerstörerischen Wucht eines Hurrikans getroffen werden.

Die schwersten Stürme toben dann mit Geschwindigkeiten von mehr als 300 km/Std. um ein Orkanzentrum mit einem Radius von 100 km. Das Wolkenfeld des Sturmgebiets kann sich über ein Areal mit einem Durchmesser von 500 bis 600 km erstrecken. Für Florida ist nicht nur die Heftigkeit der Sturmböen gefährlich, eine noch größere Bedrohung geht von oft meterhohen Wellen und den sintflutartigen Wolkenbrüchen aus, die auch große Schiffe in Seenot bringen, das tief gelegene Land überschwemmen, Häuser fortreißen, Straßen unterspülen, Brücken zerstören und Wohnwagensiedlungen unter Wasser setzen.

Die schwersten Naturkatastrophen in der Geschichte von Florida und den USA wurden von Hurrikans verursacht. Im Jahre 1928 ertranken mehr als 2000 Floridianer, als ein Hurrikan den Lake Okeechobee zum Überlaufen brachte, der ›Labor Day‹-Hurrikan, der am 3. Sept. 1935 mit voller Wucht die Keys traf, kostete nicht nur mehr als 400 Menschen das Leben, er zerstörte zudem die Eisenbahntrasse der Overseas Railroad von Miami nach Key West so gründlich, dass diese nie wieder aufgebaut wurde. Der Wirbelsturm Donna fegte im September 1960 mit Windgeschwindigkeiten von 280 km/Std. die Ernte der Zitrusplantagen von den Bäumen, Betsy stürmte 1965 von den Keys und Miami an die Nordwestküste des Bundesstaates und kam erst in Louisiana zur Ruhe. Elena kreiste 1985 um Florida in den Golf von Mexiko, verwüstete die Westküste zwischen St. Petersburg und Pensacola und verursachte Schäden von mehr als 1 Mrd. Dollar. Im Aug. 1992 traf Andrew auf dem Weg von den Bahamas bei Homestead südlich von Miami auf Florida und zog eine Spur der Zerstörung – mit 65 Todesopfern und Sachschäden von 30 Mrd. Dollar. Im August und September 2004 erreichten vier Hurrikans die floridianischen Küsten, zwei Dutzend Todesopfer und Sachschäden für über 20 Mrd. Dollar waren zu beklagen.

Mit einem Frühwarnsystem versucht man, Weg und Intensität eines Hurrikans möglichst genau zu bestimmen, die Menschen in den gefährdeten Gebieten rechtzeitig zu evakuieren und die Schäden so gering wie möglich zu halten. Die Prognosen werden den Behörden in den betroffenen Gebieten in den USA und den karibischen Staaten kostenlos zur Verfügung gestellt.

Das U.S. National Hurricane Center der Vereinigten Staaten ist in einem festungsartigen Bau im Stadtteil Coral Gables in Miami untergebracht, der selbst schweren Zyklonen standhalten kann. Informationen über Luftdruckanomalien im Atlantik werden von Satelliten aufgezeichnet, Beobachtungsstationen in der Karibik sammeln Wetterdaten und senden sie zur Zentrale, Hurricane Hunting Aircrafts, Flugzeuge mit modernem Dopplerradar, ›sehen‹ die Entwicklung sowie die Route der Stürme und fliegen in das windstille ›Auge des Hurrikans‹ um größeren Aufschluss über den Charakter des Wirbelsturms zu erhalten.

Während der Hurrikan-Saison zwischen Mai und November werden neben vielen ›normalen‹ Unwettern und einigen Tornados im Durchschnitt sieben hurrikanartige Wirbelstürme gezählt. Die großen Stürme, die auch international Schlagzeilen machen, suchen den Bundesstaat nur im Abstand von mehreren Jahren heim. Die größte Wahrscheinlichkeit, starke Wirbelstürme und auch einen Hurrikan zu erleben, besteht von Mitte August bis Ende September zwischen Key Largo und Cape Canaveral, einem Küstenabschnitt, der auch ›Hurrikan-Allee‹ genannt wird.

zwei große Naturschutzgelände an. Die Tiere werden von den gelegentlichen Raketenstarts weniger beeinträchtigt als vom Strandbetrieb in den Badeorten. Nur wenige Besucher verirren sich in die weite Landschaft aus Salzwassermarschen und Sümpfen, Pinien- und Eichenwäldchen. In den Wintermonaten von Oktober bis März halten sich Tausende Zugvögel im Wildschutzgebiet des **Merritt Island National Wildlife Refuge** auf.

Die oft nur wenige hundert Meter breite Landzunge der **Canaveral Na-**

tional Seashore ist von Süden oder vom nördlichen New Smyrna Beach zugänglich, eine Durchgangsstraße entlang der Küste existiert nicht. In dem Gewirr von Inselchen, Bächen und Marschen fühlen sich Krabben, Fische, Stelz- und Watvögel sowie Insekten wohl. An der Atlantikküste der Insel locken unberührte Dünen und herrliche Strände aus Quarzsand – Klondike-, Apollo und vor allem Playalinda Beach. Da die Strände nicht unter die lokale Gesetzgebung fallen, haben Anhänger textilfreien Sonnenbadens hier einen Freiraum, zunehmend bedrängt von puritanischen Eiferern, die das ›Sodom und Gomorrha‹ verbannen möchten (das Gebiet der National Seashore ist Ende April bis Ende Okt. tgl. 6–20 geöffnet, ansonsten 6–18 Uhr).

Information Center: 7611 S. Atlantic Blvd., New Smyrna Beach, Tel. 321-867-4077, www.nps.gov/cana, tgl. 9–16.30 Uhr.

Cocoa Beach

Florida-Atlas: S. 237, E2
Breite Strände und gute Wellen haben Cocoa Beach auf der lang gezogenen, dem Festland vorgelagerten Insel zu einem Mekka von Wassersportlern werden lassen. Vor allem Surfer fühlen sich an den Stränden wohl, die im Norden durch das Raketengelände von Cape Canaveral und im Süden durch die Patrick Air Force Base begrenzt werden. Bei Space Shuttle-Starts auf dem NASA-Areal sind die Hotels – bei einigen kann man den *Count Down* vom Balkon des Zimmers verfolgen – von Schaulustigen bis auf den letzten Platz ausgebucht.

Der etwa 250 m in den Atlantik ragende **Cocoa Beach Pier** gehört zu

Apollo Saturn-Ausstellung im J. F. Kennedy Space Center

den Lieblingsplätzen bei Anglern und Pelikanen. Von dort kann man auch Kreuzfahrtschiffe beobachten, die von Port Canaveral in die Karibik aufbrechen. Das Zentrum des alten Cocoa auf der Festlandseite wurde zu einem viktorianischen **Olde Cocoa Village** mit Kopfsteinpflaster, Gaslaternen sowie etwa 50 Geschäften und Restaurants hergerichtet und präsentiert sich heute wahrscheinlich idyllischer als um das Jahr 1900.

Östlich von Cocoa gehört das **Astronaut Memorial Planetarium and Observatory** zu den größten öffentlich zugänglichen Sternwarten der USA. Besucher können durch das Riesenteleskop Planeten unseres Sonnensystems und weiter entfernte Himmelskörper beobachten (SR 501, nördl. der SR 520, Mi 13.30–16.30, Fr–Sa 18.30–22.30 Uhr).

Zwei warten auf ihr Anglerglück am Ponce Inlet

Florida Space Coast Office of Tourism: 8810 Astronaut Blvd., #102, Cape Canaveral, Tel. 321-868-1126, www.space-coast.com.

The Inn at Cocoa Beach: 4300 Ocean Beach Blvd., Tel. 321-799-3460, Fax 321-784-8632, www.theinnatcocoabeach.com. Herrlicher Blick von der Terrasse oder den Balkonen auf das Meer; von der zweiten und dritten Etage kann man Raketenstarts auf Cape Canaveral vom Balkon verfolgen, inkl. Frühstück, 50 Zi. ab 135 $.

Luna Sea Bed & Breakfast: 3185 N. Atlantic Ave. (A1A), Tel. 321-783-0500, Fax 321-784-6515, www.lunaseacocoabeach.com. Gemütliche Herberge in Strandnähe, auch Zimmer mit Küchenzeile, 44 Wohneinheiten ab 50 $.

Camping:

Oceanus Mobile Village & RV Park: 152 Crescent Beach Dr./23rd St., Tel. 321-783-3871, Fax 321-783-0463, ganzjährig geöffnet, 70 m vom Strand, Pool.

Mango Tree: 118 N. Atlantic Ave., Tel. 321-799-0513, Di–So 18–22 Uhr. Exzellente Küche in tropisch-karibischer Atmosphäre, 13 $.

Alma's Seafood & Italian Restaurant: 306 N. Orlando Ave., Tel. 407-783-1981, tgl. 17–22 Uhr. Italienische und floridianische Küche, gute Weinkarte, Hauptgerichte ab 7 $.

Lone Cabbage Fish Camp: 8199 SR 520, 6 Meilen westl. von Olde Cocoa Village am Nordende des Lake Poinsett, Tel. 321-632-4199, So–Do 10–21, Fr–Sa bis 22 Uhr. Rustikales Fischrestaurant und Ausgangspunkt für Ausflugsfahrten; Hauptgerichte ab 7 $.

Ron Jon Surf Shop: 4151 N. Atlantic Ave., tgl. 24 Std. geöffnet. Seit 1963 der ultimative Ausrüstungsplatz in Cocoa Beach für Surfer, Strand- und Wasserfreunde, die auch von weit her angereist kommen.

Dino's Supper Club: 315 Cocoa Beach Causeway (SR-520), Tel. 321-799-4677. Abends mit DJ und Musikgruppen.

Cocoa Village Playhouse: 300 Breward Ave., Tel. 321-636-5050. Die ehemalige Vaudeville-Bühne von 1924 ist heute Spielstätte für Musical und Theateraufführungen.

Melbourne ist längst über die Idylle der seiner Gründerzeit hinausgewachsen, seitdem die kleine Ortschaft mit einem Bahnhof der Florida East Coast Railway von Henry Flagler Anschluss an die große Welt im Norden fand. Wegen der Nähe zum Raketenabschussgelände der Luftwaffe und der NASA auf Merrit Island findet man neben Apfelsinenplantagen heute auch Elektronikfirmen, hat sich der ländliche Charakter der Region verändert. Im Zentrum von Melbourne am Crane Creek sind in die restaurierten Gebäude Galerien, Restaurants und Boutiquen eingezogen. Manatees und zuweilen sogar Delphine lassen sich im Hafengebiet blicken.

Das **Breward Art Center and Museum** in Eau Gallie, einem nördlichen Vorort von Melbourne, zeigt auch Ausstellungen floridianischer Künstler, die in Workshops Besuchern Einblicke in ihre Maltechniken ermöglichen. Speziell ausgebildete Mitarbeiter erlauben auch Sehbehinderten einen seltenen Kunstgenuss (1463 Highland Ave., Eau Gallie, Di–Sa 10–17, So 13–17 Uhr).

Auf der gegenüberliegenden Straßenseite demonstriert das **Space Coast Science Center** mit zahlreichen naturwissenschaftlichen Experimenten für Kinder und Jugendliche, dass Lernen viel Spaß machen kann (1510 Highland Ave., Eau Gallie, Melbourne).

Melbourne – Palm Bay Area Chamber of Commerce: 1005 E. Strawbridge Ave., Tel. 321-724-5400, Fax 321-725-2093, www.melpb-chamber.org.

Daytona Beach

Florida-Atlas: S. 235, F4
Ormond Beach und das gleich südlich anschließende Daytona Beach liegen am südlichen Abschnitt eines 38 km langen Sandstrands, der sich vom südlichen Ponce de Leon Inlet bis zum Matanzas Inlet im Norden hinzieht. Daytona ist vom Strandgebiet Beachside durch die Wasserstraße des Halifax River getrennt, der auf sechs Brücken überwunden wird. Der Badeort New Smyrna Beach begrenzt das Stadtgebiet nach Süden.

Daytona liegt nur ein bis eineinhalb Autostunden von Orlando mit den Vergnügungsparks, dem Ocala National Forest, dem John F. Kennedy Space Center sowie der historischen Stadt St. Augustine entfernt. Zentrum des Strandlebens ist der **Main Street Pier,** der sich 400 m ins Meer erstreckt. Ganz Bequeme können die Strecke mit einer Gondel durch die Luft zurücklegen oder sich auf einen Aussichtsturm, die altertümlich anmutende **Space Needle,** hinaufschrauben lassen. Vom Pier erstreckt sich der **Boardwalk,** ein in den 1930er Jahren ausgebauter Plankenweg, nach Norden den Strand entlang bis zum Oceanfront Park mit Uhrenturm und Konzertmuschel.

Im Frühjahr jeden Jahres ist in Daytona Beach die Hölle los. Während der Semesterferien in den letzten beiden Februarwochen kommen kanadische, im März dann US-amerikanische Studenten zum *Spring Break* in den Süden, um sich nach einem harten Winter einige Tage abzureagieren. Daytona gilt seit einigen Jahren als eines ihrer Lieblingsziele. Die Stadt ist eine einzige Party. Strände, Bars und Hotels sind überfüllt, Auftritte von namhaften Künstlern in der Bandshell des Oceanfront Park vor 10 000 Zuschauern, Schönheitswettbewerbe und Body Building Shows wechseln sich mit Strand- und Barfeten ab. Einige Dichterlesungen, Sport- und Diskussionsveranstaltungen sowie Seminare zur Karriereplanung sind in letzter Zeit hinzugekommen.

Die langen und bis zu 150 m breiten Strände von Daytona ziehen schon seit mehr als 100 Jahren sonnenhungrige Urlauber aus dem Norden an. Henry Flaglers East Coast Railroad erreichte Daytona 1888 von St. Augustine. Sein schnell erbautes Ormond Hotel beherbergte bald illustre Besucher wie die Vanderbilts und die Rockefellers. John D. Rockefeller, der zu den Winterstammgästen in Daytona Beach gehörte, zog 1918 in ein eigenes Haus, **The Casements,** in dem er 1937 auch verstarb (25 Riverside Dr., Ormond Beach, Mo–Fr 9–17, Sa 9–12 Uhr).

Der feste Sandstrand erfreute nicht nur Badegäste. Wer sich eine der neuen pferdelosen Kutschen leisten konnte, nutzte den ebenen Strand, auf dem sich besser fahren ließ als auf den meisten Straßen der Zeit, als Promenade. Automobilpioniere wie Henry Ford, Ransom E. Olds, Louis Chevrolet oder die Gebrüder Stanley erprobten Geschwindigkeit und Wendigkeit der von ihnen entwickelten Fahrzeuge. Ein Oldsmobile erreichte 1902 die spektakuläre Geschwindigkeit von 91 km/Std. Der englische Rennpilot Sir Malcolm Campell stellte 1935 den letzten Strandrekord von 443 km/Std. mit einem von einem Raketenmotor getriebenen Fahrzeug auf. Für höhere Geschwindigkeiten erwies sich der Salzsee von Utah als die geeignetere Rennpiste.

In Daytona- und Ormond Beach ist es nach wie vor erlaubt, bei Ebbe und während des Tages etwa die Hälfte des 38 km langen Strandes zu befahren. Eine eigene Verkehrspolizei regelt den Strom der Autos, an vielen Tagen kommt keiner auch nur in die Nähe der erlaubten Höchstgeschwindigkeit von 10 Meilen in der Stunde. Doch auch die Zeiten der schnellen Rennen sind in Daytona nicht vorbei. Auf dem **Daytona International Speedway,** einer Hochgeschwindigkeitsrennstrecke, werden Sportwagen- und Motorradrennen veranstaltet. Während der Speedweeks im Februar, der Motorradwoche im März, der Pepsi 400 Stock Car-Rennen im Juli oder des Biketoberfest verfolgen bis zu 100 000

Daytona Beach

Zuschauer den Kampf um Sekundenbruchteile. Das **World Center of Racing** im Ostteil des Geländes informiert über alles Wissenswerte zum Motorrennsport und ermöglicht an rennfreien Tagen einen Blick auf die Hochgeschwindigkeitsstrecke. **Daytona USA** heißt die populäre Besucherattraktion ebenfalls auf dem Renngelände, die historische Ausstellungsstücke, alte Rennwagen, Dokumente und Fotografien mit interaktiven Spielen und Simulationen kombiniert (1801 W. International Speedway Blvd., Daytona Beach, Ausstellungsgalerie, Filmtheater, Souvenirladen, tgl. 9–17 Uhr; Daytona USA, tgl. 9–19 Uhr, www.daytonausa.com). Die **Klassix Auto Attraction** dokumentiert die Geschichte der Autorennen in Daytona und präsentiert eine komplette Sammlung von Corvettes von 1953 bis heute (2909 W. International Speedway Blvd., Daytona Beach, tgl. 9–18 Uhr).

Im **Halifax Historical Museum** auf der Festlandseite von Daytona sind neben allerlei Memorabilia zur Regionalgeschichte auch sechs Wandgemälde von lokalen Sehenswürdigkeiten und ein Modell des Boardwalk zu sehen. Hunderte kleine Holzfiguren warten auf den Sitzen vor der *Bandshell,* dass ein Konzert beginnt (252 S. Beach St., Daytona Beach, Di–Sa 10–16 Uhr).

Im **Museum of Arts and Sciences** sind ungewöhnliche Ausstellungen zu Kunst und Naturwissenschaft nach einem schwer durchschaubaren Ordnungsprinzip zusammengetragen. So finden sich hier das vollständige Skelett eines knapp 5 m großen Riesenfaultiers, das vor 130 000 Jahren in Florida lebte, eine Sammlung kubanischer Malerei, die der Ex-Diktator Batista der Stadt vermachte, und eine umfassende Sammlung afrikanischer Kunst unter einem Dach. Im Garten verläuft ein interessanter Naturlehrpfad (1040 Museum Blvd., Di–Fr 9–16, Sa–So 12–17 Uhr). Das **Southeast Museum of Photography** hingegen hat einen eindeutigen Schwerpunkt. Techniken historischer und aktueller Landschafts- und Porträtfotografie werden in einem Gebäude des Daytona Beach Community College überzeugend präsentiert (1200 International Speedway Blvd., Building 37, Community College, Mo, Mi–Fr 10–16, Di 11–19, Sa–So 11–17 Uhr).

Londoner Symphonien

Wer schon immer einmal das London Symphony Orchestra hören und sehen wollte, könnte während des Sommerurlaubes in Florida Glück haben. Jedes zweite (ungerade) Jahr probt das renommierte Orchester zwei bis drei Wochen in Daytona Beach und gibt Symphonie-, Kammer- und sogar Pop-Konzerte. Infos beim Visitor & Convention Bureau oder beim Festival Office, Tel. 386-257-7790.

Auch wenn Daytonas Stadtbild nicht viel Aufregendes bietet und die Hotelparade an der Atlantic Avenue noch einige Renovierungen vertragen kann, gibt es doch Plätze, die zu einem Ausflug oder Aufenthalt einladen. Der mehr als 100 Jahre alte **Leuchtturm** am Ponce de Leon Inlet dient den Schiffen nach wie vor als Orientierungspunkt. Wer die 203 Stufen zur knapp 60 m hohen Aussichtsplattform hinaufklettert, wird mit einem weiten Ausblick bis zur Canaveral Seashore belohnt. In den Gebäuden der Leuchtturmwärter sind heute Ausstellungen zur Geschichte der Schifffahrt und des Leuchtturms untergebracht (4931 S. Peninsula Dr., Ponce Inlet, Mai–Aug. tgl. 10–21, Sept.–April 10–17 Uhr). Dazu gibt es ein Bar-Restaurant mit leckeren Snacks.

Auf den festen Sandstränden von **New Smyrna Beach** südlich von Daytona ist Autofahren erlaubt. Der eigentliche Ort liegt einige Meilen von der Atlantikküste entfernt. Dank des nahen Golfstroms und der angenehmen Badetemperaturen wird New Smyrna Beach ganzjährig von Urlaubern, vorwiegend von Familien mit Kindern, besucht.

Einst hatten spanische Mönche eine kurzlebige Missionsstation auf dem Grund der ehemaligen indianischen Siedlung Caparaca errichtet. Auch ein weiterer Siedlungsversuch stand unter keinem guten Stern. Im Jahre 1835 brannten Seminolen-Krieger die aus dem Muschelstein *Coquina* errichteten Gebäude einer Zuckerrohrplantage und -mühle nieder. Die Ruinen von **New Smyrna Sugar Mill,** 2 Meilen westlich der Stadt in einem Palmenwäldchen gelegen, sowie einige große Kessel, in denen Melasse gekocht wurde, sind noch zu besichtigen (1050 Old Mission Rd., nahe der SR 44, tgl. 9–17 Uhr).

Daytona Beach Area Convention and Visitors Bureau: 126 E. Orange Ave., Daytona Beach, FL 32115, Tel. 386-255-0981, Fax 386-255-5478, www.daytonabeach.com, tgl. 9–17 Uhr.
New Smyrna Beach Convention & Visitors Bureau: 2242 SR 44, New Smyrna Beach, Tel. 386-428-1600, www.nsbfla.com.

Hilton Oceonfront Resort: 2637 S. Atlantic Ave., Daytona Beach, Tel. 386-767-7350, Fax 386-760-3651, www.hilton.com. Elegantes Luxushotel direkt am Boardwalk, etwas abseits vom Gewühle, gutes Blue Water Restaurant, 214 Zi ab 118 $.
Live Oak Inn: 444 S. Beach St./Ecke Loomis Ave., Daytona Beach, Tel. 386-252-4667, Fax 386-239-0068. Bed and Breakfast-Gasthof mit gemütlichen Zimmern in zwei viktorianischen Stadtvillen an der Halifax Harbor Marina, dazu nettes Rosario-Restaurant, 14 Zi. ab 90 $.
The Plaza Resort: 600 N. Atlantic Ave., Daytona Beach, Tel. 386-255-6421, Fax 386-252-6195, www.plazaresortandspa.com. Renoviertes Hotel am Strandboulevard, alle Zimmer mit Balkon, ausgebaute Wellnessabteilung, 320 Wohneinheiten ab 70 $.
Camping:
Ocean Village Camper Resort: 2162 Ocean Shore Blvd., Ormond Beach, Tel. 386-441-1808. Gut ausgestatteter Campground mit 60 Plätzen.

Frappes North: 123 W. Granada Blvd., Ormond Beach, Tel. 386-615-4888, Mo–Fr 11.30–14.30, 17–21, Fr–Sa 17–20 Uhr. Fantasievolle Kreationen, frisch zubereitete Meerestiere, Hauptgerichte ab 15 $.
Anna's Italian Trattoria: 304 Seabreeze Blvd., Daytona Beach, Tel. 386-239-9624, tgl. 17–22 Uhr. Schmackhafte sizilianische Küche, Hauptgerichte ab 13 $.
La Crepe en Haut: 142 E. Granada Blvd., Ormond Beach, Tel. 386-673-1999, Di–Fr 11.30–14.30 u. 17.30–22, Sa–So 17.30–22 Uhr. Französische Küche in gemütlicher Atmosphäre, Hauptgerichte ab 20 $.

Ocean Deck: 127 S. Ocean Ave., Daytona Beach. Wenn alle schließen, geht's hier noch mal los. Häufig Auftritte von Reggae Bands.
Razzles: 640 Grandview St., Daytona Beach. High-Tech-Diskothek mit großem *dancefloor,* meist Betrieb bis 3 Uhr morgens.
Oyster Pub: 555 Seabreeze Blvd., Daytona Beach. Riesige Bar, reichlich Austern, laute Musik bis tief in die Nacht.

Oceanfront Bandshell: Boardwalk. Im März zum Springbreak und Juni–Sept. Konzerte namhafter Interpreten.
Peabody Auditorium: 600 Auditorium Blvd., Daytona Beach. Aufführungsort für Theater, Ballett und Konzerte.

31 Hotels und 22 Golfplätze in der Region von Daytona Beach lassen sich individuell zu Urlaubspauschalen kombinieren. Informationen und Anfragen bearbeitet **Golf Daytona Beach,** Tel. 1-800-544-0415, Anschluss 136 (nur aus Nordamerika), gsparrow@daytonabeachcvb.org, www.golfdaytonabeach.com.
Critter Fleet: 4950 S. Peninsula Dr., Ponce Inlet, Tel. 386-767-7676. Halb- und Ganztagsausflüge zum Hochseeangeln.

Floridas Norden

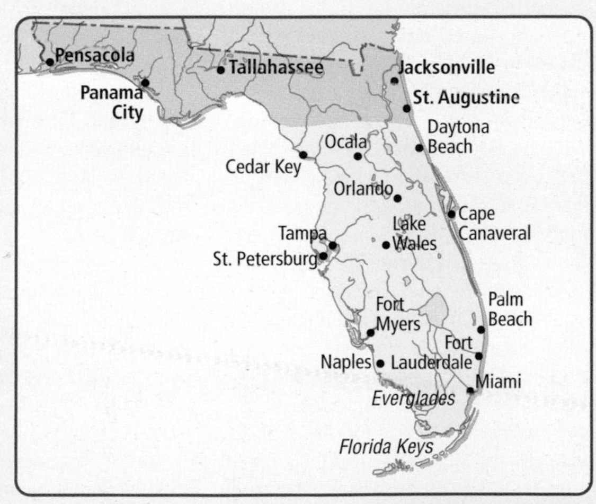

Kingsley Plantation auf Fort George Island

Florida-Atlas S. 232–235

DIE NÖRDLICHE ATLANTIKKÜSTE

St. Augustine und der Norden von Florida gehörten weit länger zum Einflussbereich des spanischen Königreichs als zum Staatenbund der USA – das spürt man hier auf Schritt und Tritt. In Jacksonville, einem der bedeutendsten Häfen der Ostküste, haben auch Franzosen ihre Spuren hinterlassen. Die Strände an der Nordostküste sind lang und breit, jedoch weniger bekannt und besucht als die im Süden des Sunshine State. Amelia Island direkt an der Grenze zu Georgia gehört zu den schönsten Urlaubsregionen von Florida.

St. Augustine

Florida-Atlas: S. 235, E3

Der spanische Edelmann und Konquistador Ponce de Leon, der schon Kolumbus auf dessen zweiter Fahrt in die Neue Welt begleitet hatte, ging auf seiner Suche nach Gold und einem sagenhaften Jungbrunnen am 4. April 1513 bei St. Augustine an Land. Nach dem bevorstehenden Osterfest *Pascua Florida* tauften die Spanier die vermeintliche Insel Florida, ergänzten ihre Süßwasser- und Nahrungsvorräte und segelten weiter nach Süden.

Erst etwa 50 Jahre später unternahmen französische Protestanten den zweiten Versuch einer europäischen Macht, im Gebiet der Timucuan-Indianer im Nordosten von Florida Fuß zu fassen, und gründeten Fort Caroline am Ufer des St. Johns River nahe dem heutigen Jacksonville. Die Spanier reagierten schnell auf die Bedrohung ihrer Schiffsroute nach Mittelamerika. Sie schickten ein Truppenkontingent, das die französischen Siedler massakrierte und gründeten 35 Meilen weiter im Süden 1565 San Augustin als Hauptstadt einer spanischen Kolonie Florida.

St. Augustine, heute ein Städtchen mit 12 000 Einwohnern, wirbt damit, die älteste von Europäern besiedelte Stadt in Nordamerika zu sein. Das massive, vierzackige Fort **Castillo de San Marcos** [1], das am Matanzas River wacht, wurde 1672–95 erbaut. Die mächtigen Mauern, die von einem Wallgraben umgeben und von einigen Dutzend Kanonen bewehrt waren, hielten jedem Beschuss und allen Belagerungen stand (1 Castillo Dr., tgl. 8.45–16.45 Uhr).

Vom Platz vor dem Fort starten Pferdekutschen zu einer gemütlichen Besichtigungstour durch die Altstadt.

Spanish Quarter in St. Augustine

Durch ein rekonstruiertes Stadttor betritt man das historische Viertel. An der St. George Street, der ehemaligen Calle Real, liegen einige der ältesten Gebäude von St. Augustine. Das vor mehr als 200 Jahren errichtete, spitzgieblige **Schulhaus** 2 wurde aus Zypressen- und Rotzedernholz gebaut. Schulbücher, alte Karten und die Figuren von Schülern und einem Lehrer im engen Klassenzimmer geben einen lebendigen Eindruck von früheren Lernbedingungen. Unter dem Dach wohnte die Lehrerfamilie (14 St. George St., tgl. 9–17 Uhr).

Das **Spanish Quarter Village** 3, eine Anlage mehrerer historischen Vorbildern nachempfundener Gebäude, ist von Darstellern bevölkert, die das Leben in der spanischen Provinzhauptstadt im 18. Jh. nachzeichnen (29 St. George St., tgl. 9–17.30 Uhr). Ab 1835 erhielt man im heutigen **Oldest Store Museum** 4 von Geschirr bis zum landwirtschaftlichen Nutzfahrzeug alles, was das Herz begehrte (4 Artillery Lane, Mo–Sa 10–16, So 12–16 Uhr). Im Süden des Altstadtbereichs, in der St. Francis Street, steht das älteste, mittlerweile mehrfach erweiterte Gebäude von St. Augustine, das **Gonzáles-Alvarez House** 5 von 1702, in dem heute ein kleines Museum zur Stadtgeschichte untergebracht ist (14 St. Francis St., tgl. 9–17 Uhr). In der netten Aviles Street liegen das aus *Coquina* errichtete **Ximenez-Fatio Haus** 6 (20 Aviles St., Mo, Do, Sa 11–16, So 13–16 Uhr) aus dem 18. Jh., das Mitte des 19. Jh. zu einem Gasthaus umgestaltet wurde, und das **spanische Militärhospital** 7 »Unserer lieben Frau von Guadeloupe«, in dem Operationsbestecke und eine Apotheke aus dem Jahre 1791 ausgestellt sind. In einem kleinen Garten werden Heilkräuter an-

gepflanzt (3 Aviles St., Mo–Sa 10–17, So 12–17 Uhr). Das **Government House Museum** [8] (48 King St., tgl. 10–16 Uhr) illustriert die Geschichte der Stadt mit vielen Fundstücken auch aus der Zeit indianischer Besiedlung.

Als Henry Flagler, Mitbegründer der Standard Oil Company und Partner von John D. Rockefeller, St. Augustine 1883 auf der Hochzeitsreise an der Seite seiner zweiten Frau besuchte, war er von der Stadt sofort angetan. Der Anschluss an das Schienennetz an der Atlantikküste der USA war bald geschaffen. Flagler ließ zwei Grand Hotels – das Alcazar, in dessen Räumen seit 1948 das **Lightner Museum** [9] mit Kunstgewerbe verschiedener Epochen sowie Einkaufsgeschäfte untergebracht ist, und das Ponce de Leon, heute Domizil des **Flagler College** [10]**,** im spanisch-maurischen Stil errichten (75 King St., tgl. 9–17 Uhr).

Den Tourismus-Boom, den St. Augustine zu Beginn des 20. Jh. erlebte, brachte Flagler kurz darauf selbst wieder zum Erliegen. Seine Florida East Coast Railway stieß weiter nach Süden

Sehenswürdigkeiten

1 Castillo de San Marcos
2 Schulhaus
3 Spanish Quarter Village
4 Oldest Store Museum
5 González-Alvarez House
6 Ximenez-Fatio House
7 Spanisches Militärhospital
8 Government House Museum
9 Lightner Museum
10 Flagler College
11 Mission of Nombre de Dios
12 Fountain of Youth Archaeological Park
13 St. Augustine Alligator Farm

Übernachten

14 Casa Monica Inn
15 Coquina Gables Oceanfront
16 Westcott House
17 Bryn Mawr Ocean Resort

Essen und Trinken

18 Café Alcazar
19 La Parisienne

vor, nach Ormond Beach und Palm Beach, das bald zum mondänen Strandbad und Treffpunkt der Wohlhabenden avancierte.

Am Nordrand der Stadt erinnert nahe dem Matanzas River ein 63 m großes Kreuz aus glänzendem Stahl an die erste Messe, die Admiral Menéndez im September 1565 auf dem Boden von Florida lesen ließ. Das Marienheiligtum in der Kapelle Shrine of Our Lady de la Leche steht auf dem Grund der Missionskirche **Mission of Nombre de Dios** 11 aus dem Jahre 1613 (San Marco Ave., Mo–Fr 9–17 Uhr).

Nicht weit entfernt wurde um den mutmaßlichen Landeplatz des spanischen Konquistadors Ponce de Leon ein **Fountain of Youth Archaeological Park** 12 errichtet, mit dem Jungbrunnen, der leider nach wie vor keine Wirkung zeigt, Dioramen von der spanischen Landnahme und Ausgrabungsstücken von einer ehemaligen Siedlung der Timucua-Indianer (11 Magnolia Ave., tgl. 9–17 Uhr).

Von St. Augustine führt die an Ponce de Leon erinnernde Bridge of Lions nach Süden über den Matanzas River nach St. Augustine Beach auf Anastasia Island. Seit 1893 werden auf der **St. Augustine Alligator Farm** 13 (999 Anastasia Blvd., tgl. 9–17 Uhr) Reptilien gezüchtet. Inzwischen überwiegt das Geschäft mit Urlaubern, die Alligator-Kämpfe bestaunen und über Holzstege die subtropische Lagune durchstreifen. An den weiten Stränden von St. Augustine Beach, die mit dem Auto befahren werden dürfen, herrscht nur an Wochenenden nennenswerter Betrieb.

St. Johns County Visitors & Convention Bureau: 88 Ribera Street, Tel. 904-829-1711, Fax 904-829-6149, www.visitoldcity.com.

Casa Monica Inn 14**:** 95 Cordova St., Tel. 904-827-1888, Fax 904-827-0426, www.casamonica.com. Das Grand Hotel aus Flaglers Zeiten funkelt in altem Glanz, 150 Suiten und Zi, ab 140 $.
Coquina Gables Oceanfront B & B 15**:** 1 F St., St. Augustine Beach, Tel. 904-461-8727, gemütliche Herberge am Meer mit herrlichen Grünflächen, 6 Zi. ab 130 $.

DIE EISENBAHNKÖNIGE HENRY FLAGLER UND HENRY PLANT

Sie hießen beide Henry mit Vornamen und waren Yankees aus dem Norden. Beide haben die Eisenbahngeschichte von Florida geschrieben, mit ihren Schienensträngen den kaum erschlossenen Süden erobert und den Bundesstaat im Südosten der USA in das 20. Jh. befördert. Henry B. Plant und Henry M. Flagler waren als Touristen mit ihren Ehefrauen nach Florida gekommen. Plant besuchte Jacksonville bereits 1853, noch als leitender Manager der Adams- und späteren Southern Express Company, Flagler stattete mit seiner ersten Frau 1878 derselben Gegend einen Besuch ab. Beide erkannten das touristische Potenzial des kaum erschlossenen Landes und setzten ihre Visionen jeweils mit Blick auf den Konkurrenten in die Tat um. Der Staat Florida, als Folge des verlorenen Bürgerkrieges auf Seiten der Konföderierten hoch verschuldet, verkaufte Land und Eisenbahnlizenzen zu günstigen Konditionen.

Plant war bereits 60 Jahre alt, als er mehrere kleinere Eisenbahngesellschaften aufkaufte und damit von Georgia bis nach Orlando in Florida vordrang. Nur wenige Jahre später kontrollierte er ein Imperium von Eisenbahn-, Flussschifffahrts- und Seeverkehrslinien. Von den Endpunkten seiner Southern Florida Railroad Company in Punta Gorda verkehrten Dampfer nach Key West, von Tampa ging eine Passagier- und Frachtroute bis nach Kuba. Ähnlich wie sein Konkurrent Flagler an der Ostküste ließ Plant elegante Hotels errichten, das Ocala House nahe der artesischen Quelle von Silver Springs und das Seminole Hotel in Winter Park. Das orientalische Tampa Bay Hotel (s. S. 133) mit Minaretten und Silbertürmen beherbergt heute Abteilungen der Universität und das Plant Museum. Das 1896 ganz aus Holz gebaute Belleview Hotel südlich von Clearwater wird noch immer als Hotel genutzt.

Henry Morrison Flagler hatte als Partner der Rockefeller, Flagler & Adams Öl-Raffinerie, der späteren Standard Oil Company, seine berufliche Karriere eigentlich schon hinter sich und war bereits Multimillionär, als er 1883 mit 53 Jahren auf der Hochzeitsreise mit seiner zweiten Frau St. Augustine besuchte. Wieder war er vom Klima und der Atmosphäre in Nordflorida angetan. Von 1885 an kaufte er kleinere Eisenbahngesellschaften an der Ostküste auf, ließ deren Schienennetz verbinden und neue Strecken weiter nach Süden errichten.

Kaum waren die Orte durch die Eisenbahn erschlossen, zogen schnell erbaute Luxushotels die Reichen und die Schönen aus den Nordstaaten der USA an. In St. Augustine unterhielt Flagler drei Grand Hotels, das Ponce de Leon (s. S. 192), das Alcazar und das Cordova, in Ormond Beach das Hotel Ormond, in dem sein früherer Geschäftspartner Rockefeller so lange Stammgast war, bis er merkte, dass er einen höheren Preis zahlen musste als andere Gäste, in Palm Beach das Royal Poiciana und das Breakers, beide aus Holz erbaut, in Miami das Royal Palm Hotel.

Das ehemalige Hotel Ponce de Leon ist heute Sitz des Flagler College

Mary Lili Kenan, Flaglers dritte Frau, erhielt den luxuriösen Herrschaftssitz Whitehall in Palm Beach von ihrem inzwischen 71-jährigen Bräutigam als Hochzeitsgeschenk. Dessen Blick ging ähnlich wie bei seinem Konkurrenten Plant weiter nach Süden. So übernahm er in Nassau auf den Bahamas das Royal Victoria, ließ dort das Colonial Hotel bauen und entschied sich nach kurzem Zögern, 1905 die Eisenbahntrasse der Florida East Coast Railway über die Inselkette der Florida Keys bis nach Key West fortzuführen. Von dort sollte eine Fähre die Verbindung von Florida nach Kuba herstellen. Drei Hurrikane und zahlreiche Unfälle kosteten 700 Menschen während der Bauarbeiten das Leben, bis sich Flaglers Traum erfüllte und er 82-jährig am 22. Jan. 1912, nur wenige Monate vor seinem Tod, an Bord seines privaten Pullman-Waggons mit dem ersten Zug der Overseas Railway den Bahnhof von Key West erreichte.

Die Strecke von Miami nach Key West blieb wegen zu geringer Passagierzahlen und eines kleinen Frachtaufkommens ein Zuschussgeschäft. Am Labor Day 1935 zerstörte ein Hurrikan zahlreiche Brücken, schwemmte Teile des Schienenstrangs ins Meer und tötete 400 Menschen. Der Overseas Highway, die heutige Autostraße über die Keys, wurde über weite Strecken auf der Trasse der Flagler-Eisenbahn erbaut.

Flagler und Plant schufen für die rasante Entwicklung von Mittel- und Südflorida erst die Voraussetzungen und förderten den wirtschaftlichen Aufschwung durch die Möglichkeit, nun Früchte und Wintergemüse aus frostarmen Anbaugebieten Floridas schnell zu den Absatzmärkten im Norden zu transportieren. Gleichzeitig propagierten sie den Bundesstaat als Urlaubsziel, zunächst nur für die Begüterten – doch denen sind Millionen gefolgt – wie man weiß.

Fort Matanzas

Ein Kampf (Matanzas, spanisch für ›Gemetzel‹) im Jahre 1565, bei der 330 Franzosen von spanischen Soldaten massakriert wurden, gab dem Ort seinen Namen. Die Spanier hatten Mitte des 18. Jh. einen Posten inmitten der Marschlandschaften zum kleinen Fort Matanzas ausgebaut, um den südlichen Zugang nach St. Augustine gegen Angriffe zu verteidigen (SR A1A, 14 Meilen südl. von St. Augustine, Fähre zum Fort Mi–Mo 9–16.30, Besucherzentrum tgl. 9–17 Uhr).

Westcott House 16: 146 Avenida Menendez, Tel. 904-824-4301, www.westcotthouse.com. Gemütlich-elegante Bed and Breakfast-Unterkunft mit Blick auf die Bay, 9 Zi. ab 95 $.
Camping:
Bryn Mawr Ocean Resort 17: 4850 A1A South, Tel. 904-471-3353, Fax 904-471-8730, http://brynmawroceanresort.com. Große Anlage direkt am Strand, nur für Wohnwagen und Campmobile.

Café Alcazar 18: 25 Granada St., Tel. 904-824-7813, 11.30–15 Uhr. Im früheren Schwimmbad des historischen Alcazar Hotels werden heute leichte Snacks serviert, Gerichte ab 4 $.
La Parisienne 19: 60 Hypolita St., Tel. 904-829-0055, Di–Fr 17–21, Sa–So 11–15, 17–21 Uhr. Traditionelle französische Küche, 5-Gang-Menü 60 $, Hauptgerichte ab 19 $.

Trade Winds: 124 Charlotte St. Abends Live-Musik.

»Cross and Sword«: 1340 Anastasia Blvd., an der SR A1A, 2 Meilen südl. der Stadt, Tel. 904-471-1965. Theaterstück über die Kolonialgeschichte der Region im Amphitheater, Saison Anfang Juli bis Anfang Sept.

Strand: St. Augustine Beach bei der Anastasia State Recreation Area im Süden sowie Vilano Beach im Norden der Stadt gehören zu den beliebtesten der zahlreichen, sehr breiten Strände.

Jacksonville

Florida-Atlas: S. 235, E2
Jacksonville liegt kurz vor der Mündung des St. Johns River in den Atlantischen Ozean. Es gilt als wirtschaftliche Metropole und wichtigster Hafen von Florida. Die Mayport Naval Station der US-Navy ist nach Norfolk in Virginia der bedeutendste Marinestützpunkt der USA an der Atlantikküste und Basis der Flugzeugträgerflotte. Franzosen hatten Mitte des 16. Jh. einen durch die spanische Armada schnell und blutig unterdrückten Versuch unternommen, mit Fort Caroline eine Kolonie zu gründen.

Nachdem Florida Anfang des 19. Jh. an die USA gefallen war, wurden über den Hafen von Jacksonville bald Baumwolle, Hölzer und Zitrusfrüchte umgeschlagen. Jacksonville zählt heute knapp 700 000 Einwohner. Der Hafen und die US-Marine, Versicherungen und Banken, deren Verwaltungshochhäuser die Skyline der Stadt bestimmen, sowie einige Produktionsbetriebe, darunter eine der landesweit größten Abfüllbetriebe der Brauerei Anheuser-Busch, gehören zu den wichtigsten Arbeitgebern der Stadt. Am nördlichen Ufer des St. Johns River zwischen Acosta- und Main Street Bridge wurde vor einigen Jahren mit **Jacksonville Landing** ein attraktives Veranstaltungs- und originelles Einkaufszentrum mit Restaurants und Bars geschaffen, von dem eine Promenade am Wasser entlangführt. Wenig weiter flussaufwärts zeigt das **Cummer Museum of Art** in zwölf Sälen Gemälde und Plastiken von der griechischen Antike bis heute, darunter eine bemerkenswerte Sammlung Meißner Porzellans (829 Riverside Ave., Mi, Fr, Sa 10–17, Di, Do 10–21, So 12–17 Uhr).

Die etwa 3 km lange Promenade des **Riverwalk** und der **St. Johns River Park** mit der 36 m hohen Fontäne des Friendship Fountain sowie zahlreichen Restaurants und Hotels beleben die South Bank, das vis-à-vis von Jacksonville Landing liegende Südufer des Flusses. Südlich der Warren Bridge befindet sich auch das ausgezeichnete **Museum of Science and History,** das naturwissenschaftliche und geschichtliche Zusammenhänge anschaulich macht (1025 Museum Circle, Mo–Fr 10–17, Sa 10–18, So 13–18 Uhr).

Das **Fort Caroline National Memorial** dokumentiert den vor mehr als 300 Jahren gescheiterten Versuch der Franzosen, am Unterlauf des St. Johns River eine Kolonie zu gründen (12713 Fort Caroline Rd., tgl. 9–17 Uhr).

Atlantik-, Neptune- und **Jacksonville Beach** gehören zu den ausgedehnten Sandstränden, die nur an einigen Stellen dichter bebaut sind und mehrfach von State Parks aufgelockert werden. Weiter südlich schließen sich mit **Ponte Vedra Beach** und **Sawgrass** exklusive Wohnviertel mit eleganten Sporthotels an, die bei Golf- und Tennisspielern einen ausgezeichneten Ruf besitzen.

Jacksonville and the Beaches Convention and Visitors Bureau: 201 E. Adams St., Jacksonville, FL 32202, Tel. 904-798-9111, Fax 904-798-9103, www.jaxcvb.com.

Sea Turtle Inn: 1 Ocean Blvd., Jacksonville Beach, Tel. 904-249-7402, Fax 904-247-1517, www.seaturtleinn.com. Die geräumigen Zimmer haben Meeresblick, einige auch Balkon, 193 Zi. ab 99 $.

House on Cherry St.: 1844 Cherry St., Tel. 904-384-1999, Fax 904-384-5013, www.1bbweb.com/cherry. Gemütliche Bed and Breakfast-Unterkunft mit persönlichem Service beim St. Johns River, 4 Zi. ab 85 $.

Camping:

Fleetwood RV Park: 5001 Phillips Hwy., Tel. 904-737-4733, stadtnah, nicht weit vom St. Johns River, ganzjährig geöffnet.

River City Brewing Company: 835 Museum Circle, Tel. 904-398-2299, So–Do 11–15, 17–22, Fr–Sa 11–15, 17–23 Uhr, Pub und Bar länger. Kalifornisch inspirierte Gerichte mit Louisiana-Einschlag, wohlschmeckende Biere, die im Keller selbst gebraut werden, Hauptgerichte ab 15 $.

Ragtime Tavern & Taproom: 207 Atlantic Blvd., Atlantic Beach, Tel. 904-241-7877, So–Do 11–22.30, Fr–Sa 11–23 Uhr, Bar später. Creolische und Cajun-Spezialitäten mit Jazz-Einlagen aus New Orleans, Hauptgerichte ab 12 $.

FORT CAROLINE UND DIE HUGENOTTEN – FRANKREICHS GESCHEITERTE KOLONIE

Hugenotten sollten 1562 für Frankreich die erste Kolonie in der Neuen Welt gründen. Gaspard de Coligny, Berater am Hofe des Königs von Frankreich und prominenter Vertreter der protestantischen Hugenotten, wollte den gewachsenen Einfluss Frankreichs in Europa durch Besitzungen in Amerika vertiefen. Bis dahin profitierte neben Portugal vor allem Spanien vom Reichtum der Gold- und Silberminen in Mittel- und Südamerika.

Gerade hatte König Phillip II. von Spanien die weitere Erkundung und Besiedlung von Florida nach diversen vergeblichen Kolonisierungsversuchen als beendet erklärt. Da bot es sich an, am nördlichen Rand des spanischen Kolonialreiches einen ersten, vorsichtigen Schritt zu wagen. Der Vorschlag, den Coligny der Regentin von Frankreich und Mutter des jungen Königs Charles IX., Katharina von Medici, unterbreitete, barg zusätzlich die verlockende Aussicht, durch die Gründung einer von Hugenotten besiedelten überseeischen Kolonie den Glaubensstreit zwischen Katholiken und der protestantischen Bewegung der Hugenotten in Frankreich zu entschärfen.

Jean Ribault leitete eine erste Expedition, erkundete den Mai-Fluss (St. Johns River) und die Atlantikküste bis zum heutigen Beaufort in South Carolina. Der Glaubenskrieg in Frankreich verzögerte den Fortgang des Kolonisierungsprojektes, doch 1664 konnte der Mitstreiter Ribaults, René de Laudonnière, mit 300 Gefolgsleuten erneut zur Reise über den Atlantik aufbrechen. In der Nähe der Mündung des Mai-Flusses errichteten sie ein Lager, nannten es Fort Caroline nach ihrem König Charles IX. und befestigten es mit Hilfe der Timucua-Indianer.

Die erhofften Schätze waren in der Nähe des Lagers jedoch nicht sofort zu finden, Unruhe und zunehmende Streitigkeiten unter den Kolonisten vergifteten die Stimmung. Einige Dutzend Meuterer stahlen sich bei Nacht mit Schiffen davon und brachten spanische Segler auf, bis sie selbst von Kriegsschiffen der Armada gestellt wurden. Die Spanier erkannten die Bedrohung an der Passageroute ihrer reich beladenen Galeonen. Sie stellten eine Flotteneinheit unter dem Admiral Pedro Menéndez de Aviles zusammen, welche die Franzosen vertreiben sollte. Die Stimmung in der französischen Kolonie war inzwischen so verzweifelt, dass die Rückkehr in die Heimat vorbereitet wurde.

Doch kurz vor dem Aufbruch der gescheiterten Kolonisten traf Jean Ribault am 28. August 1565 mit Nachschub für die Kolonie und einer Verstärkung von 600 Soldaten und Siedlern aus Frankreich in Fort Caroline ein. Menéndez war mit seiner Flottille von Spanien fast zur selben Zeit vor der Küste von Florida eingetroffen. Nach einem vergeblichen Versuch, die französischen Schiffe zu überraschen, segelte er weiter südwärts und schlug ein befestigtes Lager auf, das er nach dem

Die Franzosen auf dem Fluss Mai, historische Darstellung aus dem späten 16. Jh.

Tagesheiligen des katholischen Kalenders San Augustin nannte. Ribault wollte nun seinerseits die Spanier in ihrem Lager überraschen und ließ Segel setzen, doch ein Hurrikan trieb die Schiffe weit nach Süden und brachte mehrere zum Sinken. Mit Mühe und Not konnten sich 500 Überlebende an Land retten.

Menéndez hatte die Lage besser eingeschätzt, wandte sich mit seiner Hauptstreitmacht auf dem Landwege nach Norden und erreichte nach einem Gewaltmarsch das nur noch von 240 Franzosen besetzte Fort Caroline. Nach einer Stunde konnten die spanischen Soldaten die Befestigung überrennen, einige der Verteidiger, darunter Laudonnière, flüchteten sich in die Wälder, 140 Männer wurden erschlagen oder an den Palisaden aufgeknüpft, 60 Frauen und Kinder gefangen genommen.

Menéndez eilte mit seiner Truppe nun schnell wieder nach Süden und traf bald auf die schiffbrüchigen Franzosen. Die meisten ergaben sich den Spaniern, andere suchten ihr Heil in der Flucht. Menéndez ließ etwa 330 der protestantischen Franzosen, darunter Ribault, an Ort und Stelle hinrichten, für König Phillip II. und die heilige katholische Kirche. Die Schreckensstätte heißt bis heute Matanzas, spanisch für Ort des Gemetzels. Die Spanier besetzten Fort Caroline mit einer kleinen Garnison und benannten es in San Mateo um. Erst drei Jahre später erreichten französische Kriegsschiffe wieder den Schauplatz des gescheiterten französischen Kolonisierungsversuches, brannten zur Vergeltung das nun spanische Fort nieder und segelten wieder davon.

Strand: Die breiten Strände des ruhigen Neptune Beach, des lebhaften Jacksonville Beach oder des mondänen Ponte Vedra Beach sind eine halbe Stunde entfernt.

Flug: Der Jacksonville International Airport im Norden wird von US-Fluggesellschaften bedient, Tel. 904-741-2000.
Zug: Amtrak betreibt einen Umsteigebahnhof für die Nordroute nach New York und die Westroute nach Los Angeles an der 3570 Clifford Lane/45th St.

Amelia Island

Florida-Atlas: S. 235, E2
Die Brücke über den Nassau Sound führt geradewegs nach Amelia Island, auf die 20 km lange und 4 km breite Ferieninsel an der Grenze zum Bundesstaat Georgia. Einsame Sandstrände mit ausgedehnten Dünen säumen die Atlantikküste, American Beach und Peters Point im wenig besiedelten Süden, Main Beach entlang der Nordhälfte der Insel. Hinter dem Dünengelände erstrecken sich vor allem im Süden dichte Mischwälder, die nach Westen zum Festland hin von ausgedehnten Marschgebieten abgelöst werden. Im Norden reihen sich Pensionen und kleine Hotels entlang der Strandstraße.

An der Nordwestküste liegt das Hafenstädtchen **Fernandina Beach,** mit 9000 Einwohnern der einzige größere Ort auf der Insel. Nach den ursprünglich hier ansässigen Timucua-Indianern hat ein Besitzer der Insel den nächsten abgelöst. Mitte des 16. Jh. übernahm Spanien nach einem kurzen Gastspiel der Franzosen Amelia Island. Nach den Raubzügen englischer Truppen aus South Carolina und mit ihnen verbündeter Creek-Indianer Anfang des 18. Jh. konnten die Spanier ihre Außenposten nicht mehr halten. Piraten genossen den gesetzlosen Zustand der Insel und richteten Stützpunkte ein. Engländer, Konföderierte und Union erhoben Anspruch auf das Eiland, das erst seit 140 Jahren unbestritten zu den USA gehört.

Im unvollendeten, aus Ziegelsteinen errichteten **Fort Clinch** an der Nordspitze von Amelia Island führen am ersten Wochenende eines jeden Monats Militärbegeisterte Übungen in zeitgenössischen Uniformen vor (Fort Clinch State Park, 2601 Atlantic Ave., tgl. 9–17 Uhr).

Im liebevoll restaurierten Altstadtviertel von Fernandina Beach blieben viele Häuser aus der ›Goldenen Zeit‹ der Insel erhalten. In viktorianische Gebäude sind Bed & Breakfast-Unterkünfte, Restaurants und originelle Geschäfte eingezogen, doch werden viele auch als Wohnhäuser genutzt. Das **Amelia Island Museum of History** in

Kingsley Plantation

Die Kingsley Plantation auf Fort George Island nördlich des St. Johns River gibt einen authentischen Eindruck von einer Plantage mitsamt den Sklavenquartieren aus der ersten Hälfte des 19. Jh. (11676 Palmetto Ave., Jacksonville, tgl. 9–17 Uhr).

Elisabeth Point Lodge auf Amelia Island

Fernandina Beach informiert über die letzten 4000 Jahre der Inselgeschichte und veranstaltet geführte Wanderungen sowie Rundfahrten durch den Ort und über die Insel (233 S. 3rd St., Mo–Sa 10–17 Uhr). Im Hafen laufen abends die Krabbenkutter ein. Am **Shrimp Dock** kann man dem Entladen der Schiffe zusehen. In einem der ausgezeichneten Restaurants der Insel hat man gute Chancen, wenig später einige frisch zubereitete Krustentiere genießen zu können.

Amelia Island Chamber of Commerce: 102 Centre St., im alten Eisenbahndepot, Fernandina Beach, FL 32035-0472, Tel. 904-277-0717, Fax 904-261-6997, www.ameliaisland.org.

The Ritz-Carlton: 4750 Amelia Island Pkwy., Summer Beach, Tel. 904-277-1100, Fax 904-277-1145. Elegantes Resort-Hotel mit Pool-Anlagen, Tennis, Golf und allen Annehmlichkeiten, eigener Strand, das Restaurant **The Grill** gehört zu den besten Floridas, 450 Suiten und Zi. ab 200 $.

Florida House Inn: 20 S. 3rd St., Tel. 904-261-3300, www.floridahouse.com. Charmante Bed and Breakfast-Unterkunft im Herzen von Fernandina Beach, 15 Zi. ab 80 $.

Brett's Waterway Café: 1 Front St., Tel. 904-261-2660. Frisch gefangener Fisch, mit Blick auf den Hafen, Hauptgerichte ab 15 $.

Palace Saloon: 117 Centre St., Tel. 904-261-6320. Traditionslokal von 1848, noch heute wird ein kühles Bier zu einem Teller dampfender Langusten serviert.

Strand: Fort Clinch State Park im Norden, am zentralen Main Beach und im Süden am American Beach und Peters Point.

HÜGELIGER NORDEN UND DER ›PANHANDLE‹

Eine Fahrt durch den Norden Floridas führt durch kleine Ortschaften und eine hügelige Landschaft mit Erdnuss-, Tabak- und Baumwollfeldern. Wer kleine Abstecher nicht scheut, kann alte Plantagenvillen aus der Zeit vor dem amerikanischen Bürgerkrieg besichtigen. Der Landstreifen zwischen der Golfküste und der Grenze zu Georgia sowie Alabama heißt wegen seiner eigentümlichen Form auch Panhandle, ›Pfannenstiel‹. Entlang der Küste erstrecken sich endlose, puderweiße Sandstrände mit ruhigen Strandorten am türkisblauen Wasser.

Gainesville

Florida-Atlas: S. 234/235, C/D3
Großstädtische Hektik sucht man hier vergebens. Das ländliche Gainesville liegt weit entfernt von den Metropolen des Bundesstaates. Mehr als ein Drittel der knapp 90 000 Einwohner sind Studenten der Universität von Florida. Der Campus mit weitläufigen Parks und Backsteingebäuden in neogotischem Stil ist einen Besuch wert, ebenso wie einige zur Hochschule gehörende Museen. Das **Florida Museum of National History** begeistert Besucher aller Altersgruppen, die sich im Nachbau eines Maya-Tempels aufhalten, das Haus eines Timucuan-Indianers besuchen oder eine floridianische Kalksteinhöhle erkunden (Hull Rd./S. W. 34th St., Mo–Sa 10–17, So 13–17 Uhr). Der begeisterte Anhänger der Jagd mit Pfeil und Bogen sowie Sport- und Jagdbogenfabrikant hat in seiner Heimatstadt das originelle **Fred Bear Museum** mit Trophäen seines reichen Jägerlebens und Exponaten zu Jagdtechniken in aller Welt eingerichtet (Fred Bear Rd./Archer Rd., Mi–So 10–18 Uhr).

Im Trichter der **Devil's Millhopper State Geological Site,** etwa sieben Meilen nordwestlich der Stadt, können Besucher einen Blick in die Frühgeschichte von Florida werfen. Die Decke einer Kalksteinhöhle brach vor etwa 10 000 Jahren ein und schuf einen Einsturztrichter von etwa 152 m Durchmesser und 37 m Tiefe. Im feuchten Grund gedeihen Farne und Pflanzen, die 1000 km weiter im Norden typisch sind. Eine stabile Holztreppe führt auf den Boden des Kalksteintrichters. Versteinerte Haifischzähne und andere Funde, die im Besucherzentrum ausgestellt sind, belegen, dass Florida einst von einem Ozean bedeckt war (SR 232/4732 Millhopper Rd., tgl. 9–17 Uhr).

Gainesville Visitors and Convention Bureau: 30 E. University Dr., Gainesville, FL 32601, Tel. 352-374-5231, Fax 352-338-3213, www.visitgainesville.net.

Magnolia Plantation: 309 S. E. 7th St., Tel. 352-375-6653, Fax 352-338-0303, www.magnoliabnb.com. Viktorianisch eingerichteter Bed and Breakfast-Gasthof mit Atmosphäre, 11 Häuschen und Zi. ab 90 $.

Emiliano's Cafe and Bakery: 7th S. E. 1st Ave., Tel. 352-375-7381, Di–Do 11–22, Fr–Sa 11–23. Köstliche Puertoricanische Spezialitäten, draußen und drinnen. Hauptgerichte ab 9 $.

Tallahassee

Florida-Atlas: S. 233, F2

Im 19. Jh., kurz nachdem die Vereinigten Staaten Florida den Spaniern abgekauft hatten, wurde die kleine Siedlung als Kompromiss zwischen den rivalisierenden Städten Pensacola und St. Augustine zum Regierungssitz des Territoriums erhoben. Die Hauptstadt des Sunshine State zählt etwa 125 000 Einwohner. Bei einem Spaziergang entlang alter Eichenalleen im Zentrum passiert man verschiedene historische Gebäude. In der 1841 eröffneten **Union Bank** in der Monroe Street wickelten einst die Baumwollpflanzer ihre Finanzgeschäfte ab. Im ältesten erhaltenen Haus der Stadt, **The Columns,** das der schwerreiche Bankier William ›Money‹ Williams 1830 in der Duval Street erbauen ließ, hat inzwischen die Handelskammer von Tallahassee ein würdiges Ambiente gefunden.

Die Geschichte der Halbinsel Florida, von den ersten Indianern bis zu den Touristenströmen unserer Tage, spiegelt sich im anschaulich gestalteten **Museum of Florida History** wider (Gray Building des Capitol-Komplexes, 500 S. Bronough St., Mo–Fr 9–16.30, Sa ab 10, So ab 12 Uhr). Das Regierungs- und Parlamentsgebäude musste mehrmals erweitert werden. Ein Gebäudekomplex mit einem 22-stöckigen Verwaltungsbau ersetzte das heute

Ländliche Dichterklause

Die Menschen und die Landschaft zwischen Gainesville und Palatka stehen im Mittelpunkt der Erzählungen und Romane der Journalistin und Schriftstellerin Marjorie Kinnan Rawlings, die 1928 nach Cross Creek zog. Ihr als Museum erhaltenes Wohnhaus gibt einen authentischen Eindruck vom ländlichen Leben in Florida vor 70 Jahren. An der CR 325, 4 Meilen westl. der Kreuzung mit der US 301 bei Island Grove, Tel. 352-466-3672, Innenräume Do–So 10–11 und 13–16 Uhr, Führungen, Aug.–Sept. geschlossen.

restaurierte **Old Capitol** aus dem Jahre 1845 (Monroe St./Apalachee Pkwy., Mo–Fr 9–16.30, Sa 9–16.30, So 12–16.30 Uhr).

Zwei Forschungs- und Lehrinstitute, die Florida State University und die 1887 als Lehranstalt für Schwarze gegründete A & M University, sorgen mit mehr als 30 000 Studenten dafür, dass Tallahassee nicht allein von den Verwaltungseinrichtungen der Staatsbürokratie dominiert wird. Ausgrabungsarbeiten an der **Mission San Luis de Apalachee** haben Grundrisse einer befestigten spanischen Niederlassung um die Missionskirche San Luis Mission sowie Spuren eines indianischen Dorfes vor deren Palisaden zutage gefördert (2021 Mission Rd., Di–Fr 10–16 Uhr). Nicht weit entfernt zeugen die Wohn- und Zeremonienhügel der **Lake Jackson Mounds** von einer Siedlung früher Indianer der Mississippi-Kultur, in der vor Ankunft der Europäer in Nordamerika mehrere tausend Menschen lebten (3600 Indian Mound Rd., über die US 27 und die Crowder Rd. zu erreichen).

Ruhe und Erholung findet man in den **Maclay Gardens,** einige Meilen nordöstlich des Stadtzentrums von Tallahassee. Azaleen, Kamelien, Magnolien und andere farbenprächtige Blumen säumen die Wanderwege und geben einen Eindruck, wie es im Park eines Herrenhauses vor dem Bürgerkrieg ausgesehen haben muss. Am Ufer eines kleinen Sees kann man picknicken (3549 Thoamsville Rd./US 319, tgl. 8 Uhr bis Sonnenuntergang).

Im Park der Greenwood Plantation (nahe Thomasville)

Einer indianischen Legende zufolge sollen einstmals kleine Wassermenschen in **Wakulla Springs** gelebt haben, die im Mondschein in der Quelle tanzten, bevor ein Krieger in einem steinernen Kanu sie verschreckte. Der Quelltopf im Edward Ball **Wakulla Springs State Park** südlich von Tallahassee erreicht eine Tiefe von 75 m. An normalen Tagen werden 35 000 l Wasser in der Sekunde ans Tageslicht befördert. Die Fahrt mit einem Glasbodenboot auf dem Quellfluss durch einen dichten Dschungel, bei der man Reiher, Schlangenhalsvögel, Alligatoren und Schildkröten beobachten kann, ermöglicht Einblicke in die Unterwasserwelt. Johnny Weissmuller schwamm hier als Hollywood-Tarzan bereits mit Alligatoren um die Wette (550 Wakulla Park Dr., tgl. 8 Uhr bis Sonnenuntergang).

Tallahassee Area Visitor Center: 106 East Jefferson Street, Mo–Fr 8–17, Sa 9–12 Uhr, Tel. 850-413-9200, Fax 850-487-4621, www.seetallahassee.com.

Governors Inn: 209 St. Adams St., Tel. 850-681-6855, Fax 850-222-3105. Herrschaftlicher Bed and Breakfast-Gasthof, direkt beim Capitol, 40 Suiten und Zi. ab 80 $.

Wakulla Springs Lodge: 550 Spring Dr., 15 Meilen südl. von Tallahassee, Tel. 850-224-5950, Fax 850-561-7251. Der im spanisch-kolonialen Stil erbaute Gasthof liegt am Quellgebiet, 27 Zi. ab 80 $.

Cabot Lodge North: 2735 N. Monroe St./US 27, Tel. 850-386-8880, Fax 850-386-4254. Ruhige Anlage, nicht weit vom Stadtzentrum, mit Cocktailstunde, kleines Frühstück inkl., 160 Zi. ab 66 $.

Camping:
Tallahassee RV Park: 6504 Mahan Dr., Tel. 850-878-7641, Fax 850-878-7082, www.tallahasseervpark.com. Gut ausgestattet, Pool, am östl. Stadtrand.

Andrew's Capital Grill & Bar: 228 S. Adams St., Tel. 850-222-3444, Mo–Sa 11.30–14, Mo–Do 17.30–22, Fr–Sa bis 23 Uhr. Stammkneipe für *Power Broker* des nahen Capitol, mit italienisch-amerikanischen Speisen, Hauptgerichte ab 12 $.

Kool Beanz Café: 921 Thomasville Rd., Tel. 850-224-2466, Mo–Fr 11–14.30, 17.30–22 Uhr, Sa nur abends. Karibisch-farbenfrohes Ambiente, munterer Service, Hauptgerichte ab 12 $.

Late Night Library: 809 Gay St. Hier tanzen die Studenten der Universitäten von Tallahassee zu aktuellen Top-40-Hits.

Zugverbindung: Der Amtrak-Zug von Miami nach Los Angeles hält in der 918½ Railroad Ave.

Apalachicola

Florida-Atlas: S. 233, E3
Der verschlafene Fischerort Apalachicola war einst ein bedeutender Hafen, über den Güter aus Georgia und Alabama auf seegängige Schiffe umgeschlagen wurden. Apalachicola ist heute berühmt für seine ergiebigen Austernbänke, 90 % der fleischigen Florida-Austern werden hier gezüchtet. Die Siedler Mitte des 19. Jh. plagten in den Sommermonaten Hitze, Gelbfieber, Malaria und Moskitos. John Gorrie, ein

Arzt aus der Stadt, versuchte, die Qualen seiner Patienten mit der zunächst belächelten Erfindung einer Eismaschine zu lindern. Ein Modell dieses Vorläufers von Kühlschrank und Klimaanlage ist neben Ausstellungsstücken zur Regionalgeschichte im **John Gorrie State Museum** zu bewundern (Ecke 6th St./Avenue D, Do–Mo 9–12 und 13–17 Uhr).

Westlich von Apalachicola schließt sich die wie eine Sichel geformte St. Joseph-Halbinsel an, welche die gleichnamige Bay und den Fischerort **Port St. Joe** vom Golf von Mexiko abgrenzt. Bis zu 10 m hohe Dünen und kilometerlange, weiße Sandstrände erfreuen die wenigen Besucher, die Bay-Seite ist ein Paradies für Wasservögel.

Apalachicola Bay Chamber of Commerce: 99 Market St., Apalachicola, FL 32320-1776, Tel. 850-653-9419, Fax 850-653-8219, www.apalachicolabay.org, Mo–Fr 9.30–17 Uhr.

The Gibson Inn: Market/Avenue C, Tel. 850-653-2191, Fax 850-653-3521, www.gibsoninn.com. Denkmalgeschützter, viktorianischer Gasthof, im Restaurant werden leckere Fischgerichte serviert, 30 Zi. ab 80 $.

Seafood Festival: am ersten Wochenende im Nov.

Panama City

Florida-Atlas: S. 233, D2
Im Hafen von Panama City, einer Stadt von 40 000 Einwohnern, liegen Handelsschiffe, Sport- und Fischerboote an den Piers. Knapp 100 Meilen von Panama City bis nach Pensacola erstrecken sich die schneeweißen Sandstrände des *Miracle Strip*. Bei Fort Walton beginnt die unter Naturschutz stehende Inselkette der **Gulf Islands National Seashore,** die sich 140 Meilen bis nach West Ship Island bei Gulfport im Bundesstaat Mississippi hinzieht und die schmalen, mit Sanddünen sowie ein wenig Küstenvegetation überzogenen Barriere-Inseln vor Besiedlung und kommerzieller Nutzung bewahrt.

Auf den 10 Meilen zwischen Laguna Beach und Panama City Beach wird es im Sommer laut und eng. Imbissbuden, Restaurants und mehr als 15 000 Hotelzimmer versorgen Zehntausende Urlauber aus den benachbarten Bundesstaaten Alabama und Georgia, die dem Strand zum Spitznamen *Redneck Riviera* verholfen haben.

Der **Miracle Strip Amusement Park** bietet Riesenrad, Achterbahn, Computerspiel-Arkaden, ein Shipwreck Island Water Park offeriert zahlreiche weitere feuchte Vergnügungen. Die maritime Bedeutung der Küstenregion wird im **Museum of Man in the Sea** demonstriert, das Schätze versunkener spanischer Galeonen zeigt und die Technik von Offshore-Ölbohrungen erläutert (17314 Panama City Beach Pkwy., Panama City Beach, tgl. 9–17 Uhr). Wegen der kräftigen Meeresströmung darf an den Stränden nur unter Aufsicht von Rettungsschwimmern gebadet werden.

Kleine Badeorte entlang der Golfküste, wie Destin, Seaside, Seagrove oder Grayton Beach versprechen entspannten Strandurlaub. Nördlich von Fort Walton Beach trainieren dagegen etwa 20 000 Luftwaffensoldaten auf dem riesigen Gelände der Eglin Air Force Base, die mit 21 *Runways* als größte Luftwaffenbasis der Welt gilt. Das **Air Force Armament Museum** des Militärstützpunktes (an der SR 85, Eglin Air Force Base, tgl. 9.30–16.30 Uhr) zeigt Waffentechnik vom Ersten Weltkrieg bis heute.

Panama City Beach Convention & Visitors Bureau: 12015 W. Front Beach Rd., Panama City Beach, FL 32407, Tel. 850-233-6503, Fax 850-233-5072, www.thebeachloversbeach.com.
Emerald Coast Convention and Visitors Bureau: Ft. Walton Beach, FL 32549, Tel. 850-651-7131, www.destin-fwb.com.

Seaside Cottage Rental Agency: Rte. 30A, P.O.Box 4730, Seaside FL 32459, Tel. 850-231-1320, Fax 850-231-2373, www.seasidefl.com. Gut ausgestattete Ferienhäuser und Apartments mit 1–6 Schlafzimmern, pro Woche ab 1000 $.
Sunset Inn: 8109 Surf Dr., Panama City Beach, Tel. und Fax 850-234-7370, www.sunsetinnfl.com. Mini-Apartments mit Kochgelegenheit in gut geführter Anlage direkt am Strand, weit genug vom Vergnügungsrummel, 62 Zi. ab 55 $.
Camping:
Navarre Beach Campground: 9201 Navarre Parkway Navarre, Tel. 850-939-2188, www.navarrebeachcampground.com. Sehr gut ausgestatteter Platz 12 km westl. von Ft. Walton Beach.

Canopies: 4423 W. 18th St., Tel. 850-872-8444, tgl. 17–22 Uhr. Von der Veranda hat man den besten Blick auf die St. Andrews Bay, Fisch- und Krebsgerichte, leckere Dessert-Kreationen, Hauptgerichte b 18 $.
Shuckums Oyster Pub & Seafood Grill: 15614 Front Beach Rd., Tel. 850-235-3214, im Sommer tgl. 11–2 Uhr, sonst bis 21 Uhr. Ohne steife Förmlichkeit werden die frischen Apalachicola-Austern verspeist, die Bar ist mit 1-Dollar-Scheinen ›tapeziert‹, die zufriedene Gäste signiert und an Wände und Decke geklebt haben. Hauptgerichte ab 9 $.

Tempel Mound Museum

Bis zu 2000 Indianer der Mississippi-Kultur lebten vor Ankunft der Spanier an der Choctawhatchee Bay. In dem auf einem 4 m hohen Erdhügel errichteten Museum entfaltet sich die Geschichte der indianischen Besiedlung der vergangenen 10 000 Jahre. Keramikfunde, geschnitzte Masken und, Waffen geben einen Eindruck von der einst umfangreichen Anlage (139 Miracle Strip Pkwy., Mo–Sa 10–17, Sept.–Mai 11–16 Uhr).

Club La Vela: 8813 Thomas Dr. Mit 14 Tanzflächen und parallel drei Bands am Abend.

Strand: St. Andrews State Recreation Area: 4415 Thomas Dr., am südöstlichen Ende von Panama City Beach, tgl. 8 Uhr bis Sonnenuntergang, in einem herrlichen Dünengelände.
Henderson Beach State Park: östlich von Destin Harbor an der US 98, mit feinsandigem, 3 km langem Strand, dazu Duschen, Toiletten und 30 Plätze für Zelte.

Pensacola

Florida-Atlas: S. 232, A2

Die mit 250 000 Einwohnern bevölkerungsreichste Stadt des *Panhandle* hat eine wechselvolle Geschichte hinter sich. Der spanische Grande Don Tristan de Luna y Arella ging 1559 mit 500 Soldaten und 1000 Siedlern in der Bay an Land, um eine spanische Kolonie zu gründen. Angriffslustige Indianer, mangelhafte Versorgung und zerstörerische Hurrikans machten dem ersten Siedlungsversuch bald ein Ende. Zwischen 1719 und 1862 wechselte Pensacola mehrfach den Besitzer, hissten Franzosen, Spanier, Engländer, wieder Spanier, US-Amerikaner und von 1861 bis 1862 die Südstaaten ihre Flaggen über der Garnison von Pensacola.

Um den Seville Square im Zentrum der Stadt erstreckt sich ein historisches Viertel mit Häusern aus dem 18. und 19. Jh. Im **Historic Pensacola Village** sind mehrere Gebäude restauriert und zu besichtigen (Tel. 850-595-5985, www.historicpensacola.org, Mo–Sa. 10–16 Uhr). In der Old Christ Church aus dem Jahre 1830 ist heute das **Pensacola Historical Museum** zur Stadtgeschichte untergebracht (115 E. Zaragoza St., Mo–Sa 10–16.30 Uhr).

Der sich nach Westen anschließende Palafox District war um die Wende vom 19. zum 20. Jh. das wirtschaftliche und gesellschaftliche Zentrum der Stadt. In der ehemaligen City Hall zeigt das **Wentworth Florida State Museum** eine umfangreiche Ausstellung zur Regionalgeschichte, von den Gründungsdokumenten der Stadt bis zu einer Sammlung von Kronkorken der

Im historischen Viertel von Pensacola

örtlichen Coca Cola-Abfüllung (330 S. Jefferson St., Mo–Sa 10–16 Uhr).

Das **National Museum of Naval Aviation** auf dem Gelände der Naval Air Station dokumentiert die militärische Tradition der Stadt, die mit der ersten befestigten Siedlung der Spanier begann. Seit 1914 bildet die Marine hier ihre Piloten aus, die Blue Angels, Paradestaffel der Marineflieger, hat ihren Heimatstützpunkt in Pensacola (Navy Blvd., www.naval-air.org, tgl. 9–17 Uhr).

Die Einfahrt zur Pensacola Bay wird von zwei Forts flankiert. Die Wälle und Bastionen von **Fort Barrancas,** als Bateria de San Antonio von den Spaniern gegründet, liegt auf dem Gelände der Naval Air Station. **Fort Pickens** (10 Meilen westl. von Pensacola, tgl. 9–17 Uhr, Dez.–Jan. eingeschränkt), mit 4 m dicken Backsteinmauern zwischen 1829 und 1834 auf der vorgelagerten Insel **Santa Rosa Island** erbaut, konnte nie erstürmt werden. Zwischen 1866 und 1868 wurde hier der Häuptling Geronimo mit einigen seiner Krieger nach der Kapitulation der Apachen in Arizona gefangengehalten und zur Schau gestellt.

Das Strandbad **Pensacola Beach** mit einer Reihe von ordentlichen Strandhotels gehört zu den Barriere-Inseln, die als Gulf Islands National Seashore überwiegend unter Naturschutz gestellt sind.

Pensacola Visitor Information Center: 1401 E. Gregory St., Pensacola FL 32501, bei der Pensacola Bay Bridge, Tel. 850-434-1234, Fax 850-432-8211, www.visitpensacola.com, tgl. 8–17 Uhr.

Pensacola Beach Visitor Center: 735 Pensacola Blvd., Pensacola Beach, Tel. 850-932-1500, www.visitpensacolabeach.com.

New World Landing: 600 S. Palafox St., Tel. 850-432-4111, Fax 850-432-6836, www.newworldlanding.com. Feines Hotel im historischen Palafox District mit prominenter Gästeliste, 16 Suiten und Zi. ab 75 $.

Jamie's: 424 E. Zaragoza St., Tel. 850-434-2911, Mo–Sa 11.30–14 u. 17.30–20 Uhr. Kreative floridianische Küche in stilvoll restaurierter Villa, Hauptgerichte ab 17 $.

Hopkins' Boarding House: 900 N. Spring St., Tel. 850-438-3979, Di–So 7–9.30 u. 11.15–14, Di u. Fr 17–19.30 Uhr. Die langen Tische biegen sich unter den kalorienschweren Köstlichkeiten, keine Kreditkarten, Mittag- und Abendgericht 8 $.

Saenger Theatre: 118 Palafox St., Tel. 850-444-7686. Einst Vaudeville-Theater, heute Spielort von Oper, Symphonie-Orchester und der Ballett-Truppe von Pensacola.

Die Landung von Tristan de Luna wird alljährlich im Mai als Auftakt der **Fiesta of Five Flags** farbenprächtig nachgespielt.

Quayside Art Gallery: 15–17 E. Zaragoza Street, Tel. 850-438-2363, Mo–Sa 10–17, So 13–17 Uhr. Ausstellung und Verkaufsraum von mehr als 100 Künstlern aus der Region.

Zugverbindung: Der Sunset Limited von Amtrak hält auf seinem Weg von Miami nach Los Angeles auch in Pensacola, 940 E. Heinberg St.

REISEINFOS VON A BIS Z

Alle wichtigen Informationen rund ums Reisen auf einen Blick – von A wie Anreise bis Z wie Zeitungen

Extra: Ein Sprachführer mit wichtigen Ausdrücken und Redewendungen für den Florida-Urlaub

Unterwassershow in Weeki Wachee

REISEINFOS VON A BIS Z

Anreise

In der Regel fliegt man in die USA. Täglich fliegen zahlreiche Airlines von deutschen Flughäfen sowie von Wien und Zürich direkt und mit Umsteigeverbindungen nach Miami oder auch nach Orlando, Tampa oder Fort Myers. Die reine Flugzeit für die fast 8000 km lange Strecke beträgt etwa zehn Stunden. Je nach Saison bieten Gesellschaften den Flug nach Florida zwischen 400 und 750 Euro an.

Viele Hotels und fast alle Mietwagenverleiher haben Zubringerbusse, *Shuttles,* am Flughafen. Wer ein Taxi nimmt, sollte sicher sein, dass es ein *Yellow Cab* und kein Privatwagen ist, deren Preise am Ziel häufig für Überraschungen sorgen.

Apotheke

Medikamente gibt es in *Drugstores,* die eine spezielle Abteilung *Prescriptions* führen. Mittel gegen Schmerzen oder Erkältungskrankheiten sind in reicher Auswahl in den Supermärkten vorhanden, bei speziellen Rezepten empfiehlt es sich, entweder von zu Hause genügend Medikamente mitzunehmen oder sich vom Arzt die Inhaltsstoffe der Arzneimittel aufschreiben zu lassen, damit in Florida ein Apotheker eventuell vergleichbare Medikamente ausgeben kann.

Ärztliche Versorgung

Die medizinische Versorgung in den Vereinigten Staaten ist ausgezeichnet, wenn auch teurer als hier zu Lande. Arzt- und Krankenhausrechnungen müssen sofort beglichen werden, eine Kreditkarte hilft besonders bei größeren Beträgen in Hospitälern.

Die gelben Seiten der Telefonbücher enthalten eine Liste der lokalen Ärzte und Krankenhäuser. Auch an der Hotelrezeption oder bei der lokalen Chamber of Commerce (Handelskammer) erhält man Adressen und Telefonnummern von Ärzten und Krankenhäusern. In dringenden Notfällen erreicht man über Tel. 911 Polizei, Feuerwehr und Krankenwagen.

Es ist ratsam, sich bei der heimischen Versicherung über eventuell zu deckende Kosten zu erkundigen und gegebenenfalls eine zusätzliche Auslandskrankenversicherung abzuschließen.

Auskunft

Informationen zu Florida können bei folgenden Büros angefordert werden:

Florida Versandhaus
c/o PELA Touristikservice
Postfach 1227
63798 Kleinostheim
Fax 06027/979 69 82
FloridaInfo@t-online.de
www.FLAUSA.com/de
Nur schriftliche Anfragen.

Bradenton Area
Leibnizstrasse 21
10625 Berlin
Tel. 030/315 040 45
Fax 030/315 040 46
info@holidayandsun.de
www.floridaislandbeaches.com

Florida Keys & Key West
c/o Get it Across Marketing

Neumarkt 33
50667 Köln
Tel. 0221/233 64 51
Fax 0221/233 64 50
fla-keys@getitacross.de
www.fla-keys.com

Greater Fort Lauderdale
c/o Mangum Management GmbH
Sonnenstrasse 9
80331 München
Tel. 089/236 621 63
Fax 089/236 621 99
think@mangum.de
www.sunny.org

Indian River County/
Vero Beach, St. Lucie County
c/o Basic Service Group GmbH,
Bahnhofsplatz 4
55116 Mainz,
Tel. 06131/993 30
Fax 06131/993 31
service@bsg-net.de
www.indianriverchamber.com
www.bsg-net.de

The Beaches of
Fort Myers and Sanibel
c/o Vera H. Sommer Touristik Marketing
Würzburger Straße 20
63739 Aschaffenburg
Tel. 06021/32 53 03
Fax 06021/32 53 02
Vera.H.Sommer@t-online.de
www.FortMyersSanibel.com

Greater Miami,
c/o PELA Touristikservice
Postfach 1227
63798 Kleinostheim
Fax 06027/57 48
rp.Lang@t-online.de
www.gmcvb.com
Nur schriftliche Anfragen.

Orlando
Angelbergstrasse 7
56076 Koblenz
Tel. 0261/973 06 73
Tel. 0800-100 73 25 (gebührenfrei Deutschland & Österreich)
Fax 0261/973 06 74
Rukhsana.Timmis@t-online.de,
www.orlandoinfo.com/de

Palm Beach County
c/o Wiechmann Tourism Services
Scheidswaldstraße 73
60385 Frankfurt
Tel. 069/255 38-260
Fax 069/255 38-100
info@wiechmann.de
www.palmbeachfl.com

St. Petersburg/Clearwater Area
c/o Schuch-Beckers Touristic Services
Alt Erlenbach 25
60437 Frankfurt
Tel. 06101/44052
Fax 06101/4524
barbara@floridasbeach.com
www.floridasbeach.com

In Hotels, Touristen-Büros und den örtlichen Chambers of Commerce liegen kostenlose Informationsbroschüren, Faltblätter und Straßenkarten mit Informationen zu Nationalparks, Sehenswürdigkeiten, Straßen, Hotels, Restaurants, Sportmöglichkeiten und Veranstaltungen aus. Wer Mitglied des ADAC ist, bekommt von der American Automobile Association *(AAA)* in deren Büros kostenlose Straßenkarten sowie Hotel- und Motelverzeichnisse. Welcome Center an den Grenzen von Florida zu anderen Bundesstaaten sind meist gut mit Informationsmaterial bestückt.

Autofahren

Die Strecken, die in den USA mit dem Wagen zurückgelegt werden, sind erheblich größer als in der Bundesrepublik. Auf den Highways und Interstates liegt das **Tempolimit** bei 55 (88 km/h) bzw. 70 (112 km/h) Meilen pro Stunde, innerorts bei 25 (40 km/h) bis 35 (56 km/h) Meilen.

Die Geschwindigkeitsbegrenzungen sollten eingehalten werden, denn die *Highway Patrol* ahndet das Rasen mit empfindlichen Geldstrafen. Wer von der Polizei angehalten wird, sollte ruhig im Auto sitzen bleiben und die Hände ans Lenkrad legen.

Auch in Florida gilt rechts vor links. Stehen mehrere Wagen an **Kreuzungen,** fährt derjenige los, der zuerst dort war. Entgegen deutschen Gepflogenheiten darf man an einer roten Ampel rechts abbiegen, außer wenn ein *No turn on red*-Zeichen aufleuchtet. Besonders achten sollte man auf **Schulbusse,** deren Abfahrt mit einem roten Stoppschild angekündigt wird. Sie dürfen auf keinen Fall während des Anfahrens oder beim Halt überholt werden.

Auf mehrspurigen Straßen darf rechts und links überholt werden. In den Städten sind Parkuhren allgegenwärtig, tagsüber werden Wagen, deren Parkzeit überschritten ist, unbarmherzig abgeschleppt. Die *Tow away zones* zeigen an, dass Parkzeiten hier tagsüber nicht überzogen werden dürfen.

Einige wenige Autobahnen wie der Florida Turnpike und einige Brücken (*Causeways* oder *Toll bridges)* sind gebührenpflichtig, Schilder mit der Aufschrift *Toll* weisen auf die Höhe der Maut hin. Wer passendes Kleingeld parat hat, kommt schneller durch die Schranken.

Behinderte auf Reisen

In den USA ist es für Behinderte erheblich einfacher als in der Bundesrepublik, in vielen Gebäuden gibt es behindertengerechte Eingänge, Fahrstühle und sanitäre Einrichtungen. Dies trifft auch für viele kommerzielle Unternehmen zu, Disneyworld hat sogar ein eigenes Handbuch für behinderte Besucher des Vergnügungsparks herausgegeben. Auch Mietwagenfirmen bieten handgeschaltete Wagen an, man sollte sie allerdings frühzeitig reservieren.

Diplomatische Vertretungen der USA

... in Deutschland
Amerikanische Botschaft
Neustädtische Kirchstr. 4–5
10117 Berlin
Tel. 030/8305-0
www.us-botschaft.de

... in Österreich
Botschaft der Vereinigten Staaten von Amerika
Boltzmanngasse 16, 1091 Wien
Tel. 01/313 39, Fax 01/310 06 82
www.usembassy-vienna.at

... in der Schweiz
Ambassade des Etats-Unis
Jubiläumstr. 93
3005 Bern
Tel. 031 357 70 11, Fax 031 357 73 44
www.usembassy.ch

Diplomatische Vertretungen in Florida

... von Deutschland
Generalkonsulat der Bundesrepublik Deutschland
100 N. Biscayne Blvd.
Miami, FL 33132
Tel. 305-358-0290, Fax 305-358-0307
www.miami-diplo.de

... von Österreich
Honorarkonsulat der Republik Österreich
1454 N. W. 17th Ave.
Suite 200, Republic Building
Miami, FL 33125
Tel. 305-325-1561, Fax 305-325-1563

... von der Schweiz
Konsulat der Schweiz
825 Brickell Bay Drive
Suite 1450, Miami, FL 33131
Tel. 305-377-6700, Fax 305-377-9936
swisscomia@mindspring.com

Drogen

Der Besitz von Drogen wie Marihuana, Kokain oder Heroin ist mit hohen Gefängnisstrafen belegt und nicht anzuraten.

Einreise- und Zollbestimmungen

Zur Einreise ohne Visum bei einem Urlaub bis zu 90 Tagen genügt für deutsche, österreichische und Schweizer Bürger ein maschinenlesbarer **Reisepass,** der noch mindestens bis zum Ende der Reise gültig sein muss. Weiterhin müssen ein **Rückflugticket** und ausreichende **Geldmittel** vorhanden sein. Wer mit einem Visum einreist, muss biometrische Daten (elektronischer Fingerabdruck, Foto des Auges) an der Grenze abnehmen lassen. Aktuelle Informationen erteilen die zuständigen Generalkonsulate oder die jeweilige Botschaft.

Die Zoll- und Einreisebestimmungen werden per Video im Flugzeug erklärt, die Formulare mit Hilfe der Flugbegleiter ausgefüllt. Katzen und Hunde müssen in Florida für längere Zeit in Quarantäne.

Devisenbeschränkungen bestehen nicht, wer mehr als 10 000 US-Dollar in bar einführen möchte, benötigt eine Genehmigung der amerikanischen Zollbehörde.

Bis zu 200 Zigaretten und 1 l Spirituosen pro Person dürfen zollfrei mitgenommen werden. Besonders in Miami achten die Behörden streng auf Drogeneinfuhr, Leibesvisitationen sind nicht selten. Es ist verboten, Lebensmittel oder Pflanzen einzuführen.

Elektrizität

Die Stecker von in Europa gebräuchlichen Elektrogeräten passen nicht in US-amerikanische Blattsteckdosen. Deren Spannung beträgt 110/125 Volt. Adapter sollten in Deutschland gekauft werden, die Elektrogeräte sollten umschaltbar sein.

Feiertage und Feste

1. 1. New Year's Day, Neujahr
Dritter Montag im Januar, Martin Luther King's Birthday

Dritter Montag im Februar, President's Day, Washingtons Geburtstag
Letzter Montag im Mai, Memorial Day zu Ehren gefallener Soldaten, Beginn der Sommersaison
4. 7. Independence Day, Fest zur amerikanischen Unabhängigkeitserklärung
Erster Montag im September, Labor Day, nationaler Feiertag der Arbeit, Ende der Sommersaison
Zweiter Montag im Oktober, Columbus Day, ›Entdeckung‹ Amerikas
11. 11. Veteran's Day zu Ehren ehemaliger Soldaten
Vierter Donnerstag im November, Thanksgiving. Zum Erntedankfest wird die gesamte Familie traditionell zum Truthahnessen eingeladen.
25. 12. Christmas Day, Weihnachten

Foto, DVD und Video

Filme sind in den USA teurer als in Deutschland, in Fotogeschäften erhält man auch Speicherchips für digitale Fotoapparate. Wer Videos kauft, sollte zu Hause ein Gerät besitzen, das auch NTSC-Kassetten abspielt. Der heimische DVD-Player sollte den Ländercode 1 akzeptieren.

Frauen allein unterwegs

Sexuelle Belästigung wird in den USA strenger geahndet als in Europa. Allein reisende Frauen finden daher in Florida gute Bedingungen. Sollte es zu Problemen kommen: Notruf 911 oder die 24-Stunden-Tourist-Assistance-Hotline 1-800-656-8777, die auch einen deutschsprachigen Service anbietet.

Geld

Ein Dollar hat 100 Cent, gebräuchliche Münzen sind *quarter* (25 Cent), *dime* (10 Cent) und *nickel* (5 Cent) sowie 1 Cent. Alle US-amerikanischen Banknoten zu 1, 5, 10, 20, 50 und 100 Dollar haben die gleiche Größe und Farbe und sind daher leicht zu verwechseln. Bargeld erhält man mit der Kreditkarte und der Geheimnummer (PIN, *personal identification number)* an Automaten *(teller)* oder in Banken (Mo–Fr 9–17 Uhr) gegen allerdings recht üppige Gebühren. An vielen Geldautomaten wird auch die heimische **EC-Karte** mit Maestro-Funktion akzeptiert.

Hilfreich sind **Dollar-Reiseschecks,** mit denen man in Geschäften oder Restaurants bezahlen kann und deren Verlust versichert ist. Größere Beträge werden ohnehin meist mit einer gängigen Kreditkarte (MasterCard oder Visa) bezahlt.

Gesundheitsvorsorge

Für Reisende aus Westeuropa sind keine Impfungen vorgeschrieben. Wegen der besonders im Sommer starken Sonneneinstrahlung sollte man tagsüber eine Kopfbedeckung tragen und eine Sonnenschutzcreme mit starkem UV-Filter benutzen. Klima-Anlagen, die überall in Florida, auch in den Autos, auf Hochtouren laufen, sind häufig Ursache für Erkältungen.

Informationen im Internet

Neben den Websites der verschiedenen Informationsbüros und Botschaf-

ten können weitere Adressen hilfreich sein:
www.nps.gov: Informationen zu Nationalparks
www.scubanews.com: Adressen und Links zum Tauchen
www.floridasmart.com: Viele Florida-Links zu allen Bereichen
www.dep.state.fl.us/parks: Alles über State Parks in Florida
www.usa.de: Allgemeines zu den USA, Verbindungen zu allen Bundesstaaten
www.gocampingamerica.com: Alles zum Camping und Infos zu diversen Campingplätzen
www.aaa.com: Amerikanischer Automobilclub

Karten und Pläne

Empfehlenswert sind die Straßenkarten von Rand McNally, die auch in Europa im Fachbuchhandel vertrieben werden. ADAC-Mitglieder erhalten kostenlos die hervorragenden Karten der American Automobil Association (AAA). Büroadressen über www.aaa.com und Eingabe einer lokalen Postleitzahl/Zip-Code.

Lesetipps

Edna Buchanan: Todesfee, Bergisch-Gladbach 2001. Die Privatdetektivin Britt Montero jagt Verbrecher im Dschungel von Miami. Diverse spannende Krimi aus der Feder der ehemaligen Reporterin.
James W. Hall: Abgetaucht, München 1997. Der Aussteiger und passionierte Angler Thorn Boot nimmt von seinem Boot auf den Keys den Kampf gegen einen psychopathischen CIA-Agenten auf, der die Welt mit mutierten ›Killerbarschen‹ vernichten will.
Ernest Hemingway: Haben und Nichthaben, Reinbek 1964. Der Klassiker des Nobelpreisträgers spielt auf Key West, wo der Autor jahrelang lebte.
Carl Hiaasen: Krumme Hunde, München 2002. Als Palmer Stoat eine leere Verpackung aus dem Auto wirft, bringt er eine Kettenreaktion in Gang. Die ätzenden Florida-Krimis des Miami-Herald-Kolumnisten haben eine weltweite Fangemeinde.
John Katzenbach: Der Sumpf, Bergisch-Gladbach, 1993. Der Reporter Matthew Coward rettet einen Schwarzen aus der Todeszelle. Nachdem ein neuer Mord geschieht, tauchen jedoch Zweifel auf.
Charles Willeford: Miami Blues, Reinbek 1994. Der Miami-Cop Hoke Mosely ist einem Killer und Räuber auf der Spur und wird zeitweise selbst zum Gejagten. Die Hoke Mosely Romane haben inzwischen Kultstatus.

Maße, Gewichte, Temperaturen

Temperaturen
Die Umrechnung für die Temperaturen erfolgt nach der Formel: Fahrenheit minus 32 geteilt durch 1,8 gleich Celsius. Die gängigsten Temperaturen sind: 32 °F – 0 °C, 50 °F – 10 °C, 68 °F – 20 °C, 86 °F – 30 °C, 104 °F – 40 °C

Die gängigsten Maße:
1 *inch* (in) – 2,54 cm
1 *foot* (ft – 12 in) – 30,48 cm

1 *yard* (yd – 3 ft) – 91 cm
1 *mile* (m) – 1,609 km

Gewichte werden in *ounce* (1 oz – 28,35 g), *pound* (1 lb – 453 g) und *ton* (907 kg) gemessen

Flüssigkeiten berechnet man in *pint* (1 pt – 0,473 l), *quart* (1 qt – 0,946 l) oder *gallon* (1 gal – 3,785 l).

Notruf

s. vordere Umschlagklappe

Öffnungszeiten

s. vordere Umschlagklappe

Post

Postämter befinden sich in nahezu jedem Ort, sie sind in der Regel Mo–Fr 8–17 und Sa 10–13 Uhr geöffnet. Telegramme können auch vom Hotel oder per Telefon (Tel. 0 für Operator) aufgegeben werden. Briefmarken werden zudem in Hotels und *drugstores* meist mit Aufschlag verkauft. Briefe und Postkarten nach Europa dauern per Luftpost ca. eine Woche bis zehn Tage. Eine Postkarte kostet 70 Cent, ein Brief 80 Cent Porto. Aktuelle Gebühren und eine Übersicht über die Postleitzahlen (Zip-Code) erhält man bei der Website des US Postal Service: www.usps.com.

Radio und Fernsehen

Viele Dutzend Radiosender orientieren sich meist auf eine lokale Zielgruppe mit einem bestimmten Musikgeschmack. Sie werden sehr häufig von Werbeblöcken unterbrochen. Allein im öffentlich rechtlichen Sender PBS erfährt man Neues aus Politik, Wirtschaft und Kultur. Die großen nationalen TV-Sender lassen sich überall in Florida empfangen, dazu gibt es Einkaufskanäle und regionale Informationen, außerdem einige spanischsprachige Programme. In Hotels werden häufig zusätzliche Kabelprogramme wie der HBO (Spielfilme), ESPN (Sport) oder CNN (Nachrichten) kostenfrei angeboten, dazu eine Auswahl aktueller Spielfilme gegen Gebühr.

Schwule und Lesben

Viele Orte in Florida, wie Key West, Miami Beach oder Fort Lauderdale, haben einen Ruf als besonders angenehme Reiseziele für Schwule und Lesben. In Städten sind Diskriminierungen eher ungewöhnlich, in ländlichen Regionen dagegen eine eher zurückhaltende Zurschaustellung der Sexualität sinnvoll.

Sicherheit

Problematische Stadtviertel sollte man – wie auch zu Hause – nachts meiden, größere Geldbeträge deponiert man am besten im Hotelsafe *(Safety deposit box)*. Wird man dennoch bedroht, ist es am sichersten, das Geld herauszugeben und defensiv zu reagieren.

Anhalter sollten nicht mitgenommen werden. Fahren Sie nur mit lizenzierten Taxis. Die Mitarbeiter vieler Tankstellen und Supermärkte helfen bei Orientierungsschwierigkeiten weiter. Kameras,

Brief- und Handtaschen gehören nicht auf den Sitz des Autos, Geldbörsen nicht in die hintere Hosentasche.

Steuern

Eine nationale Mehrwertsteuer gibt es in den USA nicht, doch Bundesstaaten, Countys und Städte können eigene Steuern festlegen. Die Sales Tax in Florida beträgt 6 %. Zusätzliche lokale Aufschläge betragen 1–3 %. Diese Steuern werden meist zu den ausgewiesenen Preise in Geschäften, Restaurants und Hotels addiert.

Telefonieren und Internet

Das Telefonnetz der USA wird von privaten Gesellschaften betrieben, der Service ist freundlich und hilfsbereit. Für innerstädtische Telefonate wählt man die siebenstellige Ziffer, bei Ferngesprächen müssen eine 1 und der dreistellige *Area Code* gewählt werden. Die meisten Gespräche werden direkt gewählt, es ist jedoch gegen Aufpreis auch möglich, den *Operator* (Tel. 0) oder den *Overseas Operator* (Tel. 00) zu bemühen. Er wählt die Nummer, und falls der Adressat nicht erreichbar ist, kostet das Gespräch nichts.

Gebührenfrei sind die Anschlüsse, die mit 800 oder 888 beginnen, viele Hotels und Mietwagenfirmen unterhalten solche Nummern. Die Vorwahl 900 ist gebührenpflichtig. In vielen Geschäften in Florida können **Telefonkarten** für bestimmte Dollar-Beträge erworben werden. Wer diese nicht hat, sollte vor allem für Ferngespräche bei öffentlichen Telefonen viele *quarters* (25-Cent-Münzen) parat haben. Bei einem **R-Gespräch** übernimmt der Angerufene die Kosten des Telefonats. Hotels verlangen für Ferngespräche oft sehr hohe Aufschläge.

Vorwahlen u. mobil telefonieren: s. vordere Umschlagklappe

Toiletten

Restrooms findet man in Restaurants, Bars, Hotellobbys, Malls oder Bus- und Bahnstationen.

Trinkgeld

Man sollte sich nicht wundern, wenn von Kellnern während des Essens öfter nachgefragt wird, ob alles *okay* oder *fine* sei. Das gehört zur allgemeinen Höflichkeit und besonders zu einer aufmerksamen Bedienung. Es ist üblich, etwa 15–20 % des Rechnungsbetrags als Trinkgeld zu geben.

Die Grundgehälter im Dienstleistungsgewerbe sind dürftig, das *tip* ist daher ein wichtiger Bestandteil des Lohns.

Verkehrsmittel

Mietfahrzeuge

Mietwagen sind in Florida günstiger als in Europa. Wer zu Hause über ein Reisebüro bucht, erhält einen Mietwagen mit unbegrenzter Kilometerzahl sowie allen notwendigen Versicherungen und Steuern ab ca. 200 € pro Woche. Das Mindestalter hierfür beträgt 21 Jahre. Wer jünger als 25 Jahre alt ist, muss eine Zusatzversicherung abschließen.

Flugzeuge
Fliegen ist in den USA nicht mehr günstiger als in Europa. Von Miami bestehen zahlreiche Flugverbindungen innerhalb des Staates. So kostet der knapp zweistündige Flug in die Hauptstadt Tallahassee ca. 150 Dollar. Für ca. 90 Dollar fliegt man in 45 Minuten nach Key West.

Züge
Die staatliche Eisenbahnlinie Amtrak verbindet die größeren Städte des Landes mit komfortablen Zügen. Von Jacksonville verkehrt ein Zug über Ocala, Orlando, West Palm Beach und Fort Lauderdale nach Miami. Eine weitere Verbindung besteht von Jacksonville über Palatka, Kissimmee, Tampa, St. Petersburg und Sarasota nach Fort Myers. Von Jacksonville hat man Anschluss nach Washington D.C. und New York sowie nach Los Angeles. Ein **Railpass** für den Osten und Mittleren Westen, den man bereits in Europa erstehen muss, berechtigt für 210 Dollar zwei Wochen lang zu unbegrenzten Fahrten. Infos gibt es auch unter www.amtrak.com.

Busse
Die preiswerten Greyhound-Busse fahren die großen Städte in Florida sowie weitere kleine Städte an, die Fahrten in den Überlandbussen sind allerdings zuweilen anstrengend. Mit einem **Ameripass,** der bereits in Europa erhältlich ist, kann man zwischen vier und 60 Tagen unbegrenzt durch die USA fahren. Infos zu Strecken und Einzeltickets gibt es unter www.greyhound.com.

Zeit

In Florida gilt die *Eastern Time,* die sechs Stunden hinter der MEZ zurückliegt, im westlichen Teil des Panhandle *(Central Time)* sind es sieben Stunden. Wenn die Uhr in Frankfurt 18 Uhr anzeigt, schlägt es in Miami 12 Uhr mittags. US-Amerikaner berechnen die Uhrzeit nach *a. m.* (von 0 bis 12 Uhr) und *p. m.* (von 12 bis 24 Uhr), vom ersten Sonntag im April bis zum letzten Sonntag im Oktober gilt die amerikanische Sommerzeit, dann werden die Uhren um eine Stunde zurückgestellt.

Zeitungen

Deutschsprachige Zeitschriften und Zeitungen erhält man nur mit Glück und mit Verspätung im Bereich internationaler Flughäfen wie Miami oder Orlando. Das »Florida Journal«, eine zweimonatlich erscheinende Zeitschrift in deutscher Sprache, gibt Informationen zum Südwesten von Florida.

Der »Miami Herald« ist die große, am Wochenende fast ein Kilo schwere Zeitung, die im Südosten Verbreitung findet. Sie erscheint auch in spanischer Sprache. Einen guten Ruf haben auch die »St. Petersburg Times« und die »Gainesville Sun«. Viele Dutzend weiterer Zeitungen konzentrieren sich fast ausschließlich auf lokale und nationale Nachrichten. Die überregionale Tageszeitung »USA-Today« erscheint auch mit einer floridianischen Ausgabe. Die bundesweit erscheinenden Wochenmagazine wie »Time« oder »Newsweek« sind ohne regionale Konkurrenz in Florida.

KLEINER SPRACHFÜHRER

Besichtigung

Ausgrabung	excavation, dig
Aussicht	view
Besichtigung	tour, visit
Bürgerkrieg	civil war
Denkmal	monument
Eintritt	admission
Friedhof	cemetery
Führung	guided tour
Galerie	galery

Einkaufen

Bargeld	cash
BH	bra
Booze	Slangwort für Alkoholika
Brille	glasses
Dia-Farbfilm	color slide film
Drogerie/Apotheke/Supermarkt	drugstore
Farbfilm für Papierabzüge	color print film
Gürtel	belt
Hemd	shirt
Hose	pants
Kappe/Mütze	cap
Kaufhaus	department store
Kondom	condom
Kostüm/Anzug	suit
Kreditkarte	credit card
Mückenschutz	mosquito repellent
Porzellan	china
Sechserpack bei Getränken	sixpack
Umkleidekabine	fitting room
Unterhosen	boxer shorts
Wildleder	suede

Essen und Trinken

Abendessen	dinner
Auster	Oyster
Bratkartoffeln	hash browns
Eier, beidseitig gebraten	eggs over easy
Geflügelsalat	chicken salad
gegrillt	broiled
gekocht	boiled
Gurke	cucumber
Haferflocken	oatmeal
Hauptgang	entree
Kellner/in	waiter/waitress
Krabben	shrimps
Mittagessen	lunch
Muschelsuppe	clam showder
Nachtisch	dessert
Pfeffer	pepper
Pommes Frites	french fries
Prosit	Cheers!
Rechnung	check/bill
Reste des Essens zum Mitnehmen	doggy bag
Rinderbraten	prime rib
Römischer Salat	Ceasar salad
Rühreier	scrambled eggs
Salz	salt
Sandwich mit geräuchertem Rindfleisch	pastrami sandwich
Sandwich mit gepökeltem Rindfleisch, Sauerkraut und Schweizer Käse	Reuben sandwich
Senf	mustard
Serviette	napkin
Speisekarte	menu
Spiegeleier	eggs sunny side up

Süßstoff	sweetener
Trinkgeld	tip
Vorspeise	appetizer
Zwiebelringe	onion rings

Geschäftliches

Geldschein	bill
Geschäftsführer	manager
Informationsstand	information booth
Kunde	customer, client
Prospekte	brochures
Quittung	receipt
Sitzung	session
Treffen	meeting
Visitenkarte	business card

Krankheiten/Notfälle/ Behinderungen

Apotheke	pharmacy
Entzündung	infection
Erste Hilfe	first aid
Feuerwehr	fire brigade
Fieber	fever
Frauenarzt	gynaecologist
Hexenschuss	lumbago
Ich habe mich übergeben	I've thrown up
körperbehindert	physically handicapped
Krankenhaus	hospital
Krankenwagen	ambulance
Medizin	medication
Notfall	emergency
praktischer Arzt	general practitioner/ family doctor
Rezept	prescription
Rollstuhl	wheelchair
Schlaftablette	sleeping pill
Schmerzen	pain
schwerhörig	hearing impaired
Verletzung	injury
Zahnarzt	dentist

Strandleben

Flut	high tide
Liegestuhl	deckchair
Muschel	shell
Schwimmflossen	fins
Sonnencreme	sunscreen
Strömung	current
Surfanzug	wetsuit

Straßen-/Flugverkehr

Fahrplan	schedule
Führerschein	driver's license
Gangplatz	aisle seat
Geländewagen	four-wheel drive
Geschwindigkeitsbegrenzung	speed limit
Handgepäck	carry-on luggage
Hin-und Rückflug	roundtrip
Maut	toll
Schließfach	locker
Sicherheitsgurt	safety belt
stornieren	cancel
Tankstelle	gas station
Touristenklasse	economy/coach class
Verkehrskreuzung	intersection
Wohnmobil	motor home

Tiere und Pflanzen

Adler	eagle
Beutelratte	opposum
Fichte	spruce
Gürteltier	armadillo
Haifisch	shark
Kiefer	pine
Magnolie	magnolia
Schildkröte	turtle
Stinktier	skunk
Waschbär	raccoon
Zypresse	cypress

Wichtige Sätze

Could I have the check, please.	Die Rechnung bitte.
Could you recommend a …	Können Sie einen … empfehlen?
Do you have …	Haben Sie …
Enjoy yourself!	Viel Spaß!
Excuse me.	Entschuldigung.
Good idea.	Eine gute Idee.
Have a safe trip!	Komm gut nach Hause!
Have you got a room?	Haben sie ein Zimmer frei?
How are you doing?/How are you?	Wie geht es Dir/Ihnen?
How do I get to …?	Wie komme ich nach …?
How much is that/how much does this cost?	Wie viel kostet das?
I didn't understand.	Ich habe nicht verstanden.
I'd like to rent a car.	Ich möchte ein Auto mieten.
I have a reservation.	Ich habe eine Reservierung.
I'm from …	Ich komme aus …
Is there a message for me?	Gibt es eine Nachricht für mich?
Is this seat taken?	Ist dieser Platz besetzt?
Just a minute please.	Einen Augenblick, bitte.
May I leave a message?	Kann ich eine Nachricht hinterlassen?
My Pleasure!	Gern geschehen!
Nice to meet you.	Schön, Sie kennen zu lernen.
Please call an ambulance!	Rufen Sie schnell einen Krankenwagen!
Please leave me alone!	Lassen Sie mich in Ruhe!
Please write that down for me.	Bitte schreiben Sie mir das auf.
Smoking or non smoking?	Raucher oder Nichtraucher?
That's ok.	Das macht nichts.
To stay or to go?	Zum Hieressen oder zum Mitnehmen?
Wait to be seated.	Warten Sie, bis Sie an Ihren Platz geleitet werden.
What are the rates?	Wie viel kostet es?
What kind of dressing would you like for your salad	Welches Salatdressing wünschen Sie?
When/where shall we meet?	Wann/wo treffen wir uns?
Where are you from?	Woher kommen Sie?
Where is the counter/restroom?	Wo ist der Schalter/die Toilette?
Would you care for a doggy bag?	Möchten Sie den Rest zum Mitnehmen eingepackt haben?
You're welcome!	Bitte sehr!

Unterkunft

ausgebucht	fully booked
Babybett	crib
mit Bad	private bath
Bestätigungs-nummer	confirmation number
Bettlaken	sheets
Decke	blanket
Dusche	shower
Elektroanschluss für Wohnmobile	(electrical) hook up
Elektrostecker	plug
Empfang	reception
Ermäßigung	discount
mit Frühstück	breakfast included
Gepäck	baggage
Handtuch	towel
Klimaanlage	air condition, ac
Kühlschrank	fridge
Meerblick	ocean view
Mikrowellengerät	microwave
Mülltonne	trash bin
Notausgang	emergency exit
Parterre	first floor
Terrasse	patio
Waschbecken	sink
Zimmer frei	vacancy
Zimmermädchen	maid
Zimmerservice	room service

Wandern

Rucksackwandern	backpacking
Strandwandern	beachcombing
Wanderungen	hikes
Wanderweg	trail

Wetter

Abenddämmerung	dusk
Blitz	lightning
Gewitter	thunderstorm
Hitze(welle)	heat (wave)
Morgendämme-rung	dawn
Niederschläge	precipitation
Regen	rain
schwül	humid
Tief	low-pressure

REGISTER

FLORIDA-ATLAS

LEGENDE

1 : 1.500.000

0 — 50 km

	Autobahn, gebührenpflichtig		Flughafen
	Autobahn mit Nummer	★	Sehenswürdigkeit
	Schnellstraße		Information
	Fernstraße		Museum
	Hauptstraße		Badestrand
	Nebenstraße		Turm
	Straße in Bau/Planung		Leuchtturm
	Straße ungeteert		Empfohlener Campingplatz
	Eisenbahn		Nationalpark, Naturpark
	Fähre		Naturschutzgrenze
	Staatsgrenze		

A
B
C
1
2
3
4
Dixonville
Century
Jay
Oak Grove
Walnut Hill
Brownsdale
Bogia
Fidelis
Berrydale
Blackwater River S.F.
Munson
Rock Creek
Beaver Creek
Wing
Good Hope
Laurel Hill
Blackman
Cannon Town
Baker
Milligan
Lockhart
Florala
Paxton
ALABAMA
FLORIDA
Svea
Darlington
Sweet Gum
New Hope
Gordon
Caney Creek
New Harmony
Garden City
Dorcas
Prosperity
Liberty
Crestview
Mossy Head
De Funiak Springs
Ponce de Leon
Argyle
Bay Springs
Chumuckla
Allentown
Barrineau Park
Molino
Escambia River
Wallace
Roeville
Floridale
Holt
Galliver
Blackwater River
Harold
Milton
Yellow River
Cottage
Cantonment
Pace
Gonzalez
Floridatown
Bagdad
Seminole
Eglin Air Force Base
Valparaiso
Niceville
Rock Hill
Redbay
Portland
Freeport
Belleview
Pensacola
West Pensacola
Pensacola Bay
Warrington
Holley
Navarre
Oriole Beach
Mary Esther
Ocean City
Shalimar
Postil
Rock Bayou S.R.A.
Choctawhatchee Bay
Bay View
Bruce
Choctawhatchee River
Ebro
Paradise Beach
Myrtle Grove
Gulf Breeze
Santa Rosa Sound
Santa Rosa Island
Fort Walton Beach
Gulfarium
Destin
Miramar Beach
Gulf Pines
Santa Rosa Beach
Point Washington
Seminole Hills
Gulf Beach
Fort Pickens
Pensacola Beach
Gulf Islands National Seashore
50 m
Henderson Beach S.R.A.
Santa Rosa Beach
Blue Mtn. Beach
Seaside
Seagrove Beach
Perdido Key S.R.A.
Big Lagoon S.R.A.
Grayton Beach S.R.A.
Inlet Beach
Westbay
Hollywood Beach
Laguna Beach
Bahama Beach
Egdewater Gulf Beach
Bittmore
St Andrews
Golf von Mexiko
200 m

D
E
F
1
2
3
4
S. 234
ALABAMA
FLORIDA
GEORGIA
Cottonwood
Chattahoochee S.P.
Donalsonville
Iron City
Brinson
Lynn
Vada
Pelham
Meigs
Hansell
Harrells Still
Akridge
Holland Crossroads
Browntown
Campbellton
Malone
Lela
Bainbridge
Cairo
Graceville
Sills
Greenwood
Lovedale
Reynoldsville
Haynes
Climax
Whigham
Richter Crossroads
Glass
Florida Caverns S.P.
Seminole S.P.
Lake Seminole
Fowlstown
Lapham-Patterson House St. Hist. Site
Bonifay
Chipley
Cottondale
Dellwood
Marianna
Recovery
Reno
Pebble Planta
Steele City
Cypress
Grand Ridge
Sneads
Faceville
Attapulgus
Oakdale
Chattahoochee
Oak Grove
Dogtown
Darsey
Concord
Moncriefs Store
Wausau
Compass Lake
Sink Creek
Altha
Ocheesee
Greensboro
Gretna
Quincy
Havana
Lake Iamonia
Iamonia
Miccosukee
Betts
Chason
Chipola
Rock Bluff
Torreya S.P.
Shady Rest
Lake Jackson Mounds St. Arch. Site
Bradfordville
Lake Jackson
Sawdust
Crystal Lake
Durham
Fountain
Clarksville
Blountstown
Midway
Ochlockonee
Lake Talquin
Lowry
Tallahassee
Chaires
Bennett
Camp Flowers
Youngstown
Vicksburg
Sharpstown
Hosford
Bloxham
Belair
Southport
Cairo
Woods
Telogia
Gasking
Woodville
Natural Bridge Battlefield
Lynn Haven
Bayou George
West Bay
Marysville
Clio
Helen
Hilliardville
Panama City
Chipola Park
Lewis
Dead Lake
Apalachicola
Bethel
Wakulla Springs St.
Wakulla
Springfield
Dead Lakes S.R.A.
Vilas
National
Forest
Ivan
Newport
Parker
Callaway
Wewahitchka
Lake Grove
Kern
Wilma
Smith Creek
Arran
Crawfordville
San Marcos de Apalache St. Hist.
Port Leon
Nutall Rise
East Bay
Wetappo
Allanton
Honeyville
Poplar Camp
Sanborn
Medart
Wakulla Beach
Shell Point
Sumatra
Sopchoppy
Panacea
Apalachee Bay
Ochlockonee River S.P.
Surf
Willis Landing
Mexico Beach
Beacon Hill
Fort Gadsden
Lanark Station
St. Teresa Beach
Lighthouse Point
Indian Swamp
Lanark
Highland View
Port St Joe
White City
Fort Gadsden St. Hist. Site
Beverly
Carrabelle Beach
Carrabelle
St Joseph Peninsula S.P.
Oak Grove
St Joseph Bay
Constitution Convention St. Museum
John Gorrie St. Museum
Green Point
St George Sound
Apalachicola
St George Island S.P.
McNeils
Eleven Mile
Apalachicola Bay
Cape San Blas
Cape St George
Chattahoochee River
Apalachicola River
Ochlockonee River

A
B
C
1
2
3
4
Meigs
Hansell
Ochlocknee
Murphy
Autreyville
Berlin
Collidge
New Rock Hill
Barney
Pavo
Patten
Hollis
Barwick
Thomasville
Pebble Hill Plantation
Eason
Boston
Dixie
Quitman
Grooverville
Everett
Moncriefs Store
Metcalf
Ray City
Lakeland
Homerville
Argyle
Glenmore
Ruskin
Travisville
Midway
Hopkins
Banks Lake N.W.R.
Moody Air Force Base
Du Pont
Hahira
Morven
Mineola
Bemiss
Stockton
Naylor
Withers
Mayday
Haylow
Thelma
Headlight
The Crescent Complex
Valdosta
Kinderlou
Briggston
Clyattville
Twin Lakes
Browntown
Statenville
Tarver
Needmore
Colon
Fargo
Edith
Council
Ewing
Lovett
Ashville
Cherry Lake
Pinetta
Belville
Jennings
Bakers Mill
GEORGIA
FLORIDA
Cypress Creek
Pinhook Swamp
Miccosukee
Lake Miccosukee
Monticello
Hanson
Blue Springs
Jasper
Drifton
Lloyd
Chaires
Waukeenah
Greenville
Madison
Lee
Suwannee River S.P.
Stephen Foster St. Folk Culture Center
Osceola National Forest
Lamont
Wacissa
Moseley Hall
Ebb
Hopewell
Ellaville
Suwannee Rixford
Genoa
White Springs
Natural Bridge Battlefield St. Hist. Site
Eridu
Aucilla River
Covington
Shady Grove
Lancaster
Mercer
Live Oak
Wellborn
Winfield
Olustee Battlefield St. Hist. Site
Lake City
Chancey Day
Padlock
Pine Mount
Watertown
Wilburn
Mount Carrie
Boyd
Blue Springs
Peacock Springs S.R.A.
Suwannee River
McAlpin
Bass
Columbia
Lulu
Newport
Marcos de Apalache St. Hist. Site
Leon
Nutall Rise
Scanlon
Perry
Buckville
Luraville
Hampton Springs
Forest Capital State Museum
Foley
Fenholloway
O'Brien
Ichetucknee Springs S.P.
Mayo
Cliftonville
Ellisville
Providence
Beachville
Branford
Grady
Hildreth
Fort White
Mikesville
Santa Fe River
O'Leno S.P.
Santa Fe
Wanamakee
Hatchbend
La Crosse
Cooks Hammock
Salem
Adams Beach
Dekle Beach
Keaton Beach
Fish Creek
Mallory Swamp
High Springs
Alachua
Tennille
Bell
Devil's Millhopper State Geological Site
Hines
Pompkin Swamp
Fletcher
Cadillac
Jonesboro
Wannee
Pine Hill Estates
Steward City
Deadman Bay
Cross City
Bitchville
Wilcox Junction
Newberry
Fred Bear Museum
Shamrock
Eugene
Trenton
Fanning Springs
Old Town
Arredondo
Gapac
Archer
Peach Orchard
Manatee Springs S.P.
Chiefland
Hardeetown
Newton
Merediths
Bronson
Horseshoe Beach
Horseshoe Cove
Shired Island
Janney
Usher
Fowler Bluff
Vista
Williston
Suwannee
Otter Creek
Ellzey
Morriston
Suwannee Sound
Rosewood
Gulf Hammock
Golf von Mexiko
Cedar Key St. Museum
Sumner
Romeo
Rainbow Lake Estates
Cedar Key
Waccasassa Bay
Lebanon Station
Lebanon
Tidewater
Cedar Keys National Wildlife Refuge & Wilderness
Lake Rousseau
Dunnellon
Yankeetown
Inglis
Withlacoochee Bay
Citrus Springs
Red Level
Crystal River
Beverly Hills
Holder
Crystal Bay

S. 233

S. 236

D
E
F
1
2
3
4
Atlantischer
Ozean
JACKSONVILLE
Laura S. Walker S.P.
Waycross S.F.
Shea
Race-pond
Newell
Midriver
Tarboro
Spring Bluff
Waverly
White Oak
Woodbine
Dover Bluff
Jekyll Island State Resort Park
Faith Chapel
Jekyll Island
St. Andrew Beach
St. Andrew Sound
Satilla R.
Billyville
Jefferson
Colesburg
Burnt Fort
Mattox
Uptonville
Homeland
Okefenokee
Cumberland Island
Cumberland Island National Seashore
Harriets Bluff
Seals
Kinlaw
Colerain
Folkston
Crooked River S.P.
Kingsland
Greenville
Stephen C. Foster S.P.
Camp Cornelia
Boulogne
Kings Ferry
Gross
St. Marys
St Marys Entrance
Fort Clinch S.P.
Fernandina Beach
Hilliard
Evergreen
Becker
Chester
Yulee
O'Neil
Wildlife Refuge
St Marys River
Italia
Hero
Hedges
Summer Beach
Amelia City
Callahan
Nassau R.
Nassauville
Franklintown
Amelia Island S.R.A.
Nassau Sound
Eddy
Moniac
St. George
Kent
Tisonia
Pecan Park
Baxter
Crawford
Dahoma
Oceanway
Little Talbot Island S.P.
Verdie
Dinsmore
Garden City
Kingsley Plantation St. Hist. Site
Talbot Island
Fort George Island
Bryceville
Ft Caroline Nat'l Mem.
Mayport
Manhattan Beach
White-house
Arlington
Atlantic Beach
Neptune Beach
Jacksonville Beach
Ponte Vedra Beach
Ponte Vedra
Baldwin
Otis
Marietta
Glen Saint Mary
Macclenny
Fiftone
Jacksonville Heights
Maxville
Wesconnett
Sunbeam
Green-lend
Manning
Hugh
Orange Park
Goodbys
Palm Valley
Sapp
Highland
Doctors Inlet
Mandarin
Bayard
Switzerland
Durbin
Guana River State Park
Raiford
Mill Creek
Sampson
Hilden
South Ponte Vedra Beach
Lake Butler
Heilbronn
Lawtey
Hibernia
Orangedale
Green Cove Springs
South Durbin
Casa Cola
Usinas Beach
Starke
Kingsley Village
Penney Farms
Araquey
Vilano Beach
Castillo de San Marcos National Monument
Sampson City
Lincoln City
Picolata
Brooker
Hampton
Mike Roess Gold Head Branch S.P.
Sun Garden
Tocoi Junction
Tocoi
St. Augustine
St. Augustine Beach
Graham
Theressa
Keystone Heights
West Tocoi
Riverdale
Anastasia Island
Waldo
Monteocha
Bostwick
Vermont Heights
Moultrie
Frank B. Butler S.P.
Crescent Beach
Putnam Hall
Federal Point
Santa Fe Lake
Orange Heights
Bridgeport
Spuds
Dupont Center
Fort Matanzas National Monument
Grandin
Carraway
Gainesville
Melrose
Springside
Orange Mills
Faver-Dykes S.P.
Rex
Palatka
East Palatka
Byrd
Marineland
Marineland of Florida
Newmans Lake
Interlachen
Francis
Platoville
Washington Oaks State Gardens
Hawthorne
Hunter
San Mateo
Palm Coast
Rochelle
Grove Park
Johnson
Buffalo Bluff
Lake Oklawaha
Satsuma
Painters Hill
Beverly Beach
Marjorie Rawlings St. Hist. Site
Micanopy
Rodman
Sisco
Neoga
Espanola
Pomona Park
Andalusia
Flagler Beach
Cross Creek
Orange Lake
Island Grove
Orange Springs
Ocala
Welaka
Crescent Lake
Bunnell
Flagler Beach S.R.A.
Citra
Crescent City
Bulow Plantation St. Hist. Monument
Korona
Fruitland
Denver
Reddick
Fort McCoy
Eureka
Deansville
Codys Corner
National Gardens
Ormond-by-the-Sea
Ormond Beach
Tomoka State Park
Ellinor Village
Salt Springs
Hammond
Seville
Lowell
Sparr
Silver Glen Springs
Anthony
Connersville
Holly Hill
Daytona Beach
Citronelle
Zuber
Lake George
Ormond
Seabreeze
Kendrick
Silver Springs
Pierson
Museum of Arts and Sciences and Plane
Martel
Ocala
Lynne
National
Eldridge
Daytona Int. Speedway
Daytona Beach Shores
Juniper Springs
Astor Park
Astor
Barberville
South Daytona
Port Orange
De Leon Springs S.P.
De Leon Springs
Santos
Moss Bluff
Wilbur-by-the-Sea
Ponce Inlet
Belleview
Shockley Heights
Glenwood
Lighthouse Point S.R.A.
Monroes Corner
Oklawaha
Forest
Daytona Park
Samsula
Glencoe Mission
Summerfield
Lake Weir
Pittman
Fullerville
De Land
Marion Oaks
Crows Bluff
New Smyrna Beach
Coronado Beach
Edgewater
Dallas
Weirsdale
Altoona
Hontoon Isl. S.P.
Lake Helen
Cassadaga
Turtle Mound
Lady Lake
Lake Yale
Umatilla
Blue Spring S.P.
Orange City
Rutland
Wildwood
Fruitland
Orange Bend
Eustis
Cassia
De Bary
Deltona
Ariel
Oak Hill

S. 237

A
B
C
1
2
3
4
S. 234
S. 238
Golf von Mexiko
50 m
Crystal Bay
Crystal River
Beverly Hills
Hernando
Inverness
Homosassa Springs
Homosassa Springs Wildlife State Park
Homosassa
Yulee Sugar Mill St. Hist. Site
Withlacoochee S.F.
Chassahowitzka
Chassahowitzka National Wildlife Refuge
Royal Highlands
Chinsegut N.W.R.
Brooksville
Bayport
Weeki Wachee Spring
Weeki Wachee
Spring Hill
Aripeka
Hudson
Bayonet Point
Jasmine Estates
Port Richey
New Port Richey
Elfers
Holiday
Anclote Key State Preserve
Sponge Center
Tarpon Springs
Palm Harbor
Ozona
Caladesi Beach
Dunedin
Clearwater Beach
Clearwater
Belleair
Largo
Indian Rocks Beach
Pinellas Park
Redington Beach
Madeira Beach
Treasure Island
St. Petersburg Beach
Fort De Soto Park
Egmont Key S.P.
De Soto National Memorial
Anna Maria
Holmes Beach
Bradenton Beach
Palma Sola
Bradenton
Palmetto
Samoset
Oneco
Whitfield Estates
Sarasota
Selby Gardens
Siesta
Crescent Beach
Bee Ridge
Coral Cove
Osprey
Oscar Scherer S.R.A.
Laurel
Nokomis
Venice
South Venice
Warm Mineral Springs
North Port
Port Charlotte
Englewood
Grove City
Punta Gorda Beach
Rotonda West
Don Pedro Island S.R.A.
Cape Haze
Placida
Gasparilla Island S.R.A.
Boca Grande
Gasparilla Island
Point Boca Grande
Cayo Costa S.P.
Charlotte Harbor
Punta Gorda
Solana
Cleveland
Tropical Gulf Acres
Pirate Harbor
North Fort Myers
Bokeelia
Fort Myers Shores
Alva
Buckingham
Lehigh
TAMPA
Tampa Int'l Airport
Temple Terrace
Busch Gardens
Lutz
Land O'Lakes
Odessa
Oldsmar
Safety Harbor
ST. PETERSBURG
Tampa Bay
Sun City
Sun City Center
Ruskin
Apollo Beach
Gibsonton
Brandon
Riverview
Hillsborough Bay
Old Tampa Bay
Seffner
Mango
Plant City
Lakeland
Auburndale
Winter Haven
Cypress Gardens
Eagle Lake
Bartow
Mulberry
Fort Meade
Bowling Green
Paynes Creek St. Hist. Site
Wauchula
Zolfo Springs
Arcadia
Myakka River S.P.
Myakka City
Little Manatee River S.R.A.
Parrish
Wimauma
Zephyrhills
Dade City
Hillsborough River S.P.
Leesburg
Eustis
Tavares
Mount Dora
Clermont
Citrus Tower
Groveland
Winter Garden
Windermere
Universal Studios
Walt Disney World
Lake Louisa S.P.
Wildwood
Bushnell
Haines City
Polk City

D
E
F
S. 235
Turtle Mound Archaeological
Apollo Beach
Canaveral National Seashore
Mosquito Lagoon
Indian River
Playalinda Beach
Merritt Island National Wildlife Refuge
Merritt Island
Titusville
John F. Kennedy Space Center
Spaceport U.S.A.
Cape Canaveral Air Force Station
Air Force Space Museum
Cape Canaveral
Merritt Island
Rockledge
Cocoa Beach
Cocoa
Sharpes
Courtenay
Banana R.
Mims
Allenhurst
Oak Hill
Shiloh
Scottsmoor
Ariel
Deltona
De Bary
Lake Monroe
Sanford
Osteen
Maytown
Osceola
Paola
Big Tree
Lake Jessup
Geneva
Lake Harney
Altamonte Sprs
Longwood
Winter Springs
Oviedo
Casselberry
Maitland
Chuluota
Lake Pickett
Goldenrod
Winter Park
ORLANDO
Bithlo
Christmas
Conway
Belle Isle
Pine Castle
Taft
Orlando Intern. Airport
Sea World
Gatorland Zoo
Kissimmee
Narcoossee
East Lake Tohopekaliga
Pine Grove
St. Cloud
Ashton
Tosohatchee State Preserve
Atlantischer
Ozean
South Patrick Shores
Satellite Beach
Indian Harbour Beach
Canova Beach
Indialantic
Melbourne Beach
Melbourne
Eau Gallie
June Park
West Melbourne
Palm Bay
Malabar
Floridana Beach
Ballard Pines
Sebastian Inlet S.R.A.
Sebastian
Roseland
Micco
Grant
Valkaria
Angel City
Lotus
Pineda
Winder Lake
Lake Washington
Holopaw
Deer Park
Poinciana
Lake Gentry
Cypress Lake
Lake Hatchineha
Lake Kissimmee S.P.
Lake Kissimmee
Nittaw
Kenansville
Hesperides
Fedhaven
Lake Marian
Turkey Hammock
Indian Lake Estates
Kissimmee River
Lokosee
Blue Cypress L.
Fellsmere
Vero Lake Estates
Cummings
Orchid
Wabasso
Winter Beach
Gifford
Vero Beach
Paradise Park
Vero Beach South
Oslo
North Hutchinson Island
Viking
St. Lucie Museum
Lakewood Park
Sunland Gardens
St. Lucie
Fort Pierce
Hutchinson Island
White City
Port Saint Lucie
Walton
Eden
South Hutchinson Island
Jensen Beach
Elliot Museum & House of Refuge
North River Shores
Rio
Stuart
Sewall's Point
Port Salerno
Palm City
Tropical Park
Gomez
Hobe Sound
Jupiter Island
Jonathan Dickinson S.P.
Indiantown
Tequesta
Beach Colony
Jupiter
Juno Beach
North Palm Beach
Lake Park
Riviera Beach
Singers Island
West Palm Beach
Palm Beach Shores
Royal Palm Beach
Haverhill
Wellington
Loxahatchee
Palm
Yeehaw Junction
Avon Park
Lake Arbuckle
Air Force Range
Lotela
Sebring
Sebring Int'l Grand Prix Race Course
Lorida
Plains
Istokpoga
Lake Istokpoga
Basinger
Fort Basinger
Cornwell
Marland
Lake Placid
Sunvale
Dixie Ranch Acres
Whispering Pines
Cypress Quarters
Okeechobee
Sherman
Brighton
Taylor Creek
Up The Grove Beach
Childs
Archbold
Hicoria
Brighton Seminole Indian Res.
Buckhead Ridge
Okeetantie S.R.A.
Fort Drum
Hilolo
Old Venus
Venus
Cypress Knee Museum
Lakeport
Calusa
Lake Okeechobee
Moonshine Bay
Port Mayaca
Palmdale
Canal Point
Bryant
Pahokee
Pahokee S.R.A.
Everglades Tropical Gardens
Citrus Center
Ortona
Moore Haven
Shawnee
Clewiston
Goodno
La Belle
Harlem
South Bay
Lake Harbor
Runyon
West Palm Beach Canal
Everglades Reclamation St. Hist. Site
Sears
S. 239
Glade
1
2
3
4
50 m
200 m

S. 236
Golf von Mexiko
Point Boca Grande
Cayo Costa S.P.
Cayo Costa
North Captiva Island
Captiva
Sanibel Island
Pine Island
Matlacha
Flamingo Bay
North Fort Myers
Cape Coral
Fort Myers
Lehigh Acres
Buckingham
Tice
Edison Home
Punta Rassa
Fort Myers Beach
St. James City
Sanibel
Estero Island
San Carlos Park
Estero
Koreshan S.H.S.
Corkscrew
Corkscrew Swamp
Corkscrew Swamp Sanctuary
Lake Trafford
Immokalee
Felda
Lover's Key S.P.
Bonita Beach
Bonita Shores
Bonita Springs
Everglades Wonder Garden
Harker
Wiggins Pass S.R.A.
Naples Park
North Naples
Vanderbilt Beach
Jungle Larry's African Safari Park
Big Cypress Swamp
Golden Gate
Sunniland
Naples
East Naples
Fakahatchee Strand
Fakahatchee Strand St. Preserve
Miles City
Belle Meade
Deep Lake
Jerome
Isle of Capri
Collier Seminole S.P.
Royal Palm Hammock
Copeland
Marco Island
Collier City
Goodland
Carnestown
Everglades City
Kice Island
Cape Romano
Gullivan Bay
Ten Thousand Islands
Chokoloskee
Ten Thousand Islands N.W.R.
Great White Heron National Wildlife Refuge
National Key Deer Refuge
Big Pine Key
No Name Key
Big Torch Key
Summerland Key
Ramrod Key
Little Torch Key
Marquesas Keys
Boca Grande Channel
Key West National Wildlife Refuge
Key West
Stock Island
Perky
El Chico
Big Coppit Island
Boca Chica Key
Smathers Beach

D
E
F
1
2
3
4
S. 237
Belle Glade
Lake Harbor
Everglades Reclamation St. Hist. Site
South Bay
Belle Glade Camp
Okeelanta
Browns Farm
Montura
Devil's Garden
Graham Marsh
Okaloacoochee Slough
Miami Canal
North New River Canal
Hillsboro Canal
Loxahatchee
Loxahatchee National Wildlife Refuge
Wellington
Beach
Palm Beach
Greenacres City
Lake Worth
South Palm Beach
Palm Springs
Lantana
Hypoluxo
Boynton Beach
Ocean Ridge
Gulf Stream
Delray Beach
Highland Beach
Boca Raton
Deerfield Beach
Lighthouse Point
Hillsboro Beach
Pompano Beach
Lauderdale-by-the-Sea
Oakland Park
Ocean World
West Dixie Bend
Parkland
Coral Springs
Margate
Tamarac
Sunrise
Wilton Manors
Lauderhill
Andytown
Plantation
Dania
FT LAUDERDALE
Davie
HOLLYWOOD
Pembroke Pines
Miramar
Hallandale
Golden Beach
Aventura
Sunny Isles
Carol City
Miami Lakes
North Miami Beach
Opa Locka
North Miami
HIALEAH
Surfside
Miami Springs
Miami Shores
Big Cypress Seminole Indian Res.
Miccosukee Indian Res.
Big Cypress National Preserve
Monroe Station
Paolita Station
Trail Center
Everglades Safari Park
Sweetwater
MIAMI
Miami Beach
Westchester
West Miami
Coral Gables
Key Biscayne
Westwood Lakes
South Miami
Kendall
Pinecrest
Shark Valley
The Everglades
Observation Tower
Richmond Heights
Rockdale
Perrine
Big Baggs Cape Florida Beach S.R.A.
South Miami Heights
Cutler Ridge
Big Lostmans Bay
Shark Valley Slough
Goulds
Princeton
South Allapattah
Biscayne Bay
Sands Key
Naranja
Leisure City
Homestead
Coral Castle
Elliot Key
Islandia
Everglades
Pa-hay Okee Observation Tower
Visitor Center Park Headquarters
Florida City
Biscayne National Park
Shark Point
Ponce de Leon Bay
Mahogany Hammock
Whitewater Bay
National Park
Card Sound
Key Largo
Barnes Sound
Mangrove Swamp
Northwest Cape
Cape Sable
West Lake Trail
West Lake
Blackwater Sound
John Pennekamp Coral Reef S.P.
Visitor Center
Middle Cape
Flamingo
Mosquito Point
East Cape
Key Largo
Rock Harbor
Florida Bay
Tavernier
Sunset Point
Plantation Key
Plantation
Islamorada
Matecumbe
Theater of the Sea
Lignumvitae St. Hist. Site
Indian Key
Indian Key Fill
Layton
Long Key
Craig
Lower Matecumbe Beach
Grassy Key
Long Key S.R.A.
Dolphin Research Center
Conch Key
Duck Key
Marathon Shores
Vaca Key
Marathon
Key Colony Beach
Sombrero Beach
Coco Plum Beach
Bahia Honda Key
Florida Keys
Floridastraße
50 m
200 m
Atlantischer Ozean

Bildnachweis

Heeb, Christian/laif: S. 53, 78, 85, 89, 120, 123, 132, 157, 163, 191
Kristensen, Preben/laif: S. 100
Meyer, Jörg/Christoph & Friends: S. 126, 172, 185
Modrow, Jörg/laif: Titel, Klappe vorn, Klappe hinten, S. 2/3, 8, 10, 14, 38, 75, 76/77, 104/105, 109, 116, 142/143, 164, 180/181
Neumann, Anna/laif: S. 1, 17, 18, 20, 25, 27, 32, 37, 42, 44, 46, 50, 54, 60, 72, 97, 114, 141, 145, 148, 174/175, 182, 188, 195, 201, 204, 208, 210
Reimer/laif: S. 107
Rodtmann, Edgar/laif: S. 57, 62, 70
Sasse, Martin/laif: S. 58, 167

Die Abbildungen auf S. 29 wurden dem Band »America 1585: The complete Drawings of John White« von Paul Hulton, The University of North Carolina Press, 1984, entnommen.

Abbildungen

Titel: Am Miami South Beach
Vordere Umschlagklappe: Marathon Bay auf den Florida Keys
Hintere Umschlagklappe: Das Marlin Hotel in Miami
S. 2/3: Die Skyline von Downtown Miami

Kartografie

DuMont Reisekartografie, Puchheim,

1. Auflage 2005

Druck: Rasch, Bramsche
Buchbinderische Verarbeitung: Bramscher Buchbinder Betriebe

Printed in Germany ISBN 3-7701-5996-9